LE GUÉPARD

DU MÊME AUTEUR

Le Professeur et la Sirène
Seuil, 1962
et « Points Roman », n° R 63

Leçons sur Stendhal
(avec « Stendhal et la Sicile » de L. Sciascia)
Nadeau, 1985

Giuseppe Tomasi di Lampedusa

LE GUÉPARD

ROMAN

Traduit de l'italien
par Fanette Pézard

Éditions du Seuil

TEXTE INTÉGRAL

TITRE ORIGINAL
Il Gattopardo
ÉDITEUR ORIGINAL
Feltrinelli

ISBN 2-02-029160-6
(ISBN 2-02-001405-X, édition brochée)
(ISBN 2-02-005412-4, 1re publication poche)

PRÉFACE
PAR VINCENZO CONSOLO

« *Nunc et in hora mortis nostræ* » : entre ces deux points inexorables, entre cette source et cette embouchure, entre le présent et sa fin, sous le mince rayon entre deux ténèbres coule le fleuve de la vie, se déroule le fil du récit ; depuis la rive de la lucidité et du désenchantement, le regard froid de Salina – et celui de Lampedusa –, se pose sur le monde, sur les événements ; sa voix a le timbre bas et mélancolique de la conscience de la mort. Le regard et la voix sont alors semblables à ceux, extrêmes, solitaires et déchirants du personnage de Tolstoï Ivan Ilitch. Lampedusa place tout de suite son héros, don Fabrizio, non seulement à l'intérieur de l'existence commune, du destin commun, mais aussi en des situations extrêmes. Dans une classe aristocratique, c'est-à-dire aimant les fêtes et insensée, aveugle et au bord de la ruine, de la disparition ; dans une Sicile splendide et désolée, luxuriante et désertique, solaire et ténébreuse, concrète et onirique, explicite et énigmatique, vivant en une décadence éternelle et impossible à arrêter ; dans une génération à cheval entre l'ancien temps et les temps nouveaux, dans ce climat fatidique du Risorgimento, en cette année 1860 de l'unité nationale, énième déguisement historique d'un immobilisme constant, qui a imprégné la quasi-totalité de la littérature sicilienne, de Verga à De Roberto et à Pirandello. Ces extrémités rendent le prince de Salina apparemment semblable aux Siciliens de son époque, semblable à la « race » de nobles dont il doit, malgré tout, être solidaire. Ce qui le rend étranger vraiment à son temps et qui l'isole du contexte, qui le place en dehors et au-dessus de la classe supérieure à laquelle il appartient, c'est l'ascendance germanique de sa mère, cette princesse Carolina qui, par son caractère hautain, avait « glacé la cour débraillée des Deux Siciles ». Dans cette ascendance, il y a certainement une allusion à un *stammvater*, à une provenance souabe, qui renvoie à une descendance plus haute, royale, du « vent de Souabe », du grand Frédéric, et a légué matériellement au prince son aspect imposant, son énergie, sa toison couleur de miel, ses yeux bleu clair, et son intelligence rationnelle, son penchant pour les idées abstraites, son inclination pour les mathématiques, sa passion pour l'astronomie : la fuite, chez le prince, dans l'a-temporalité, dans l'ataraxie, vers les purs espaces sidéraux, vers cet harmonieux cataclysme leibnizien qu'est l'univers placé au-dessus de nous. Et, en même temps, il est emprisonné par sa mère dans une cuirasse teutonne faite d'orgueil, de rigidité morale, de scepticisme, de sarcasme, de mépris pour les erreurs et les carences des autres, de snobisme aussi (son amour pour le chien héraldique Bendicò, le fait de donner à une petite planète qu'il a découverte le nom d'un chien braque qu'il ne parvient pas à oublier…). Mais le maniérisme psychologique du prince pouvait se dissoudre dans l'abandon à l'instinct, dans la descente vers les bas-fonds de Palerme, vers les amours mercenaires avec Mariannina ; il pouvait se moduler dans le regret de la perte de son deuxième enfant, Giovanni, hargneux et rebelle qui, renonçant aux aises et aux liens familiaux, s'était enfui à Londres ; le maniérisme du prince pouvait encore se dissiper dans la sympathie pour son neveu, l'ironique, cynique, élégant et désinvolte Tancredi, dans son attirance pour Angelica (cette sublime créature surgie des bas-fonds les plus innommables rencontre fatalement le prince, au croisement d'une décadence et d'une ascension, et parvient à en combler les attentes sensuelles et esthétiques), dans l'éternel mécontentement, dans la compassion, parfois, envers les hommes, les animaux et les choses, envers tout ce qui est soumis à la condamnation de la corruption et de la fin.

Le Guépard est véritablement le roman de la fin : d'une époque, d'une classe, de son protagoniste, Fabrizio Corbera, prince de Salina, de son auteur, Giuseppe Tomasi prince de Lampedusa. La société littéraire, éminemment représentée par le critique Emilio Cecchi et par le poète Eugenio Montale, prit acte de l'existence de ce prince sicilien au cours de l'été 1954, à San Pellegrino Terme. Le futur écrivain était venu dans la petite ville bergamasque accompagner son cousin, Lucio Piccolo, lequel avait été invité pour être présenté par Montale à un congrès littéraire. Lucio Piccolo avait adressé à Montale quelque temps plus tôt une modeste plaquette intitulée *9 liriche* (9 poèmes lyriques). Montale rendra par la suite ponctuellement compte de la découverte, en Piccolo, d'un poète singulier et extraordinaire, ainsi que de leur rencontre à San Pellegrino, dans sa préface au volume de Piccolo, *Canti barocchi* (Chants baroques), publié en 1956. « Je me trouvais devant le baron Lucio Piccolo di Calanovella, un écrivain jusque-là inédit, certes, mais aussi musicien accompli, un spécialiste de philosophie qui peut lire Husserl et Wittgenstein dans les textes originaux, helléniste compétent, un connaisseur de toute la poésie européenne ancienne et nouvelle, lecteur, par exemple, de Gerard Manley Hopkins et de Yeats, dont il partage les inclinations ésotériques. Je me trouvais, en somme, face à un *clerc** si savant et instruit que l'idée de devoir être son parrain me plongeait dans un insurmontable embarras », écrivait-il. Un récit détaillé de l'apparition des deux cousins au congrès littéraire sera fait en revanche par Giorgio Bassani dans sa préface au

* En français dans le texte.

Guépard. « Lucio Piccolo fut la véritable révélation du congrès. [...] Il était venu en train depuis la Sicile : en se faisant accompagner par un cousin plus âgé et par un domestique. Il y en avait assez, il faut bien en convenir, pour exciter une tribu d'hommes de lettres qui étaient un peu en vacances ! Le fait est que, pendant ce jour et demi que nous passâmes à San Pellegrino, la curiosité, l'étonnement et la sympathie de tous convergèrent sur Piccolo, sur son cousin et sur le domestique », raconte l'auteur du *Jardin des Finzi Contini*. Il nous est difficile d'établir si la parfaite mise en scène de leur apparition en public a été le fait de Piccolo ou de Lampedusa, sans doute de tous les deux, la malice et l'ironie animant pareillement les deux cousins. « Assez pour exciter une tribu d'hommes de lettres, certes. Mais ils ne savent pas », disait Piccolo à celui qui écrit ici cette note « que mon cousin et moi-même nous nous sommes beaucoup amusés au retour, dans le train, à singer les uns et les autres en imitant la façon dont ils parleraient de nous ». Et par "singer", Piccolo voulait dire justement imiter le style de chacun de ces hommes de lettres que les deux cousins excentriques (isolés et imprévisibles) connaissaient et dont ils étaient capables de reproduire avec une voix de fausset les rythmes et les tics.

Les hommes de lettres italiens avaient appris quel poète était Lucio Piccolo, mais de Lampedusa ils n'avaient aperçu que l'allure de grand seigneur méridional, de haute taille et imposant, au teint olivâtre, aux grands yeux noirs et pénétrants. Ils ne pouvaient certes pas deviner l'homme de lettres qu'il était, le grand écrivain qu'il serait. Et d'ailleurs, à Palerme, où il était revenu après avoir passé sa jeunesse et sa maturité à voyager dans toute l'Europe et à séjourner en Angleterre, en France, en Allemagne, dans les pays baltes, dans le château de sa femme, Alessandra Wolff-Stomersee, peu de parents et d'amis appréciaient l'intelligence, l'immense culture, la connaissance parfaite des littératures les plus importantes, la maîtrise totale de trois ou quatre langues de cet homme solitaire et silencieux, lucide et mélancolique. Le « Monstre » l'appelaient les parents et les amis, le « Monstre siroccal », issu du sirocco, ainsi signa-t-il lui-même quelques-unes de ses lettres, « Au *monstre*, pour sa bonté, son génie, sa lumineuse doctrine… » disait une dédicace de Piccolo. Et c'était vraiment un *monstrum*, quelqu'un qui avait lu *tous les livres** et même ceux qu'il ne fallait pas lire.

C'est au retour de San Pellegrino que Tomasi di Lampedusa commença à écrire son roman. Était-ce la vue des hommes de lettres italiens qui l'avait poussé à écrire, à ne plus remettre un projet qu'il portait peut-être en lui depuis toujours ou alors, déjà déterminé, était-il allé là-bas pour voir, connaître ses futurs interlocuteurs, ceux qui examineraient et jugeraient son œuvre ? « À une distance rapprochée, cette république des lettres ne lui semblait pas composée de demi-dieux. L'activité d'homme de lettres peut se réduire à être un homme de lettres, et les génies rassemblés à San Pellegrino n'avaient pas tous produit de grandes choses. L'activité et la fortune de Lucio Piccolo, quelques jours passés à San Pellegrino sorti de sa solitude, les leçons qu'il donnait l'après-midi à Francesco Orlando […], se traduisirent en autant d'incitations à l'action. Il se mit à écrire dès la fin de 1954, et, pendant les trente mois qui lui restaient à vivre, Lampedusa écrivit presque tous les jours », c'est ce que raconte son fils adoptif, Gioacchino Lanza.

Le livre, on le sait, fut envoyé à la maison d'édition Mondadori et ensuite à Elio Vittorini, qui dirigeait alors la collection « I gettoni » chez Einaudi : aussi bien l'une que l'autre le refusèrent. La lettre de Vittorini, datée du 2 juillet 1957, lui fut remise à Rome, où l'écrivain était entré en clinique et où il devait mourir le 23 juillet. Le

* Mallarmé, *Brise marine.*

manuscrit dactylographié fut ensuite transmis par Elena Croce à Giorgio Bassani qui dirigeait la collection « Biblioteca di letteratura » pour l'éditeur Feltrinelli. Et c'est là qu'il fut publié en novembre 1958.

Cette année-là avaient eu lieu des élections politiques et le démocrate-chrétien Fanfani était devenu Président du Conseil ; Pie XII était mort et Jean XXIII était monté sur le trône de saint Pierre (« Pour moi, ce pape est un Turc » se serait encore exclamée Carolina, la mère de don Fabrizio, si elle l'avait connu) ; en France, en cette année-là, le débat littéraire s'était focalisé autour du *nouveau roman*.

Le Guépard tombait comme un météorite dans les eaux narratives italiennes, agitées en ces années-là par les vents du néoréalisme et de l'expérimentalisme, du rationalisme et de l'historicisme ; il tombait parmi les figures dominantes de Vittorini et de Moravia, de Gadda et de Calvino. Et *Le Guépard* rencontra un succès, immédiat et irrésistible, auprès des lecteurs, et le désarroi, l'aversion, surtout chez les critiques qui se réclamaient de Lukács : un livre vieux, dirent-ils, écrit avec au moins cinquante ans de retard, un épigone des *Princes de Francalanza* de De Roberto et de *Les Vieux et les Jeunes* de Pirandello, livre anti-historique, réactionnaire. Ce fut encore Montale, toujours attentif, qui remit les choses en place dans un compte rendu de décembre 1958. « C'est le livre d'un grand monsieur, d'un grand *snob* au sens le plus élevé du mot, d'un homme qui a tout compris de la vie, d'un poète-narrateur doué d'une clairvoyance impitoyable et d'un sentiment de l'existence qui est en même temps stoïque et profondément charitable ». Dans un essai important, en 1960, le grand critique Luigi Russo saisissait la vérité profonde et la grandeur du roman. Enfin, les comptes rendus en France et en Angleterre, particulièrement ceux d'Aragon et de Forster, mettaient à l'écart et faisaient taire définitivement les critiques italiens. Le passage du temps, des quarante années environ ayant suivi sa première publication, a fait que ce roman, nourri de la sève de la grande littérature européenne, mais autonome, singulier, a révélé son caractère étranger aux tourments et aux tempêtes littéraires, aux hantises de l'histoire, l'a révélé comme un roman dans le temps et parallèlement hors du temps, comme ce qu'il était : un classique.

Roman de la fin, avons-nous dit. D'un homme qui sent la fin d'une époque, de "son" époque, qui ne nourrit aucune illusion, aucun espoir pour les temps à venir. Dans l'effort campanellien de vivre, de l'existence brève, son regard et son écoute se détachent avec douleur de la scène et du bruit confus du présent, ils se tournent vers la stase métaphysique, vers les « espaces illimités », vers « les silences surhumains » de Leopardi ; ils se tournent vers la musique des nombres, vers la froide lumière des étoiles, « seules pures ».

« *Tel qu'en Lui-même enfin l'éternité le change* »*.

TRADUIT DE L'ITALIEN
PAR JEAN-PAUL MANGANARO.

Giuseppe Tomasi, duc de Palma, prince de Lampedusa, a vécu jusqu'à soixante ans la vie d'un aristocrate sicilien de haute culture européenne. Un jour de 1955, il se mit à écrire un livre auquel il pensait depuis toujours. Le livre achevé, il mourut. C'était au printemps de 1957. En novembre 1958 paraissait Le Guépard, *aujourd'hui traduit dans toutes les langues et partout avec un succès sans précédent. En 1961 était publié un recueil de nouvelles,* Le Professeur et la Sirène. *Visconti a adapté* Le Guépard *au cinéma et le film, Palme d'or au festival de Cannes 1963, interprété par Alain Delon, Claudia Cardinale et Burt Lancaster, est un des sommets de son œuvre.*

* Mallarmé, *Le Tombeau d'Edgar Poe.*

Le Gattopardo, *ou* Guépard, *n'est pas un animal héraldique. Les armes de la famille Lampedusa, et par conséquent de Giulio di Lampedusa, qui servit, dit-on, de modèle pour don Fabrizio Salina, sont un* léopard rampant *ou, plus exactement encore,* lioné *: un léopard représenté dans l'attitude du lion rampant. Le terme* rampant, *on le sait, signifie en héraldique « dressé sur les pattes postérieures ».*

L'auteur, pour des raisons personnelles, n'a pas intitulé son livre Il Leopardo, *mais* Il Gattopardo. *Pour qualifier son* Guépard, *il ne s'est pas une seule fois servi du terme héraldique de* rampant, *mais du terme plus accessible et plus pittoresque de* dansant.

Nous avons respecté ce décalage de la fiction par rapport à l'histoire, et cette intrusion de la fantaisie dans le domaine du blason.

CHAPITRE PREMIER

Rosaire et présentation du Prince. Le jardin et le soldat mort. Les audiences royales. Le dîner. En voiture pour Palerme. En allant chez Mariannina. Le retour à S. Lorenzo. Conversation avec Tancrède. A l'intendance : les fiefs et les raisonnements politiques. A l'observatoire, avec le père Pirrone. Détente au cours du repas. Don Fabrice et les paysans. Don Fabrice et son fils Paul. La nouvelle du débarquement. Encore le rosaire.

MAI 1860.

« *Nunc et in hora mortis nostrae. Amen.* » Le rosaire quotidien s'achevait. Pendant une demi-heure, la voix paisible du Prince avait rappelé les Mystères glorieux et douloureux ; pendant une demi-heure, d'autres voix mêlées avaient tissé un bruissement ondoyant où s'épanouissaient les fleurs d'or de mots insolites : amour, virginité, mort. Le salon rococo semblait avoir changé d'aspect ; les perroquets eux-mêmes, qui déployaient leurs ailes irisées sur la soie des tentures, paraissaient intimidés ; quant à la Madeleine, entre les deux fenêtres, elle prenait des airs de pénitente ; ce n'était plus la belle blonde opulente qu'on voyait d'habitude, perdue dans Dieu sait quelles rêveries.

La voix se tut ; tout rentra dans l'ordre, dans le désordre habituel. Les serviteurs quittèrent la pièce ; le dogue Bendicò, tout navré de sa longue exclusion, entra par la même porte et frétilla. Les femmes se levaient lentement, et le reflux oscillant de leurs jupes découvrait peu à peu les nudités mythologiques tracées sur le fond laiteux du carrelage. Seule une Andromède cachée sous la soutane du père Pirrone, attardé en oraisons supplémentaires, resta un long moment privée du Persée d'argent qui, survolant les flots, se hâtait vers sa délivrance et son baiser.

Sur la fresque du plafond, les divinités se réveillèrent. Surgissant des monts et des mers parmi des nuées framboise et cyclamen, elles se pressaient, pour exalter la gloire de la maison Salina, vers une Conque d'Or transfigurée. Tous, tritons et dryades, semblaient saisis d'un tel soulagement qu'ils en négligeaient les règles de la perspective la plus élémentaire. Les dieux d'importance, Jupiter fulgurant, Mars sourcilleux, Vénus langoureuse, qui précédaient la foule des dieux mineurs, portaient sans rechigner l'écu d'azur au Guépard dansant. Ils savaient que, pendant vingt-trois heures et demie, ils seraient de nouveau les seuls maîtres de la villa. Sur les murs, les singes recommencèrent à faire des grimaces aux cacatoès.

Sous cet olympe palermitain, les mortels de la maison Salina, à leur tour, descendaient rapidement des sphères mystiques. Les jeunes filles arrangeaient les plis de leurs robes, échangeant des coups d'œil azurés et des interjections en jargon de pensionnat. On les avait fait revenir à la maison, par prudence, depuis les émeutes du 4 avril[1], il y avait de cela plus d'un mois ; elles regrettaient les dortoirs à baldaquins et l'intimité collective du couvent. Les garçons se battaient déjà pour la possession d'une image de saint François de Paule ; l'aîné, l'héritier, le duc Paul, avait grande envie de fumer mais n'osait le faire en présence de ses parents : il tâtait à travers sa poche la paille tressée de son porte-cigares. Son visage émacié reflétait une mélancolie métaphysique : la journée avait été désagréable ; Guiscard, le pur-sang irlandais, lui semblait

1. Ces mouvements d'insurrection contre le gouvernement bourbonien furent une des causes décisives de l'intervention de Garibaldi en Sicile. Ils avaient été provoqués par Rosolino Pilo.

en mauvaise forme, et Fanny n'avait pas trouvé le moyen (ou l'envie ?) de lui faire parvenir l'habituel petit billet couleur de violette. Pourquoi, alors, s'était incarné le Rédempteur ?

La Princesse, avec une nervosité anxieuse, fit sèchement tomber son chapelet dans son sac brodé de jais : ses beaux yeux maniaques guettaient ses enfants-esclaves et son mari-tyran. Tourné vers l'époux, son corps minuscule frémissait dans l'attente incertaine de la domination amoureuse.

Le Prince se leva à son tour : son poids gigantesque fit trembler la pièce, et dans ses yeux clairs se refléta un court instant l'orgueil éphémère de voir confirmé son pouvoir sur les êtres et sur les choses.

Il posa son missel rouge, démesuré, sur la chaise qu'il avait devant lui pendant la prière, rangea le mouchoir où il avait appuyé son genou ; une ombre de mauvaise humeur troubla son regard lorsqu'il revit la petite tache de café qui depuis le matin ponctuait la vaste blancheur de son gilet.

Non qu'il fût gros : il était seulement immense et vigoureux. Dans les maisons habitées par le commun des mortels, sa tête effleurait la pendeloque inférieure des lustres ; ses doigts roulaient comme du papier les pièces d'un ducat ; entre la villa Salina et la boutique d'un orfèvre de Palerme, il y avait un fréquent va-et-vient de fourchettes ou de cuillers, que la colère contenue du maître avait tordues au cours des repas.

Ses doigts étaient cependant capables de la plus grande délicatesse dès qu'ils caressaient ou bibelotaient ; Maria-Stella, sa femme, était bien placée pour s'en souvenir ; quant aux vis, aux viroles, aux boutons quadrillés des lunettes et des télescopes qui, tout en haut de la villa, peuplaient son observatoire privé, ils vivaient sans péril sous ses effleurements aériens.

Le soleil de mai baissait doucement, ses rayons enflammaient le teint rose et le poil couleur de miel du Prince, dénonçant l'origine allemande de sa mère – cette princesse Caroline dont l'orgueil altier avait congelé la cour bon enfant des Deux-Siciles, trente ans auparavant. Si une peau blanche et des cheveux blonds constituent un avantage sérieux au milieu d'une race à la peau olivâtre et aux cheveux d'ébène, en revanche, un sang chargé de ferments germaniques était cause de maints inconvénients pour un aristocrate sicilien, en cette année 1860. Son tempérament autoritaire, sa raideur morale, sa propension aux idées abstraites, rencontrant la mollesse de la société palermitaine, s'étaient mués respectivement en caprices tyranniques, en cas de conscience perpétuels, en mépris pour ses parents et amis qui lui semblaient voguer à la dérive le long des lents méandres du pragmatisme sicilien.

Dans une lignée qui, au cours des siècles, n'avait su faire ni l'addition de ses dépenses ni la soustraction de ses dettes, il était le premier (et le dernier) à posséder de fortes et réelles dispositions mathématiques ; il les avait appliquées à l'astronomie et en avait tiré bon nombre de succès publics ainsi que des joies privées savoureuses. L'orgueil et l'analyse mathématique s'étaient si étroitement unis en lui qu'il se flattait de voir les astres obéir à ses calculs ; et de fait, il semblait en être ainsi. Il pensait de bonne foi que les deux petites planètes qu'il avait découvertes (il les avait nommées Salina et Svelto, en hommage à son fief et en souvenir d'un braque inoubliable) propageaient la renommée de sa maison entre Mars et Jupiter, à travers les espaces stériles du firmament. Les fresques de la villa exprimaient à son avis une prophétie, bien plus que l'adulation d'un peintre courtisan.

Partagé entre l'orgueil intellectuel de sa mère et la sensualité facile de son père, le pauvre prince Fabrice vivait dans un perpétuel mécontentement, sous les regards sévères de Jupiter ; il contemplait la ruine de sa race et de son patrimoine sans faire preuve de la moindre activité et surtout sans rien entreprendre pour s'opposer aux événements.

... Entre la prière et le repas, il y avait une demi-heure, pour lui un des moments les moins irritants de la journée. Il en goûtait à l'avance le calme, pourtant ambigu.

Précédé par un Bendicò fou d'excitation, il descendit les quelques degrés qui conduisaient au jardin. Ce jardin, resserré entre trois murs et le flanc de la maison, avait un aspect claustral, presque sépulcral, accentué par des monticules parallèles délimitant de petits canaux d'irrigation : on aurait dit des tumulus pour de grêles géants. Sur l'argile rougeâtre, les plantes poussaient en un désordre exubérant : les fleurs s'ouvraient où elles voulaient, et les haies de myrte paraissaient moins faites pour diriger les pas que pour les entraver. Au fond, une Flore de marbre gris, éclaboussée de lichen jaune et noir, exhibait avec résignation des appas plus que séculaires ; de chaque côté, deux bancs supportaient des coussins brodés et enroulés, taillés dans le même marbre. Dans un coin, la tache d'or d'une cassie jetait une note d'allégresse intempestive. De chaque motte de terre semblait germer un désir de beauté, tôt fané par la paresse.

Le jardin, macérant dans ses limites forcées, exhalait des parfums onctueux, charnels, légèrement putrides, comme ces liquides aromatiques que distillent les reliques de certaines saintes ; les œillets couvraient de leur odeur poivrée l'odeur protocolaire des roses, l'odeur huileuse des magnolias qui s'alourdissaient dans les coins. En profondeur, on reconnaissait encore la fraîcheur de la menthe mêlée à la douceur enfantine de la cassie, aux fragrances pâtissières du myrte. Par-dessus le mur, le verger déversait dans le jardin la senteur d'alcôve des premières fleurs d'oranger.

C'était un jardin pour aveugles : la vue y était constamment offensée mais l'odorat y trouvait un plaisir puissant, bien que fort peu délicat. Les roses *Paul Neyron*, dont les plants avaient été achetés par le Prince lui-même à Paris, avaient complètement dégénéré. D'abord stimulées, puis exténuées par les sucs vigoureux et indolents de la terre sicilienne, brûlées par des soleils d'apocalypse, elles s'étaient transformées en choux bizarres, couleur de chair, obscènes, dont émanait un arôme dense, assez repoussant, qu'aucun horticulteur français n'aurait osé rêver. Le Prince en porta une à ses narines et crut respirer la cuisse d'une danseuse de l'Opéra. Bendicò, à qui il présenta la fleur, fit un saut en arrière, écœuré, et se hâta d'aller chercher parmi le fumier et les lézards morts des sensations plus salubres.

Pour le Prince, le jardin parfumé fut la cause de sombres associations d'idées. « Maintenant, cela sent bon, mais il y a un mois... »

Il se souvenait avec dégoût des relents douceâtres qui se répandaient à travers toute la villa et dont on avait enfin découvert la cause : un jeune soldat du 5e bataillon de chasseurs, blessé par les rebelles dans la mêlée de San Lorenzo, était venu mourir solitaire sous un citronnier. On avait trouvé le cadavre à plat ventre au milieu du trèfle épais, le visage enfoncé dans le sang et les vomissures, les ongles crispés dans la terre, noir de fourmis. Sous les bandoulières, les intestins violets avaient formé une mare. C'était Russo, le gardien, qui avait découvert ce corps brisé. Il l'avait retourné et avait étendu son mouchoir rouge sur le visage. Puis, avec une inquiétante dextérité, il avait renfoncé les entrailles dans la déchirure du ventre, à l'aide d'une branche, et caché la blessure sous les plis de la capote, le tout en crachant de dégoût sans désemparer, non pas exactement sur le cadavre, mais fort près. « La puanteur de ces charognes ne cesse même pas après leur mort », disait-il. Ce fut la seule oraison funèbre suscitée par cette mort misérable.

Quand ses camarades, gauchement, l'eurent emporté (et ma foi, ils l'avaient traîné par les épaules jusqu'à la charrette, si bien que le rembourrage du pantin avait jailli encore une fois de son ventre), on ajouta au rosaire du soir un *De profundis* pour le repos de son âme, et l'on n'en parla plus : la conscience des femmes de la maison était apaisée.

... Le Prince gratta un peu de lichen sur les pieds de la Flore et se mit à marcher de long en large ; le soleil couchant projetait son ombre immense sur les plates-bandes funèbres.

Bien sûr, on ne parlait plus du mort. Au bout du compte, les soldats sont faits pour mourir en défendant leur Roi.

Mais l'image de ce corps éventré surgissait souvent dans le souvenir du Prince, comme pour demander un apaisement qu'on ne pouvait lui donner qu'en dépassant et en justifiant son martyre par une nécessité générale. Autour de lui surgissaient d'autres spectres, guère plus attrayants. Mourir pour quelqu'un, passe encore, c'est dans l'ordre des choses ; mais au moins, il faut être sûr qu'on saura pour qui ou pourquoi l'on est mort. Voilà ce que demandait ce visage profané. Et là, on commençait à se perdre dans le brouillard.

« Mais il est mort pour le Roi, cher Fabrice, c'est clair », aurait répondu au Prince son cousin Malvica (Malvica était le porte-parole que choisissait la foule de ses amis). « Pour le Roi qui représente l'ordre, la continuité, la décence, l'honneur ; pour le Roi qui, seul, défend l'Église, qui seul empêche le démembrement de la propriété, fin suprême de la *secte.* » Ces paroles magnifiques étalaient en plein jour ce qui était enraciné au plus profond du cœur de don Fabrice. Mais quelque chose sonnait faux. Le Roi, oui, bien sûr... il le connaissait ; tout au moins celui qui venait de mourir, le Roi actuel n'étant qu'un séminariste vêtu en général. Et il ne valait vraiment pas grand-chose. « Tu raisonnes de travers, Fabrice, répliquait Malvica, il est possible qu'un souverain, qui n'est qu'un individu, ne se montre pas à la hauteur, mais l'idéal monarchique, lui, reste immuable. » Exact, mais les rois qui incarnent un idéal ne peuvent tout de même pas descendre, de génération en génération, au-dessous d'un certain niveau ; sinon, cher beau-frère, l'idéal lui-même en pâtit.

Assis sur un banc, il contemplait, inerte, les dévastations que Bendicò opérait dans les plates-bandes ; de temps en temps le chien levait vers lui des yeux innocents et semblait réclamer des louanges pour le résultat de ses peines : quatorze œillets brisés, une demi-haie dévastée, un canal d'irrigation obstrué. Il avait vraiment l'air d'un humain.

– Ça va, Bendicò, viens ici.

Et la bête accourait, posait des pattes terreuses sur sa main pour bien montrer qu'elle lui pardonnait d'avoir interrompu aussi sottement ce beau travail.

Les audiences, les innombrables audiences que le roi Ferdinand lui avait accordées à Caserte, à Capodimonte, à Portici, à Naples, au diable...

A côté du chambellan de service qui vous guidait, son bicorne sous le bras et les plus impertinentes grossièretés napolitaines sur les lèvres, on traversait d'interminables salles à l'architecture admirable, au mobilier écœurant (image exacte de la monarchie bourbonienne), on enfilait des couloirs crasseux et de petits escaliers mal tenus, et l'on débouchait finalement dans une antichambre où de nombreuses personnes attendaient déjà : visages fermés de sbires, visages avides de quémandeurs. Le chambellan s'excusait, vous faisait contourner l'obstacle du vulgaire et vous conduisait vers une autre antichambre, réservée aux gens de cour : une petite pièce azur et argent, datant de Charles III. Après une brève attente, un laquais grattait à la porte et l'on était admis en l'Auguste Présence.

Le bureau privé était petit et prétentieusement simple : sur les murs blancs s'étalaient un portrait du roi François Ier et un autre de la reine actuelle, l'air aigre et coléreux ; au-dessus de la cheminée, une madone d'Andrea del Sarto semblait fort étonnée de se voir entourée de chromos représentant des saints de troisième ordre et des sanctuaires napolitains ; une veilleuse brûlait devant un enfant Jésus posé sur une console. Des papiers blancs, jaunes, bleus jonchaient une table modeste ; c'était toute l'administration du royaume arrivée à sa phase finale, celle de la signature de Sa Majesté (D. G.). Derrière ce barrage de paperasses, le Roi, déjà debout pour ne pas montrer qu'il se levait ; le Roi avec sa grosse face blême entre des favoris blondasses, vêtu d'une jaquette militaire de drap grossier, sous laquelle coulait la cascade violette des pantalons en accordéon. Il faisait un pas en avant, la droite tendue pour un baisemain qu'il allait d'ailleurs refuser.

– Tiens, Salina ! Heureux les yeux qui te voient !

Son accent napolitain était encore plus savoureux que celui du chambellan.

– Je prie Sa Majesté de bien vouloir excuser ma tenue :

je suis de passage à Naples et je ne voulais pas manquer de venir lui présenter mes hommages.

– Salina, tu déraisonnes, tu sais pourtant bien qu'à Caserte tu es comme chez toi.

« Comme chez toi, oui ! » répétait-il en s'asseyant derrière son bureau.

Il attendait un court instant avant de faire asseoir son hôte.

– Et les fillettes, que font-elles ?

C'était le moment de placer une plaisanterie équivoque, à la fois grivoise et bigote :

– Les fillettes, Sire ? à mon âge et dans les liens sacrés du mariage ?

La bouche du Roi riait tandis que ses mains rangeaient sévèrement des papiers :

– Loin de moi cette idée, Salina, je voulais dire tes filles, les petites princesses. Concetta, notre chère filleule, doit être grande maintenant. Une vraie demoiselle !

De la famille, on passait à la science.

– Un homme comme toi, Salina, fait honneur non seulement à lui-même mais à tout le royaume ! La science est une bien grande chose, quand elle ne se met pas en tête d'attaquer la religion.

Après quoi, on déposait le masque de l'Ami pour assumer celui du Souverain sévère :

– Dis-moi, Salina, que dit-on en Sicile de Castelcicala ?

Salina en avait entendu raconter pis que pendre, aussi bien du côté conservateur que du côté libéral, mais il ne voulait pas trahir un ami, il éludait, il restait dans les généralités : « ... gentilhomme, blessure glorieuse, peut-être un peu trop âgé pour les fatigues de la lieutenance... » Le Roi s'assombrissait ; Salina ne voulait pas faire l'espion, Salina lui était inutile. Les mains appuyées à la table, il se préparait à le congédier.

– J'ai tant à faire, tout le royaume repose sur mes épaules !

Il était temps de dorer un peu la pilule ; le masque amical ressortait du tiroir :

– Quand tu repasseras par Naples, Salina, viens montrer

Concetta à la Reine. Je sais, elle est trop jeune pour être présentée à la Cour, mais rien ne s'oppose à un petit repas privé. Macaronis et belles filles, comme on dit. Adieu Salina, porte-toi bien.

Une fois, pourtant, le congé fut menaçant. Le Prince avait déjà fait sa seconde révérence, marchant à reculons, lorsque le Roi le rappela :

– Écoute un peu, Salina, on dit qu'à Palerme tu as de mauvaises fréquentations. Ton fameux neveu Falconeri, pourquoi ne le fais-tu pas marcher droit ?

– Mais, Sire, Tancrède ne s'occupe que de femmes et de cartes !

Le Roi perdit patience :

– Salina, Salina, tu déraisonnes. C'est toi le responsable ; tu es son tuteur. Dis-lui de se tenir tranquille. Adieu !

En refaisant l'itinéraire fastueusement médiocre qui le menait chez la Reine, pour la signature du registre, il se sentit envahi par le découragement. Il était déprimé autant par la plébéienne cordialité du Roi que par sa sournoiserie policière. Ses amis avaient bien de la chance, s'ils arrivaient à interpréter la familiarité royale comme une marque d'amitié, les menaces comme une preuve de puissance. Pour lui, c'était impossible. Et tandis qu'il échangeait quelques médisances avec l'impeccable chambellan, il se demanda qui succéderait à cette monarchie dont le visage portait déjà les signes de la mort. Le Piémontais, celui qu'on appelait « le roi honnête homme » et qui faisait tant de tapage dans sa petite capitale du diable Vauvert ? Ne serait-ce pas la même chose ? Dialecte turinois au lieu de dialecte napolitain, un point c'est tout...

On était arrivé au registre. Il signa : Fabrice Corbera, prince de Salina.

... Ou bien la république de don Giuseppe Mazzini ? « Merci bien. Je deviendrais monsieur Corbera ! »

Le long voyage du retour ne le calma pas. Même son rendez-vous avec Cora Danolo ne lui apporta aucun réconfort.

Les choses étant ce qu'elles étaient, que faire ? Se cramponner au présent, au lieu de sauter dans l'inconnu ? Pour cela, il fallait des coups de feu claquant sec, comme l'autre jour, sur une morne place de Palerme ; mais les coups de feu eux-mêmes, à quoi servaient-ils ?

– On n'aboutit à rien avec les poum poum ! n'est-ce pas, Bendicò ?

Ding, ding, ding ! répondit la cloche qui annonçait le dîner. Bendicò se précipita, l'eau à la bouche, vers la nourriture qu'il savourait par avance. « Un vrai Piémontais ! » pensa Salina en montant l'escalier.

Le repas, chez les Salina, était servi avec un faste ébréché qui s'accordait au style du royaume des Deux-Siciles. Le nombre des convives (quatorze, en comptant les maîtres de la maison, leurs enfants, les gouvernantes et les précepteurs) donnait déjà à la table un caractère imposant. Recouverte d'une nappe très fine mais reprisée, elle resplendissait à la lumière d'une puissante *lampe carcel*, suspendue de façon précaire sous la *ninfa*, un lampadaire de Murano. La lumière entrait encore à flots par les fenêtres, mais les silhouettes blanches sur fond sombre qui jouaient les bas-reliefs au-dessus des portes se perdaient déjà dans l'ombre. L'argenterie était massive et les splendides verres de Bohême portaient, sur un médaillon lisse au milieu des facettes, le chiffre F. D. *(Ferdinandus dedit)*, en souvenir d'une munificence royale ; mais les assiettes, marquées chacune d'armes illustres, provenaient de services disparates ; c'étaient les survivantes de massacres perpétrés par les marmitons. Les plus grandes, en très beau Capodimonte à large bordure vert amande ponctuée d'ancres dorées, étaient réservées au Prince qui aimait s'entourer d'objets à son échelle, sa femme exceptée.

Tout le monde était déjà là quand il entra dans la salle à manger ; la Princesse seule était assise ; les autres restaient debout. Devant le couvert du Prince, parmi un cortège de plats, s'élargissaient les flancs d'argent d'une énorme soupière au couvercle surmonté du Guépard dansant. Le Prince servait lui-même la soupe, agréable devoir, symbole des attributions nourricières du *pater familias.* Ce soir-là, cependant, on entendit la louche tinter de façon menaçante contre les parois de la soupière. Cela n'était pas arrivé depuis longtemps ; c'était le signe d'une grande colère encore contenue. Quarante ans plus tard, un fils survivant raconterait que c'était un des bruits les plus effrayants de la maison Salina. Le Prince s'était aperçu que François-Paul, son fils de seize ans, n'était pas encore à sa place. Le jeune garçon entra au même instant : « Excusez-moi, papa ! » et s'assit. Il ne reçut aucun reproche, mais le père Pirrone, qui avait à peu près les fonctions d'un chien de berger, baissa la tête et se recommanda à Dieu. La bombe n'avait pas explosé. Mais le souffle de son passage avait glacé les convives et le repas était manqué. Tandis que l'on mangeait en silence, les yeux bleus du Prince, à demi fermés, fixaient ses enfants un à un et les rendaient muets de crainte.

Lui cependant pensait : « Belle famille ! » Les filles dodues, florissantes de santé, avec leurs fossettes malicieuses, avaient entre le front et le nez ce fameux froncement, marque atavique des Salina. Les garçons minces mais forts, portant sur leur visage la mélancolie à la mode, maniaient leurs couverts avec une violence disciplinée. L'un d'eux manquait depuis deux ans, Jean, le cadet, le plus aimé, le plus difficile. Un beau jour il avait disparu et pendant deux mois n'avait donné aucune nouvelle. Puis arriva de Londres une lettre froide et respectueuse où il demandait pardon pour les angoisses qu'il avait causées, donnait des nouvelles rassurantes de sa santé et affirmait, étrangement, qu'il préférait la modeste vie de commis dans un entrepôt de charbon à une existence « trop choyée » (lisez : « étouffante ») au sein du bien-être palermitain. Ce souvenir et l'anxiété qu'il ressentait en pensant à son enfant, errant dans le brouillard enfumé d'une ville hérétique, pincèrent douloureusement le cœur du Prince qui souffrit beaucoup. Il s'assombrit encore davantage.

Il s'assombrit tant que la Princesse, assise à côté de lui, tendit sa menotte enfantine et caressa la puissante patte qui reposait sur la nappe. Geste inattendu, qui déchaîna une série de sensations : l'irritation de se voir plaint, et une sensualité qui s'éveillait soudain mais sans aller vers celle qui l'avait fait naître. En un éclair, l'image de Mariannina, la tête enfoncée dans l'oreiller, apparut au Prince. Il éleva sèchement la voix :

– Domenico, commanda-t-il au serviteur, va dire à don Antonio d'atteler les bais au coupé. Je descends à Palerme dès la fin du repas.

Les yeux de sa femme devinrent vitreux, et il se repentit immédiatement de son ordre. Mais il ne pouvait revenir sur ce qu'il avait publiquement décidé et insista, ajoutant l'ironie à la cruauté :

– Venez avec moi, mon père, venez avec moi, nous serons de retour à onze heures ; vous pourrez donc passer deux heures à la maison mère, avec vos amis.

Une promenade à Palerme, de nuit, en ces temps de désordres, n'avait manifestement qu'un seul but : une aventure galante de l'espèce la plus basse. Et l'invitation lancée au prêtre de la maison était le comble de l'insolence, une véritable offense. Du moins, c'est ainsi que l'entendit le père Pirrone : il se sentit donc offensé ; mais, naturellement, il céda.

La dernière nèfle était en train de disparaître que l'on entendait déjà rouler la voiture sous le porche. Tandis que la femme de chambre donnait son haut-de-forme au Prince et son tricorne au Jésuite, la Princesse, sans chercher à dissimuler les larmes qui lui montaient aux yeux, fit une dernière tentative, plus vaine que jamais.

– Mais Fabrice, par les temps qui courent... et avec ces rues pleines de soldats, pleines de malandrins... il peut t'arriver malheur...

Il ricana :

– Sottises, Stella, sottises... que veux-tu qu'il arrive ? Tout le monde me connaît. Des hommes de mon gabarit, il y en a peu à Palerme ! Adieu !

Et il posa un baiser rapide sur ce front encore lisse qui venait au niveau de son menton. Cependant, soit que l'odeur de cette peau eût éveillé en lui de tendres souvenirs, soit que le pas recueilli du père Pirrone, marchant derrière lui, eût évoqué quelque pieux sermon, il se sentit de nouveau faiblir en arrivant devant le coupé. Juste à ce moment, tandis qu'il ouvrait déjà la bouche pour dire de dételer, un cri violent : « Fabrice, mon Fabrice ! » lui parvint par une fenêtre ouverte, suivi de plaintes aiguës. La Princesse avait une de ses crises d'hystérie.

– En avant ! dit-il au cocher assis sur son siège, le fouet en diagonale sur le ventre. En avant, allons à Palerme poser le Révérend à la maison mère.

Et il claqua la portière avant que le laquais eût eu le temps de la fermer.

Il ne faisait pas encore nuit ; la route s'allongeait, toute blanche, entre de hauts murs. Peu après la sortie de la propriété Salina, on apercevait à gauche la villa à moitié en ruine des Falconeri, qui appartenait à Tancrède, le neveu et pupille du Prince. Un père prodigue, beau-frère du Prince, avait dissipé tout son patrimoine ; après quoi il était mort. Ç'avait été une de ces ruines totales à la suite desquelles on fait fondre jusqu'aux galons d'argent des livrées. A la mort de sa mère, le jeune garçon, alors âgé de quatorze ans, fut confié par le Roi à la tutelle de son oncle Salina. Cet enfant d'abord presque inconnu devint très cher à l'irritable Prince qui découvrait en lui une gaieté turbulente, un tempérament frivole soudain contredit par des crises de sérieux. Sans oser se l'avouer, il aurait voulu l'avoir comme héritier plutôt que ce benêt de Paul. Maintenant, à vingt ans, Tancrède se donnait du bon temps avec la pension que son tuteur lui versait sans lésiner, y ajoutant même quelques pièces de sa poche.

« Qu'est-il encore en train de manigancer, ce garnement ? » pensait le Prince, tandis que la voiture longeait la villa Falconeri. Dans l'obscurité, elle avait un air de faste trompeur, grâce à un énorme bougainvillier qui débordait des grilles en cascade de soie épiscopale.

« Qu'est-il en train de manigancer ? » Car si le roi Ferdinand avait eu tort de parler des « mauvaises fréquentations » de Tancrède, il avait en un sens eu raison d'y penser. Pris dans un tourbillon d'amis joueurs, d'amies de conduite légère que séduisait son charme gracile, Tancrède en était arrivé à avoir des sympathies pour la « secte », des relations avec le comité national clandestin. Peut-être même en recevait-il de l'argent, comme il en recevait de la caisse royale. Il avait fallu faire des pieds et des mains, il avait fallu des démarches personnelles auprès d'un Castelcicala sceptique et d'un Maniscalco trop courtois, pour épargner de sérieux ennuis au garçon après les incidents du 4 avril. La situation n'était guère brillante ; mais Tancrède n'avait jamais tort aux yeux de son oncle. Selon le Prince, en effet, le jeune homme n'était pas responsable ; la faute en était plutôt à la situation du moment, situation absurde qui faisait qu'un garçon de bonne famille n'avait même plus la possibilité de commencer une partie de pharaon sans trébucher dans des amitiés compromettantes. Tristes temps...

– Tristes temps, Excellence !

La voix du père Pirrone résonna comme un écho à ces pensées. Coincé dans un angle du coupé, comprimé par la masse du Prince et écrasé par son orgueil, le Jésuite souffrait dans sa chair et dans sa conscience. En homme supérieur, il transposait immédiatement ses propres peines, tout éphémères, dans le monde durable de l'histoire :

– Regardez, Excellence !

Et il montrait du doigt les monts abrupts de la Conca d'Oro, encore claire dans le crépuscule. Le long des pentes et sur les sommets brillaient une quantité de feux, que les troupes rebelles allumaient chaque nuit, comme pour proférer une silencieuse menace contre la ville royaliste et conventuelle. On aurait dit ces veilleuses qui luisent dans la chambre des grands malades durant les nuits d'agonie.

– Je vois, mon père, je vois !

Et il pensait à Tancrède qui se tenait peut-être auprès d'un de ces feux maléfiques, attisant de ses doigts aristocratiques des braises qui se consumaient précisément pour la déchéance de ces mains-là. « Vraiment, on peut dire que je suis un joli tuteur, avec ce pupille qui fait toutes les bêtises qui lui passent par la tête... »

La route maintenant descendait un peu, on voyait Palerme, toute proche, plongée dans l'obscurité. Ses maisons basses et resserrées étaient écrasées par la masse démesurée des couvents. Il y en avait des dizaines, tous immenses, souvent groupés par deux ou trois ; couvents d'hommes ou de femmes, de riches ou de pauvres, de nobles ou de plébéiens, couvents de jésuites, de bénédictins, de franciscains, de capucins, de carmes, de rédemptoristes, d'augustiniens... Au-dessus de tout cela se dressaient des coupoles émaciées, aux courbes incertaines, semblables à des seins vidés de leur lait. C'étaient ces couvents qui donnaient à la ville entière son air sombre, son caractère hautain et aussi cet aspect funèbre que la frénétique lumière sicilienne elle-même ne parvenait jamais à chasser. A cette heure presque nocturne, les couvents étaient les despotes du panorama. C'était contre eux que s'allumaient les feux des montagnes, attisés par des hommes qui ressemblaient d'ailleurs à ceux qui vivaient derrière ces murs : fanatiques, solitaires, avides de pouvoir, c'est-à-dire, selon la tradition, d'oisiveté.

Le Prince laissait errer ses pensées tandis que les chevaux bais avançaient au pas dans la descente. Ses préoccupations étaient fort étrangères à sa véritable nature, mais elles naissaient de l'anxiété que lui causait Tancrède, et d'une excitation sensuelle qui le poussait à se révolter contre les règles austères incarnées par les couvents.

La route traversait les orangeraies, le parfum nuptial des fleurs anéantissait tous les autres comme le clair de lune anéantit un paysage : l'odeur de cheval en sueur, l'odeur de cuir, l'odeur de prince et l'odeur de jésuite, tout était balayé par ce parfum islamique qui évoquait des houris et de charnels outre-tombes.

Le père Pirrone en fut ému lui aussi.

– Quel beau pays ce serait, Excellence, sans...

« Sans tous ces jésuites... » pensa le Prince, que la voix du prêtre avait arraché à de doux présages. Mais il se repentit immédiatement de cette mauvaise pensée et sa grosse main assena une tape cordiale sur le tricorne de son vieil ami.

A l'entrée des faubourgs, près de la villa Airoldi, une patrouille arrêta la voiture. Des voix à l'accent pouillois et napolitain commandèrent : Halte ! des baïonnettes démesurées fulgurèrent à la lueur oscillante d'une lanterne ; mais un sous-officier reconnut le Prince, son haut-de-forme sur les genoux.

– Toutes nos excuses, Excellence, passez.

Il fit même monter un de ses hommes à côté du cocher pour faciliter la traversée d'autres postes de garde. Le coupé, alourdi, roula plus lentement, contourna la villa Ranchibile, dépassa Torrerosse et les jardins de Villafranca, pénétra dans la ville par la porte de Maqueda. Au café Romeres, aux *Quattro Canti di Campagna*, les officiers des détachements de garde riaient et sirotaient d'énormes sorbets. Ce fut l'unique signe de vie qu'ils rencontrèrent dans la ville. Les rues étaient désertes, seul y retentissait le pas cadencé des soldats de ronde, leurs bandoulières blanches croisées sur la poitrine. A droite et à gauche, éléphantesques, noirs comme la poix, plongés dans un sommeil qui ressemblait au néant, les couvents passaient l'un après l'autre : l'abbaye au Mont, les Stigmates, les Porte-Croix, les Théatins...

– Dans deux heures, je repasserai vous prendre, mon père ; bonnes oraisons !

Et le pauvre père Pirrone frappa tout confus à la porte de son couvent, tandis que le coupé poursuivait son chemin.

Ayant laissé sa voiture au palais, le Prince partit à pied vers le but qu'il s'était fixé. Le trajet était court, mais le quartier mal famé. Équipés de pied en cap, ce qui prouvait qu'ils s'étaient échappés furtivement de leurs bivouacs, des soldats aux yeux vitreux sortaient des petites maisons basses, aux balcons graciles ornés de pots de basilic dont la présence expliquait qu'ils aient pu entrer si facilement. De jeunes individus d'aspect sinistre, portant de larges pantalons, discutaient de cette voix de basse qu'ont les Siciliens irrités. On entendait l'écho lointain de coups de fusil, échappés à quelque sentinelle nerveuse. Ce quartier dépassé, la rue longeait la Cala : dans le vieux port de pêche, les barques se balançaient, à moitié pourries ; elles avaient l'aspect désolé de chiens galeux.

« Je suis un pécheur, je le sais, et doublement pécheur : devant la loi divine et devant l'amour humain de Stella. Il n'y a aucun doute. Demain je me confesserai au père Pirrone. »

Il sourit en pensant que cette confession serait superflue ; il était évident que le Jésuite avait tout deviné. L'esprit d'argutie du Prince prit ensuite le dessus :

« Je vais commettre un péché, cela est certain, mais c'est justement pour ne pas pécher davantage, pour ne pas continuer à m'exciter, pour arracher cette épine de ma chair, pour ne pas être entraîné à des fautes plus grandes. Le Seigneur le voit bien. »

Un grand attendrissement envers lui-même le submergea.

« Je suis un pauvre homme, un homme faible, pensait-il, tandis que son pas puissant écrasait le pavé crasseux. Je suis faible et personne ne me soutient. Stella ? C'est vite dit. Le Seigneur sait à quel point je l'ai aimée : nous nous sommes mariés à vingt ans. Mais maintenant, elle est si tyrannique. Trop âgée, aussi. »

La sensation de faiblesse avait disparu.

« Je suis encore un homme vigoureux ; comment pourrais-je me contenter d'une femme qui, au lit, fait le signe de croix avant chaque étreinte, et qui, au moment le plus émouvant, ne sait que dire : "Jésus Marie !" Quand nous nous sommes mariés, quand elle avait seize ans, cela m'exaltait ; mais maintenant... J'ai eu d'elle sept enfants, sept, et je n'ai jamais vu son nombril ! Est-ce juste ? Je vous le demande à tous ! »

Et il s'adressait au portique de la Catena :

« C'est elle, la pécheresse ! »

Cette découverte réconfortante lui redonna du cœur et c'est avec décision qu'il frappa à la porte de Mariannina.

Deux heures plus tard, il était en voiture avec le père Pirrone sur le chemin du retour. Le Père était bouleversé : ses confrères l'avaient mis au courant de la situation politique, beaucoup plus tendue qu'on n'aurait pu le croire dans le calme éloignement de la villa Salina. On craignait un débarquement des Piémontais dans le sud de l'île, du côté de Sciacca ; les autorités avaient remarqué dans le peuple une effervescence silencieuse : la pègre citadine attendait le premier signe d'affaiblissement du pouvoir ; elle était prête à se ruer au pillage et au stupre. Les bons pères étaient alarmés, on avait fait partir pour Naples par le bateau postal de l'après-midi trois d'entre eux, les plus vieux, chargés des papiers du couvent.

– Que le Seigneur nous protège et épargne ce très saint royaume !

Le Prince l'écoutait à peine, plongé dans une sérénité rassasiée, maculée de répugnance. Mariannina l'avait regardé avec ses gros yeux opaques de paysanne, elle ne s'était refusée à aucun caprice, elle s'était montrée humble et secourable. Une espèce de Bendicò en jupon de soie. Dans un moment d'égarement complet, elle avait même crié : « Mon gros prince ! » Lui en souriait encore, satisfait ; c'était bien supérieur aux « mon chat », ou « mon singe blond », qui ponctuaient les extases homologues de Sarah, la petite gourgandine parisienne qu'il avait connue trois ans auparavant, lorsque, à l'occasion du congrès d'astronomie de la Sorbonne, on lui avait remis la médaille d'or. Bien supérieur à « mon chat », sans aucun doute ; bien supérieur surtout à « Jésus Marie » : ce n'était pas sacrilège, au moins. Une bonne fille, cette Mariannina, il lui apporterait trois aunes de soie ponceau, la prochaine fois qu'il irait la voir.

Mais que c'était triste aussi, cette jeune chair pétrie par trop de mains, cette impudicité résignée ! Lui-même, qu'était-il ? un porc, rien d'autre. Un vers qu'il avait lu par hasard lui revint à la mémoire. Il se trouvait dans une librairie parisienne, feuilletant un livre dont il avait oublié l'auteur, un de ces innombrables poètes que la France produit et oublie chaque semaine... Il revoyait la pile jaune citron des exemplaires invendus, la page aux lignes inégales, les vers qui concluaient un poème extravagant :

... Donnez-moi la force et le courage
De contempler mon cœur et mon corps sans dégoût.

Et tandis que le père Pirrone continuait à parler d'un certain La Farina et d'un certain Crispi, le « gros prince » s'endormit, dans une sorte d'euphorie désespérée, bercé par le trot des chevaux dont la croupe grasse reflétait la lumière dansante des lanternes. Il se réveilla au tournant que faisait la route devant la villa Falconeri.

« Celui-là aussi, c'est un fameux type ; il attise la flamme qui le dévorera. »

Quand il se trouva dans la chambre conjugale, il fut ému et attendri à la vue de la pauvre Stella qui dormait en soupirant, les cheveux bien lissés sous son bonnet, dans l'immense lit de cuivre.

« Elle m'a donné sept enfants, elle a été à moi seul. »

Une odeur de valériane flottait dans la chambre, dernier vestige de la crise de nerfs. « Pauvre petite Stella », pensait-il avec remords, en escaladant le lit. Les heures passaient ; il ne pouvait dormir. Dieu, de sa main puissante, mêlait trois feux dans sa pensée : celui des caresses de Mariannina, celui des vers français, et celui, menaçant, des bûchers sur les collines.

Vers l'aube, cependant, la Princesse eut l'occasion de faire le signe de la croix.

Le matin suivant, le soleil illumina un Prince tout ragaillardi. Ayant pris son café, il se faisait la barbe devant la glace, en robe de chambre rouge fleurie de noir. Bendicò reposait, sa grosse tête appuyée sur la pantoufle de son maître. Tandis que celui-ci se rasait la joue droite, il vit apparaître dans la glace, derrière lui, le visage d'un jeune homme, un visage maigre, distingué, sur lequel se lisait une crainte ironique. Il ne se retourna pas et continua sa besogne.

– Tancrède, qu'as-tu fabriqué la nuit dernière ?

– Bonjour, oncle. Ce que j'ai fabriqué ? pas grand-chose. Je suis resté avec mes amis. Une sainte nuit. Rien de commun avec celle de certaines personnes de ma connaissance, qui sont allées s'amuser à Palerme.

Le Prince s'appliqua à raser correctement le morceau de peau le plus délicat, entre la lèvre et le menton. La voix légèrement nasale de son neveu était pleine d'une verve si juvénile qu'il était impossible de se fâcher. Mais il était licite de marquer quelque étonnement. Don Fabrice se retourna, la serviette sous le menton, et regarda son neveu, qui était en tenue de chasse, veste cintrée et jambières hautes.

– Et qui étaient ces personnes, s'il te plaît ?

– Toi, tonton, toi. Je t'ai vu de mes yeux, au poste de la villa Airoldi, pendant que tu parlais au sergent ! C'est du beau, à ton âge ! et en compagnie d'un très révérend père ! les antiquités libertines !

Il était vraiment trop insolent. Il se croyait tout permis. A travers les fentes étroites des paupières, des yeux bleu trouble, les yeux de sa mère, ses propres yeux, fixaient le Prince, malicieux. Celui-ci se sentit offensé : vraiment ce petit ne connaissait pas les limites de la bienséance ; mais on n'avait pas le courage de le gronder. Du reste, Tancrède avait raison.

– Pourquoi es-tu ainsi vêtu ? qu'y a-t-il ? un bal costumé, de bon matin ?

Le jeune homme reprit son sérieux, une expression virile envahit de façon inattendue son visage triangulaire.

– Je pars, tonton, je pars dans une heure. Je suis venu te dire au revoir.

Le pauvre Salina sentit son cœur se serrer :

– Un duel ?

– Un grand duel, oncle. Un duel contre le petit roi François-Dieu-te-bénisse. Je vais dans les montagnes, à Ficuzza ; ne le dis à personne, surtout pas à Paul. De grandes choses se préparent, oncle, et je ne veux pas rester à la maison. D'ailleurs, si j'y restais, on me pincerait immédiatement.

Le Prince eut une de ces visions brutales dont il était coutumier : une scène cruelle de guérilla, des coups de feu dans les bois, son Tancrède par terre, éventré comme le pauvre soldat.

– Tu es fou, mon fils. Pas avec ces gens-là ! Ce sont des bandits, des filous. Un Falconeri doit rester avec nous, du côté du Roi.

Les yeux de Tancrède redevinrent malicieux.

– Le Roi, bien sûr, mais lequel ?

Le jeune homme retrouva cette expression sérieuse qui le rendait impénétrable et si cher à son oncle.

– Si nous n'y sommes pas, nous aussi, ils fabriqueront une république. Si nous voulons que tout continue, il faut que d'abord tout change. Est-ce clair ?

Il embrassa son oncle, un peu ému.

– Au revoir et à bientôt. Je reviendrai avec le drapeau tricolore.

La rhétorique de ses compagnons avait un peu déteint sur lui ; et pourtant non, cette voix nasale avait une intonation qui démentait l'emphase. Ah ! ce garçon ! Capable de toutes les bêtises, repoussant toutes les bêtises. Et ce Paul qui, pour l'instant, devait être en train de surveiller la digestion de Guiscard ! Tancrède était le vrai fils du Prince. Celui-ci se leva en hâte, arracha sa serviette de son cou, fouilla dans un tiroir.

– Tancrède, Tancrède, attends !

Il courut derrière son neveu, glissa dans sa poche un rouleau d'onces d'or, lui serra l'épaule. Le garçon riait.

– Voilà que tu subventionnes la révolution, maintenant ! je te remercie, tonton, à bientôt. Embrasse tante pour moi.

Et il descendit l'escalier en courant.

Il fallut rappeler Bendicò qui suivait son ami, emplissant la maison de jappements joyeux. Il fallut finir de se raser, se rincer le visage. Le valet de chambre vint chausser et habiller le Prince.

« Le drapeau tricolore ! c'est ça ! le drapeau tricolore ! Ils se gargarisent avec ces sornettes, les fripons : que signifie cette petite enseigne géométrique, cette singerie à la française, si laide à côté de notre drapeau immaculé avec son lys d'or ? et que peuvent-ils espérer d'un rapprochement de couleurs aussi criardes ? »

C'était le moment d'enrouler la monumentale cravate de satin noir. Opération délicate pendant laquelle il était bon de suspendre les méditations politiques. Un tour, deux tours, trois tours. Les gros doigts délicats composaient les plis, aplatissaient les coques, piquaient sur la soie la petite tête de méduse aux yeux de rubis.

– Un gilet propre. Ne vois-tu pas que celui-ci est taché ?

Le valet de chambre se souleva sur la pointe des pieds pour lui passer la *redingote* de drap marron ; puis il tendit un mouchoir parfumé de trois gouttes de bergamote. Don Fabrice mit lui-même dans sa poche ses clefs, sa chaîne, sa montre, son argent. Il se regarda dans la glace ; rien à dire : il était encore fort bel homme. « Antiquité libertine ! il a la plaisanterie lourde, Tancrède. Je voudrais le voir à mon âge, tout en os comme il est... »

Son pas vigoureux faisait tinter les vitres des salons qu'il traversait. La maison était sereine, lumineuse, en ordre parfait ; mais surtout, elle lui appartenait. En descendant l'escalier, il comprit : « Si nous voulons que tout continue... » Tancrède était un grand homme, il l'avait toujours pensé.

Les bureaux de l'intendance étaient encore déserts, éclairés silencieusement par le soleil qui pénétrait à travers les persiennes closes. Les activités qui se déroulaient là étaient les plus vaines de la villa, mais les lieux n'en étaient pas moins d'une paisible austérité. Le plancher ciré reflétait les murs passés à la chaux et les lourds tableaux qui y étaient suspendus. Entre les cadres noirs, les fiefs appartenant aux Salina se détachaient, peints en couleurs vives : Salina, l'île aux montagnes jumelles entourées par la dentelle écumante d'une mer où caracolaient des galères pavoisées ; Querceta, avec ses maisons basses groupées autour de l'église vers laquelle s'avançaient des groupes de pèlerins bleuâtres ; Ragattisi, terrée dans une gorge montagneuse ; Argicovale, minuscule dans une plaine à blé démesurée, parsemée de paysans au travail ; Donnafugata, avec son palais baroque, but de voitures écarlates, vertes, dorées, chargées, semblait-il, de femmes, de bouteilles et de violons ; bien d'autres fiefs encore, tous protégés par un ciel limpide et rassurant, par le Guépard souriant entre ses longues moustaches. Chacun d'eux semblait glorifier, par son air de fête, le pouvoir éclairé, direct ou indirect, de la maison Salina. Ces chefs-d'œuvre de l'art naïf du siècle passé ne pouvaient pourtant délimiter les frontières, préciser les surfaces, les revenus ; toutes choses qui, d'ailleurs, restaient ignorées. La richesse séculaire s'était transformée en ornements, en luxe, en plaisirs, sans plus ; l'abolition des droits féodaux avait décapité les obligations comme les privilèges ; la richesse, comme un vin vieux, avait laissé tomber au fond du tonneau la lie de la cupidité, des soucis, et aussi celle de la prudence, pour ne conserver que chaleur et couleur. De cette manière, elle finissait par se détruire elle-même. Cette richesse parvenue à sa propre fin ne se composait plus que d'huiles essentielles et, comme les huiles essentielles, elle s'évaporait rapidement. Déjà, quelques-uns de ces fiefs si joyeux sur les tableaux avaient pris leur vol, ne laissant en souvenir que leur nom et ces toiles bariolées. D'autres ressemblaient aux hirondelles de septembre encore présentes mais déjà réunies à grands cris sur les toits, prêtes à partir. Bah, il y en avait tant... on avait l'impression qu'on n'en verrait jamais la fin.

Malgré cela, le Prince éprouva, comme d'habitude, en entrant dans son bureau une impression désagréable. Au centre de la pièce trônait un secrétaire avec des dizaines de tiroirs, de niches, de casiers, de cachettes, de tablettes culbutantes : sa masse de bois jaune à incrustations noires était creusée et truquée comme une scène de théâtre, pleine de trappes, de plans à glissières, de dispositifs secrets que personne ne savait plus faire fonctionner, sauf les voleurs. Il était couvert de papiers, et bien que le Prince, prévoyant, eût pris soin qu'une bonne partie d'entre eux fût en rapport avec les apaisantes régions dominées par l'astronomie, le reste était suffisant pour emplir son cœur de malaise. Il revit soudain la table du roi Ferdinand à Caserte, encombrée elle aussi de dossiers, de questions à examiner ; on pouvait ainsi se donner l'illusion d'endiguer le torrent du destin cependant qu'il suivait son cours dans une autre vallée.

Salina pensa à un remède découvert depuis peu aux États-Unis, qui supprimait la souffrance durant les opérations les plus graves, et permettait de rester serein au milieu des pires douleurs. On appelait morphine ce vulgaire substitut chimique du stoïcisme antique et de la résignation chrétienne.

Pour le pauvre Roi, une administration fantomatique tenait lieu de morphine ; mais l'astronomie, la morphine de Salina, était d'une espèce plus raffinée. Il chassa les images de Ragattisi perdue, d'Argivocale menacée et se plongea dans la lecture du plus récent numéro du *Journal des Savants*. « *Les dernières observations de l'observatoire de Greenwich présentent un intérêt tout particulier...* »

Il dut cependant abandonner bien vite les royaumes stellaires et glacés. Don Ciccio Ferrara, le comptable, entrait. C'était un petit homme sec, qui cachait l'âme rapace et pleine d'illusions d'un libéral derrière des lunettes rassurantes et des petits nœuds de cravate immaculés. Ce matin-là, il était plus alerte que d'habitude ; évidemment, les nouvelles qui avaient tant déprimé le père Pirrone avaient agi sur lui comme un cordial.

– Tristes temps, Excellence, dit-il après les respects d'usage, de gros ennuis se préparent, mais après un peu de désordre et quelques coups de feu, tout ira le mieux du monde ; une nouvelle ère de gloire commencera pour notre Sicile ; si tant de braves garçons ne devaient y laisser leur peau, il y aurait de quoi se réjouir.

Le Prince grognait sans exprimer d'opinion.

– Don Ciccio, il faut mettre un peu d'ordre dans la

perception des redevances de Querceta ; il y a deux ans qu'on n'en voit pas un sou.

– La comptabilité est en règle, Excellence – c'était la phrase magique –, il n'y a qu'à écrire à don Angelo Mazza d'exécuter les formalités ; je soumettrai aujourd'hui même la lettre à votre signature.

Et l'intendant s'écarta pour fouiller dans les énormes registres. Là, avec deux ans de retard, s'inscrivaient en calligraphie minutieuse tous les comptes de la famille Salina, sauf ceux qui étaient réellement importants. Resté seul, le Prince retarda son plongeon dans les nébuleuses. Il était irrité, non pas tant des événements eux-mêmes que de la stupidité de don Ciccio, en qui il avait immédiatement reconnu la future classe dirigeante.

« Ce que dit ce type-là est tout juste le contraire de la vérité. Il plaint les braves garçons qui crèveront et il y en aura très peu ; si je connais bien le caractère des deux adversaires, il y en aura juste ce qu'il faut pour rédiger un bulletin de victoire, à Naples ou à Turin, ce qui est d'ailleurs la même chose. Il croit aux "temps glorieux pour notre Sicile", comme il dit ; mais ils nous ont été promis à l'occasion des mille débarquements que nous avons déjà connus depuis Nicias ; on les attend toujours, les temps glorieux. Du reste pourquoi arriveraient-ils ? Et qu'est-ce qui se passerait ? Hum... Des négociations ponctuées de coups de feu inoffensifs et, après, "plus ça changera, plus ça sera la même chose". »

Les paroles ambiguës de Tancrède revenaient à l'esprit du Prince ; maintenant, il les comprenait à fond. Il se sentit rassuré et cessa de feuilleter sa revue. Il regardait les flancs du mont Pellegrino, brûlés, ravinés, éternels comme la misère.

Peu après apparut Russo, le plus original de ses subordonnés, pensait-il. Svelte, enveloppé non sans élégance dans sa *bunaca*[1] de velours à côtes, les yeux avides sous un front sans remords, il était la parfaite expression d'une

1. *Bunaca* : veste de chasse, munie par-derrière d'une grande poche pour le gibier et les munitions.

classe en pleine ascension. Déférent du reste, et assez sincèrement affectueux, car il accomplissait ses pilleries avec la conviction d'exercer un droit.

– J'imagine à quel point le départ de monsieur Tancrède doit ennuyer Votre Excellence, mais son absence sera de courte durée, j'en suis sûr, et tout finira bien.

Une fois de plus le Prince se trouva devant cette énigme sicilienne : dans cette île secrète, où les maisons sont soigneusement closes, où les paysans disent ne pas connaître la route qui mène à leur propre village – et elle passe sur la colline, à deux pas –, dans cette île, malgré un luxe ostentatoire de mystère, la réserve est un mythe.

Salina fit signe à Russo de s'asseoir, le regarda droit dans les yeux.

– Pierre, parlons d'homme à homme. Toi aussi tu es mêlé à ces histoires ?

– Mêlé, non ! répondit-il.

Il avait une famille à sa charge et ces risques-là sont pour des jeunes gens comme M. Tancrède.

– Comment pouvez-vous imaginer que je pourrais cacher quelque chose à Votre Excellence, qui est comme un père pour moi ?

En attendant, trois mois avant il avait caché dans son magasin trois cents paniers de citrons venant des vergers du Prince, et il savait que le Prince le savait.

– Mais je dois dire que mon cœur est avec eux, avec ces courageux garçons.

Il se leva pour laisser entrer Bendicò qui faisait trembler la porte sous ses assauts passionnés. Il se rassit.

– Votre Excellence le sait, on n'en peut plus ; perquisitions, interrogatoires, paperasseries pour un oui ou pour un non, un sbire à chaque coin de la maison ; les honnêtes gens ne sont plus libres de s'occuper de leurs propres affaires. Après, au contraire, nous aurons la liberté, la sécurité, des taxes plus légères, des facilités, le commerce... Tout le monde s'en trouvera mieux. Il n'y a que les prêtres qui y perdront. Le Seigneur protège les petites gens comme moi, et non pas eux.

Le Prince sourit. Il savait que c'était justement Russo qui, par personne interposée, voulait acheter Argivocale.

– Il y aura des journées de bagarres et de désordre, mais la villa Salina sera comme une forteresse ; Votre Excellence est notre père, et j'ai beaucoup d'amis. Les Piémontais n'entreront que le chapeau à la main pour présenter leurs respects à Vos Excellences. Et puis enfin, l'oncle et tuteur de don Tancrède !

Le Prince se sentait humilié : il se voyait tomber au rang de protégé de Russo et de ses amis ; son seul mérite était, semblait-il, son rôle de tuteur auprès de ce morveux de Tancrède. « Si ça continue, dans une semaine j'aurai la vie sauve grâce à l'appui de Bendicò ! » Il tordait entre ses doigts une oreille du chien, avec tant de force que la pauvre bête gémissait, honorée certes, mais torturée.

Peu après, quelques mots de Russo soulagèrent le Prince.

– Tout ira mieux, croyez-moi, Excellence. Les honnêtes gens et les gens adroits pourront se montrer. Le reste ne changera pas.

Ces gens-là, ces petits libéraux campagnards voulaient seulement avoir la possibilité de s'enrichir plus facilement. Un point c'est tout. Les hirondelles s'envoleraient un peu plus tôt, et voilà. D'ailleurs il en restait encore bon nombre au nid.

– Peut-être as-tu raison, qui sait ?

A présent, il avait pénétré tous les sens jusque-là cachés : les paroles énigmatiques de Tancrède, la rhétorique de Ferrara, les phrases fausses mais révélatrices de Russo, toutes avaient transmis leur rassurant secret. Il se passerait beaucoup de choses, mais ce ne serait qu'une comédie bruyante, romantique, avec quelques minuscules taches de sang sur sa robe bouffonne. On était au pays des accommodements, on n'y trouvait pas la « furia » française ; d'ailleurs, en France, pendant le mois de juin de 48, que s'était-il passé de sérieux ? Seule, la courtoisie innée du Prince l'empêcha de dire à Russo : « J'ai parfaitement compris, vous ne voulez pas nous détruire, nous, vos pères, vous voulez seulement prendre notre place. En douceur, avec la manière, en mettant à la rigueur dans notre poche quelques milliers de ducats. N'est-ce pas vrai ? Ton neveu, mon cher Russo, croira sincèrement qu'il est baron ; et tu deviendras, que sais-je ? le descendant du grand-duc de Moscovie, et non le fils d'un croquant au poil roux, comme ton nom l'indique justement. Et ta fille, bien avant, aura épousé l'un de nous, peut-être bien Tancrède lui-même, avec ses yeux bleus et ses longues mains. Du reste, elle est belle, et quand elle aura appris à se laver... Pourvu que tout continue. Continue quant au fond, avec seulement une insensible substitution de classes. Mes clés dorées de gentilhomme de la chambre, le cordon cerise de l'ordre de Saint-Janvier devront rester dans un tiroir, et iront finir dans une vitrine du fils de Paul ; mais les Salina resteront les Salina ; ils auront peut-être quelques compensations : le sénat de Sardaigne, le ruban pistache de Saint-Maurice. Autant de hochets. »

Il se leva :

– Pierre, parle à tes amis. Il y a ici une quantité de jeunes filles. Il ne faut pas qu'on les effraie.

– Je le savais, Excellence, je leur ai déjà parlé : la villa Salina sera aussi tranquille qu'un couvent.

Et il sourit, avec une ironie débonnaire.

Don Fabrice sortit, suivi de Bendicò. Il pensait monter voir le père Pirrone, mais le regard suppliant du chien le força à descendre dans le jardin. Bendicò en effet gardait un souvenir exalté du beau travail qu'il avait effectué le soir précédent et voulait le parachever dans les règles. Le jardin était encore plus odorant que la veille ; sous le soleil du matin, l'or de la cassie détonnait moins. « Mais les souverains ? Nos souverains ? La légitimité, combien de temps durera-t-elle ? » Cette pensée troubla Salina un moment ; on ne pouvait l'éluder. Durant quelques minutes, il se sentit tout proche de Malvica. Ces Ferdinands, ces François si méprisés lui parurent des frères aînés, sûrs, affectueux, justes, de vrais rois. Mais les forces défensives de son calme intérieur, vigilantes, accoururent à son aide, avec la mousqueterie du droit et l'artillerie de l'histoire. « Et la France ? Le pouvoir de Napoléon III n'est-il pas illégitime ? Les Français ne sont-ils pas heureux sous le règne de cet empereur éclairé, qui les conduira, n'en doutons pas, vers les plus hautes destinées ? Du reste entendons-nous : Charles III, lui, avait-il vraiment des titres en règle ? La bataille de Bitonto fut une bataille dans le genre de celles que nous aurons à Bisacquino, à Corleone, en je ne sais quel endroit où les Piémontais prendront les nôtres à coups de trique : encore une de ces batailles qu'on livre pour ne rien changer à rien. Du reste Jupiter non plus n'était pas le roi légitime de l'Olympe. »

Comme il était naturel, le coup d'État de Jupiter contre Saturne ramena l'esprit du Prince à ses chères étoiles.

Il laissa le dynamique Bendicò tout essoufflé, remonta l'escalier, traversa les salons où ses filles bavardaient avec leurs amies de couvent (à son passage, il y eut un bruissement de jupes soyeuses tandis que les jeunes filles se levaient), il gravit un long et étroit escalier, et déboucha dans la grande lumière azurée de l'observatoire. Le père Pirrone avait l'aspect serein d'un prêtre qui a dit sa messe et pris un café bien fort avec des biscuits de Monreale. Il était plongé dans des formules algébriques. Les deux télescopes et les trois longues-vues, aveuglés par le soleil, étaient couchés sagement, un bouchon noir sur l'oculaire, comme des bêtes bien dressées qui savent qu'on ne leur donne à manger que le soir.

La vue du Prince arracha le Père à ses calculs et lui rappela la situation embarrassante de la veille. Il se leva, salua respectueusement mais ne put s'empêcher de dire :

– Votre Excellence vient se confesser ?

Le Prince, à qui le sommeil et les conversations du matin avaient fait oublier l'épisode nocturne, fut tout étonné.

– Me confesser ? Mais ce n'est pas samedi, aujourd'hui !

Puis il se souvint et sourit :

– Ma foi, mon père, cela serait bien inutile, vous savez déjà tout.

Cette insistance à faire de lui un complice irrita le Jésuite.

– Excellence, l'efficacité de la confession ne réside pas dans le récit des faits, mais dans le repentir. Tant que vous ne vous repentez pas et ne montrez pas que vous vous repentez, vous restez en état de péché mortel, que je connaisse ou non vos actions.

Il épousseta méticuleusement un grain de poussière qu'il voyait sur sa manche et se replongea dans ses abstractions.

Mais le Prince se sentait si calme, depuis qu'il avait fait ses importantes découvertes politiques, qu'il se contenta de sourire de ce qu'il aurait appelé insolence en une autre occasion. Il ouvrit une des fenêtres de la tourelle.

Le paysage étalait généreusement ses beautés. Sous le levain du grand soleil, toute chose semblait perdre sa pesanteur : la mer, au fond, était une tache de couleur pure, les montagnes, qui, la nuit, paraissaient inquiétantes et pleines d'embûches, étaient à présent des amas de vapeur sur le point de se dissoudre, et la farouche Palerme elle-même s'étendait apaisée autour des couvents comme un troupeau aux pieds de ses bergers. Dans la rade, les navires étrangers à l'ancre, envoyés en prévision de troubles, ne parvenaient pas à faire croire au danger, au milieu de ce calme majestueux. Le soleil, qui était pourtant loin d'avoir toute sa force en cette matinée du 13 mai, se révélait l'authentique souverain de la Sicile : violent et impudent, fort comme un narcotique, il annulait les volontés individuelles et maintenait tous les êtres dans une immobilité servile, bercée de rêves violents, de violences qui avaient l'arbitraire des rêves. « Il en faudra, des Victor-Emmanuel, pour changer cette potion magique qu'on nous verse de là-haut. »

Le père Pirrone s'était levé, rajustant sa ceinture. Il se dirigea vers le Prince, la main tendue :

– Excellence, j'ai été trop brusque. Gardez-moi votre bienveillance, mais écoutez-moi : confessez-vous !

La glace était rompue. Le Prince exposa au père Pirrone ses intuitions politiques, mais le Jésuite était bien loin de partager son soulagement. Au contraire, il fut mordant à nouveau.

– Pour parler net, vous autres nobles vous vous mettez d'accord avec les libéraux, que dis-je ! avec les francs-maçons, sur notre dos, sur le dos de l'Église ; car il est bien évident que nos biens, qui sont le patrimoine des pauvres, seront raflés et partagés au petit bonheur entre les meneurs les plus impudents. Après ça, qui donc sauvera de la famine les innombrables malheureux qui sont actuellement nourris et guidés par l'Église ?

Le Prince restait silencieux.

– Comment fera-t-on pour calmer ces foules désespérées ? Je vais vous le dire, Excellence. On leur jettera en pâture un premier morceau, puis un second, puis finalement la totalité de vos terres. Et Dieu ainsi aura accompli Sa Justice, fût-ce à l'aide des maçons. Le Seigneur guérissait les aveugles du corps ; mais les aveugles de l'esprit, quelle fin feront-ils ?

Le malheureux père Pirrone, haletant, éprouvait une sincère douleur à l'idée de voir gaspiller le patrimoine de l'Église, mais en même temps il se sentait plein de remords pour s'être laissé une fois de plus entraîner ; enfin il craignait d'offenser le Prince, qu'il aimait, et dont il connaissait les bruyantes colères mais aussi la distraite bonté. Il restait donc sur ses gardes et observait don Fabrice qui, à l'aide d'une petite brosse, nettoyait le mécanisme d'une lunette d'approche et semblait absorbé par ce travail méticuleux. Au bout d'un moment, le Prince se leva, s'essuya longuement les mains avec un chiffon. Son visage était sans expression, ses yeux clairs semblaient seulement attentifs à découvrir la plus petite tache de graisse à la racine de ses ongles. En bas, tout autour de la villa, le silence était lumineux, profond, aristocratique ; il était souligné plutôt que troublé par le lointain aboiement de Bendicò qui injuriait le chien du jardinier, au fond du verger, et par le battement rythmé, sourd, du couteau du cuisinier qui, là-bas, dans la cuisine, hachait de la viande pour le repas. Le grand soleil, autant que l'âpreté de la terre, avait épuisé la turbulence des hommes. Le Prince s'approcha de la table, s'assit près du père Pirrone, et se mit à dessiner des lys bourboniens bien pointus avec le crayon soigneusement taillé que le Jésuite avait abandonné dans sa colère. Il avait l'air sérieux mais tellement serein que le père Pirrone sentit s'évanouir toutes ses angoisses.

– Nous ne sommes pas des aveugles, mon cher père, nous sommes seulement des hommes. Nous vivons dans une réalité mobile à laquelle nous essayons de nous adapter, comme des algues qui ondulent sous le mouvement des vagues. On a promis explicitement l'immortalité à notre sainte mère l'Église, mais à nous, en tant que classe sociale, non. Pour nous, un palliatif qui promet de durer cent ans équivaut à l'éternité. Nous pourrons à la rigueur nous inquiéter pour nos fils, peut-être pour nos petits-fils ; mais au-delà de ce que nous pouvons caresser de nos mains, nous n'avons pas d'obligations. Et je ne peux guère me préoccuper de ce que seront mes éventuels descendants en l'an 1960. L'Église au contraire doit y penser, car elle est destinée à survivre. Jusque dans son désespoir, le réconfort est implicite. Et croyez-vous que si elle pouvait maintenant ou dans l'avenir se sauver à notre détriment, elle ne le ferait pas ? Certes si, elle le ferait, et elle aurait raison.

Le père Pirrone était tellement content de ne pas avoir offensé le Prince qu'à son tour il ne se sentit pas offensé. Cette expression : « désespoir de l'Église » était inadmissible, mais une longue habitude du confessionnal le rendait capable d'apprécier l'humour sans illusion de don Fabrice. Il ne fallait pas, cependant, laisser triompher l'interlocuteur.

– Vous aurez deux péchés à me confesser, samedi, Excellence : péché de la chair hier, péché de l'esprit aujourd'hui. Il faudra vous en souvenir.

Tous les deux, apaisés, se mirent à discuter d'un rapport qu'il fallait envoyer au plus tôt à un observatoire étranger, celui d'Arcetri. Soutenus et guidés par les nombres, invisibles à cette heure mais présents, les astres rayaient l'éther de leur exacte trajectoire. Fidèles aux rendez-vous, les comètes s'étaient habituées à se présenter ponctuellement, à une seconde près, devant qui les observait. Elles n'étaient pas messagères de catastrophes, comme Stella le croyait : leur apparition prévue était au contraire le triomphe de la raison humaine, qui se projetait dans les cieux et prenait part à leur sublime normalité. « Peu importe si en bas les Bendicò poursuivent des proies rustiques, si le couteau du cuisinier triture la chair d'animaux innocents. A la hauteur de l'observatoire, les fanfaronnades de l'un, l'activité sanguinaire de l'autre se fondent en une tranquille harmonie. Le vrai problème est de continuer à vivre la vie de l'esprit, dans ses moments les plus sublimes, les plus semblables à la mort. »

Ainsi raisonnait le Prince, oubliant ses perpétuelles lubies, ses caprices charnels de la veille. Ces moments d'abstraction le firent peut-être plus intimement absoudre, c'est-à-dire le rattachèrent à l'univers mieux que s'il avait reçu la bénédiction du père Pirrone. Pendant une demi-heure, ce matin-là, les dieux du plafond et les singes des tentures furent de nouveau réduits au silence. Mais au salon, personne ne s'en aperçut.

Quand la cloche du repas les appela, ils étaient tous les deux rassérénés, aussi bien par la compréhension des événements politiques que pour s'être élevés bien au-delà.

Une atmosphère d'inhabituelle détente se répandit dans la villa. Le repas de midi était le plus important de la journée et il se passa, grâce à Dieu, le mieux du monde. Il arriva même qu'une anglaise de Caroline, la fille de vingt ans, échappant à une épingle mal fixée, se défit et glissa dans son assiette : l'incident, qui un autre jour aurait pu être désagréable, accrut cette fois la bonne humeur générale. Quand un des frères, assis à côté de la jeune fille, prit la boucle et l'accrocha à son cou où elle pendit comme un scapulaire, le Prince lui-même se laissa aller à sourire. Le départ, la destination, les buts de Tancrède étaient désormais connus de tous et tout le monde en parlait, sauf Paul qui continuait à manger en silence. Personne du reste n'était préoccupé, si ce n'est le Prince qui cachait un reste d'anxiété au fond de son cœur, et Concetta qui conservait une ombre sur son beau front. « La petite doit avoir un faible pour ce fripon. Cela ferait un beau couple. Mais je crains que Tancrède ne vise plus haut ; c'est-à-dire plus bas. » Ce jour-là, le Prince, ayant chassé par ses raisonnements politiques les nuages noirs qui l'assombrissaient d'habitude, laissait réapparaître sa bonhomie première. Pour rassurer sa fille, il se mit à parler de l'inefficacité des énormes fusils de l'armée royale ; il expliqua que l'absence de rayures dans le canon donnait aux projectiles une force de pénétration insuffisante. Peu de convives comprirent ces explications techniques, données d'ailleurs en toute mauvaise foi, et personne n'en fut convaincu, mais tous s'en trouvèrent rassurés, y compris Concetta ; la guerre, ce chaos affreusement concret et répugnant, était ainsi transformée en un limpide diagramme de lignes de force.

A la fin du repas, on servit une gelée au rhum. C'était l'entremets préféré du Prince, et la Princesse, reconnaissante des consolations qu'elle avait reçues, avait eu soin de le commander le matin de bonne heure. La gelée se présenta menaçante, en forme de donjon appuyé de bastions et murs d'escarpes. Ses faces lisses et glissantes défiaient l'escalade, elle était défendue par une garnison rouge et verte de cerises et de pistaches ; elle n'en restait pas moins transparente et tremblante, et la cuillère s'y enfonçait avec une étonnante facilité. Quand la forteresse ambrée arriva devant François-Paul, le fils de seize ans, servi le dernier, ce n'était plus que glacis démolis au canon, et gros blocs écroulés. Épanoui par l'arôme de l'alcool et par le goût délicat de la milice multicolore, le Prince savoura le spectacle de l'assaut victorieux livré par les appétits à la sombre forteresse démantelée. Un de ses verres était resté à moitié plein de marsala. Il le leva, promena son regard sur sa famille et l'arrêta un instant sur les yeux bleus de Concetta :

– A la santé de notre cher Tancrède, dit-il.

Il vida son verre d'un seul trait. Le chiffre F. D., qui d'abord se détachait nettement sur le vin doré, cessa d'être visible.

Au bureau où il descendit de nouveau après le repas, la lumière entrait maintenant de biais, et les images des fiefs, plongées dans l'ombre, n'émirent aucun reproche.

– Votre Excellence nous bénisse, murmurèrent Pastorello et Lo Nigro, les deux fermiers de Ragattisi, qui avaient apporté les *carnaggi* – cette partie des redevances qu'on payait en nature.

Ils se tenaient très droits, les yeux étonnés dans des visages parfaitement rasés et cuits par le soleil. Ils répandaient une odeur de troupeau. Le Prince leur parla avec cordialité, dans son dialecte très stylisé : il s'informa de leurs familles, de l'état des bêtes, des promesses de récoltes.

– Avez-vous apporté quelque chose ?

Tandis qu'ils acquiesçaient, disant que tout était dans la pièce voisine, le Prince se sentit un peu honteux ; ce colloque était une répétition des audiences du roi Ferdinand.

– Attendez cinq minutes et Ferrara vous donnera un reçu.

Il leur mit dans la main deux ducats ; c'était probablement plus que ce qu'ils avaient apporté.

– Buvez un verre à notre santé.

Et il alla regarder les *carnaggi.* Il y avait par terre quatre formes de fromages premier-sel de douze « rouleaux », soit dix kilos chacun ; il les observa avec indifférence : il détestait ce fromage ; il y avait également six agneaux, les derniers de l'année, la tête pathétiquement abandonnée au-dessus de la large blessure par laquelle la vie était sortie quelques heures auparavant. Les ventres étaient fendus et les boyaux irisés pendaient au-dehors. « Dieu ait son âme », se dit-il en pensant au soldat éventré. Quatre paires de poules attachées par les pattes se tordaient de peur sous le museau inquisiteur de Bendicò. « Encore une crainte inutile ; le chien ne présente pour elles aucun danger réel, il ne risque pas de les toucher, ça lui ferait mal au ventre. »

Cependant ce spectacle de sang et de terreur le dégoûta.

– Pastorello, va porter ces poules au poulailler ; pour l'instant on n'en a pas besoin à l'office. Une autre fois porte les agneaux directement à la cuisine ; ici, ils salissent tout. Et toi, Lo Nigro, va dire à Salvatore qu'il vienne nettoyer et qu'il emporte les fromages. Et ouvre la fenêtre pour faire sortir l'odeur.

Ferrara entra et rédigea les reçus.

Quand il remonta dans le bureau où il avait l'habitude de faire la sieste sur le divan rouge, le Prince trouva Paul, son fils aîné, duc de Querceta, qui l'attendait. Le jeune homme avait rassemblé tout son courage et désirait un entretien. Petit, mince, de teint olivâtre, il semblait plus âgé que son père.

– Je voulais te demander, papa, comment nous devrons nous comporter avec Tancrède quand nous le reverrons.

Le Prince comprit immédiatement et commença à se fâcher.

– Que veux-tu dire ? Qu'y a-t-il de changé ?

– Mais papa, il est impossible que tu l'approuves ! Il est allé se joindre à ces coquins qui mettent la Sicile sens dessus dessous ; ce sont des choses qui ne se font pas.

La jalousie personnelle, le ressentiment du bigot contre le cousin sans préjugés, du niais contre l'homme d'esprit, se déguisaient en querelle politique. Le Prince en fut tellement indigné qu'il ne fit même pas asseoir son fils.

– Il vaut mieux faire des bêtises que rester des journées entières à regarder le crottin d'un cheval. Tancrède m'est encore plus cher qu'avant. Et puis ce ne sont pas des bêtises. Si tu peux un jour te faire graver des cartes de visite avec le titre de duc de Querceta, et si, quand je partirai, tu hérites de quatre sous, c'est à Tancrède et à ceux qui lui ressemblent que tu le devras. Sors d'ici ; je ne te permets plus de m'en parler ! Ici, c'est moi qui commande.

Puis il se radoucit et l'ironie remplaça la colère.

– Va, mon fils, il faut que je dorme, va parler de politique avec Guiscard, vous vous entendrez bien.

Et tandis que Paul, glacé par ces paroles, refermait la porte, le Prince enleva sa redingote et ses bottines, fit gémir le divan sous son poids, et s'endormit tranquillement.

Quand il se réveilla, son valet entra, portant sur un plateau un journal et un billet. Ils étaient envoyés de Palerme par le beau-frère Malvica ; un serviteur à cheval venait de les apporter. Encore un peu engourdi par sa sieste, le Prince ouvrit la lettre :

« Cher Fabrice, je t'écris dans un état de prostration complet. Lis toi-même les terribles nouvelles du journal. Les Piémontais ont débarqué. Nous sommes tous perdus. Ce soir, je me réfugierai avec toute ma famille sur les navires anglais. Tu as certainement l'intention de faire la même chose ; si tu le crois bon je te ferai réserver quelques places. Que le Seigneur sauve encore notre Roi bien-aimé. Je t'embrasse. Ton Ciccio. »

Il replia le billet, le glissa dans sa poche et se mit à rire tout haut. Quel type, ce Malvica ! Il avait toujours été une poule mouillée. Il n'avait rien compris, et maintenant il tremblait. Et il laissait son palais à la merci de ses serviteurs ; cette fois il le retrouverait vide, c'était sûr. « A propos, il faut que Paul aille habiter Palerme ; les maisons vides, en ce moment, sont des maisons condamnées au pillage. Je lui en parlerai au repas. »

Il ouvrit le journal. « Un acte de piraterie flagrante a eu lieu le 11 mai : des troupes armées ont débarqué sur la côte de Marsala. Des rapports postérieurs ont établi que la bande comportait près de huit cents hommes, commandés par Garibaldi. Dès que ces flibustiers eurent débarqué, ils évitèrent soigneusement le contact avec les troupes royales et marchèrent, d'après nos informations, sur Castelvetrano, menaçant les pacifiques citoyens, se livrant au pillage et à la dévastation, etc., etc. »

Le nom de Garibaldi le troubla un peu. Cet aventurier tout en cheveux et en barbe était un pur mazzinien. Il allait compliquer la situation. « Mais si le roi honnête homme l'a envoyé chez nous, cela veut dire qu'il lui fait toute confiance. Ils le tiendront en bride. »

Il se rassura, se peigna, se fit remettre chaussures et redingote. Il fourra le journal dans un tiroir. C'était presque l'heure du rosaire, mais le salon était encore vide. Il s'assit sur le divan, et remarqua que le Vulcain du plafond ressemblait un peu aux lithographies de Garibaldi qu'il avait vues à Turin. Il sourit. Un « cocu ».

La famille s'assemblait peu à peu. La soie des jupes bruissait. Les plus jeunes plaisantaient entre eux. On entendit derrière la porte l'habituelle querelle entre les serviteurs et Bendicò, qui voulait à toute force prendre part à la cérémonie. Un rayon de soleil chargé d'un poudroiement d'or illuminait les singes malins.

Le Prince s'agenouilla : « *Salve Regina, mater misericordiae...* »

CHAPITRE DEUXIÈME

En route pour Donnafugata. L'étape. Précédents et déroulement du voyage. Arrivée à Donnafugata. A l'église. Don Onofrio Rotolo. Conversation dans la salle de bains. La fontaine d'Amphitrite. Surprise avant le repas. Le repas ; les réactions diverses. Don Fabrice et les étoiles. Visite au monastère. Ce que l'on voit par la fenêtre.

AOÛT 1860.

– Les arbres ! voici les arbres !

Ce cri, parti de la première voiture, remonta la file des quatre berlines qui suivaient, presque invisibles sous un nuage de poussière blanche ; à chaque portière, des visages en sueur exprimèrent une satisfaction pleine de lassitude.

A vrai dire, il n'y avait que trois arbres, et c'étaient des eucalyptus, les fils les plus dégingandés de notre mère Nature. Mais c'étaient aussi les premiers que la famille Salina eût rencontrés depuis qu'elle avait quitté Bisacquino, à six heures du matin. Il était maintenant onze heures ; durant cinq heures, on n'avait vu que les croupes paresseuses des collines, d'un jaune flamboyant sous le soleil. Le trot sur des parcours plats alternait rapidement avec de longues et pénibles montées, avec des descentes faites à pas prudent. Pas et trot étaient également fondus dans le perpétuel tintement des sonnailles, qui finissaient par sembler l'émanation sonore de ce décor chauffé à blanc. On avait traversé de petits villages hébétés, peints en bleu ciel. On avait franchi, sur des ponts d'une bizarre magnificence, des rivières parfaitement à sec ; on avait côtoyé des ravins désespérés, que le sorgho et le genêt n'arrivaient point à égayer. Pas un arbre, pas une goutte d'eau : soleil et poussière. A l'intérieur des voitures, aux rideaux soigneusement tirés, la température devait bien atteindre cinquante degrés. Enfin, ces quelques arbres assoiffés qui se tordaient sur un ciel déteint annonçaient plusieurs bonnes nouvelles : on était à moins de deux heures de l'arrivée ; on entrait dans les terres des Salina ; on pouvait faire collation et peut-être même se laver le visage avec l'eau croupie du puits.

Dix minutes plus tard, on arrivait à la ferme de Rampinzeri, une énorme bâtisse habitée seulement pendant un mois de l'année par des ouvriers agricoles, des mulets et des troupeaux qui s'y réunissaient pour la récolte. Sur la porte massive mais défoncée, un Guépard sculpté dansait, bien qu'on lui eût brisé jadis les pattes à coups de pierre ; à côté du bâtiment, un puits profond, autour duquel les eucalyptus montaient la garde, proposait silencieusement les divers services dont il était capable : il faisait office de piscine, d'abreuvoir, de prison, de cimetière. Il désaltérait, propageait le typhus, gardait les gens séquestrés, cachait des charognes de bêtes ou d'hommes et les transformait en squelettes anonymes, lisses comme de l'ivoire.

Toute la famille Salina descendit de voiture. Le Prince était ravi à l'idée d'atteindre bientôt son cher Donnafugata ; la Princesse, irritée et inerte à la fois, se sentait réconfortée par le calme de son mari ; les jeunes filles étaient épuisées, les petits garçons excités par la nouveauté : la chaleur elle-même n'avait pu les dompter. Mlle Dombreuil, la gouvernante française, se souvenant des années passées en Algérie, dans la famille du maréchal Bugeaud, gémissait sans interruption : « *Mon Dieu, mon Dieu, c'est pire qu'en Afrique !* » tout en essuyant son petit nez retroussé ; le père Pirrone était le plus alerte de tous ; il avait trouvé le trajet rapide, la lecture, bientôt interrompue, de son bréviaire lui ayant procuré un confortable sommeil ; une femme de chambre et deux valets, gens de la ville, découvraient avec humeur les aspects insolites de la campagne ; enfin Bendicò, bondissant de la dernière voiture, se répandait en invectives contre les suggestions funèbres des corneilles qui tournoyaient, basses, dans la lumière.

Une poussière blanche recouvrait cils, lèvres, et queue en panache. De petits nuages blafards s'élevaient autour de ceux qui, ayant mis pied à terre, se brossaient et se secouaient mutuellement.

L'élégante correction de Tancrède brillait davantage au milieu du désordre général. Il avait voyagé à cheval et était arrivé une demi-heure avant les autres à la ferme. Il avait eu ainsi le temps de se brosser, de se nettoyer et de changer sa cravate blanche. Tandis qu'il tirait du puits aux nombreux usages un seau d'eau pour sa toilette, il avait été satisfait de l'image que lui renvoyait le miroir liquide : un bandeau noir sur son œil droit rappelait, plus qu'il ne la soignait, la blessure reçue trois mois plus tôt durant les combats de Palerme ; l'autre œil, d'un bleu sombre, semblait exprimer, pour son compte et pour celui du voisin, une malice redoublée ; un filet écarlate, par-dessus la cravate, évoquait discrètement la chemise rouge que Tancrède avait portée. Il aida la Princesse à descendre de voiture, épousseta de sa manche le haut-de-forme du Prince, distribua des bonbons à ses cousines et des moqueries à ses petits cousins, plia presque le genou devant le Jésuite, répondit aux élans passionnés de Bendicò, consola Mlle Dombreuil, taquina et enchanta tout le monde.

Les cochers faisaient marcher lentement les chevaux, en rond, pour les rafraîchir avant de les laisser boire, les valets étendaient les nappes sur la paille, reste du dernier battage, dans le rectangle d'ombre qui s'étendait devant la ferme. Près du puits complaisant, la collation commença. Aux alentours, la campagne funèbre ondoyait, jaune de chaume et noire de barbes d'épis calcinés.

La lamentation des cigales emplissait le ciel ; on aurait dit le râle de la Sicile brûlée qui, à la fin d'août, attend vainement la pluie.

Une heure plus tard, réconfortés, les voyageurs se remirent en route. Les chevaux épuisés avançaient plus lentement encore, mais la dernière partie du parcours sembla brève ; le paysage n'était plus anonyme, sa dureté sinistre s'était atténuée. On reconnaissait au passage des endroits familiers, les buts arides de promenades passées, de piqueniques faits les années précédentes ; les gorges de la Dragonara, le carrefour de Misilbesi ; on arriverait bientôt à la Madone des Grâces, terme des plus longues promenades à pied. La Princesse s'était endormie ; le Prince, seul avec elle dans la vaste voiture, se sentait heureux. Il ne s'était jamais autant réjoui de passer trois mois à Donnafugata qu'en ce mois d'août 1860. D'abord parce qu'il aimait ce pays, la maison, les gens, le caractère féodal de la vie qu'il menait là-bas ; et puis, contrairement aux autres années, il ne regrettait aucunement les soirées pacifiques passées dans son observatoire et les visites à Mariannina. A parler franc, le spectacle qu'offrait Palerme les trois derniers mois l'avait passablement écœuré. Dans son orgueil, il aurait voulu être le seul à comprendre la situation, à faire bon visage à l'ogre en chemise rouge ; mais il avait dû se rendre compte que la clairvoyance n'était pas le monopole de la maison Salina. Tous les Palermitains semblaient heureux, tous, sauf une poignée de nigauds : Malvica, son beau-frère, s'était fait pincer par la police du Dictateur et était resté dix jours au cachot ; quant à son fils Paul, tout aussi mécontent, mais plus prudent, on l'avait laissé en ville, fourré dans Dieu sait quels puérils complots. Tous les autres montraient ostensiblement leur joie, arboraient partout des revers pavoisés de cocardes tricolores, défilaient du matin au soir, et surtout parlaient, déclamaient, haranguaient. Les premiers jours, tout ce vacarme semblait avoir un but et un sens : des acclamations saluaient les rares blessés passant dans les rues principales, on entendait les gémissements des « moutons » de la police bourbonienne, torturés dans les ruelles ; mais ensuite, une fois les blessés guéris, une fois les « moutons » survivants enrôlés dans la nouvelle police, ces mascarades semblèrent au Prince stupides, grotesques, bien qu'il en reconnût l'inévitable nécessité. Tout cela, à vrai dire, ne constituait qu'une manifestation superficielle de mauvaise éducation ; le fond des choses, la situation économique et sociale, était satisfaisante, exactement comme il l'avait prévu. Don Pietro Russo avait tenu ses promesses : on n'avait pas entendu un seul coup de feu aux alentours de la villa Salina ; et si, au palais de Palerme, un grand service de porcelaine chinoise avait été volé, on ne le devait qu'à la balourdise de Paul, qui l'avait fait emballer dans deux paniers, puis avait tout laissé dans la cour pendant le bombardement. C'était vraiment inviter les emballeurs eux-mêmes à le faire disparaître.

Les Piémontais (c'est ainsi que le Prince continuait à les appeler, pour se rassurer ; d'autres les appelaient garibaldiens pour les exalter, et d'autres garibaldistes pour les insulter), les Piémontais s'étaient présentés à lui sinon vraiment le chapeau à la main, comme on le lui avait prédit, du moins cette main à la visière de leur képi rouge, aussi chiffonné et froissé que celui des officiers bourboniens.

Annoncé vingt-quatre heures à l'avance par Tancrède, un général en jaquette rouge à brandebourgs noirs s'était présenté, vers le vingt juin, suivi de son aide de camp. Il avait courtoisement demandé la permission de voir les fresques des plafonds. On lui donna immédiatement satisfaction : on avait eu le temps, depuis la veille, d'enlever d'un salon le portrait du roi Ferdinand II dans toute sa pompe : on l'avait remplacé par une peu compromettante *Piscine probatique* ; opération qui joignait les avantages esthétiques aux avantages politiques.

Le général était un Toscan plein de vivacité, âgé d'une trentaine d'années, bavard et quelque peu fanfaron, mais par ailleurs bien élevé et sympathique. Il s'était comporté avec le respect voulu, il avait même traité le Prince d'« Excellence », ce qui était en contradiction absolue avec l'un des premiers décrets du Dictateur. L'aide de camp, un blanc-bec de dix-neuf ans, était un comte milanais qui fascina les jeunes filles avec ses bottes vernies et ses « r » à la française. Ils étaient arrivés en compagnie de Tancrède promu, ou plutôt « fait », capitaine sur le champ de bataille. Il avait un peu maigri par suite des souffrances que lui avait infligées sa blessure, et il était là, tout de rouge vêtu, irrésistible, étalant son intimité avec les vainqueurs à grands renfort de « tu », de « mon valeureux ami » réciproques, prodigués par les continentaux avec une ferveur enfantine, et repris par Tancrède avec cette voix nasale où le Prince savait reconnaître une ironie cachée. Don Fabrice avait reçu ses hôtes du haut de son inexpugnable courtoisie ; ils l'avaient pleinement diverti – et pleinement rassuré. Si bien que trois jours après, les deux Piémontais furent invités à dîner. Ce fut un spectacle inénarrable : Caroline, assise au piano, accompagnait le général qui, en hommage à la Sicile, s'était aventuré à chanter : « *Vi ravviso, o luoghi ameni* ». Tancrède tournait flegmatiquement les pages de la partition, comme si les fausses notes n'eussent pas existé en ce bas monde. Le petit comte, pendant ce temps, penché sur un sofa, parlait de fleurs d'oranger à Concetta, et lui révélait l'existence d'Aleardo Aleardi. Tout en faisant semblant d'écouter, elle s'attristait de la mauvaise mine de son cousin que les bougies du piano faisaient paraître plus languissante encore.

Cette soirée, parfaitement idyllique, fut suivie de plusieurs autres, également cordiales ; au cours de l'une d'elles, on pria le général d'intervenir pour que l'ordre d'expulsion des jésuites ne fût pas appliqué au père Pirrone, que l'on dépeignit comme un vieillard accablé de maux. Le général, qui s'était pris de sympathie pour l'excellent prêtre, feignit de croire à sa misérable situation ; il intrigua, parla à des amis politiques, et le père Pirrone resta. Le Prince vit l'exactitude de ses prévisions une fois de plus confirmée.

Le général se montra également fort utile pour l'attribution des laissez-passer, nécessaires à qui voulait se déplacer pendant cette période de troubles. Si les Salina purent partir sans souci en villégiature, l'année de la révolution, ce fut pour beaucoup grâce à lui. Le jeune capitaine obtint une permission d'un mois et accompagna sa famille. Le problème des laissez-passer mis à part, les préparatifs du voyage avaient été longs et compliqués. On avait dû entamer dans les bureaux de l'administration des négociations elliptiques avec des « personnes influentes » de Girgenti, négociations qui se conclurent par des sourires, des poignées de main et des tintements de monnaie. On avait obtenu ainsi une sorte de second laissez-passer, plus efficace que le premier : mais ceci n'avait rien de nouveau. Il fallut aussi rassembler des montagnes de bagages et de provisions, et expédier, trois jours à l'avance, une partie des cuisiniers et des serviteurs ; il fallut emballer un télescope ; il fallut convaincre Paul de rester à Palerme. Après quoi, l'on put partir. Le général et le petit sous-lieutenant étaient venus apporter des fleurs ainsi que leurs vœux de bon voyage ; quand les voitures quittèrent la villa Salina, deux bras vêtus de rouge s'agitèrent longuement pour les saluer ; le haut-de-forme du Prince se pencha à la portière, mais la petite main gantée de dentelle noire que le jeune comte espérait voir resta sur les genoux de Concetta.

Le voyage avait duré plus de trois jours et avait été horrible. Les routes, ces fameuses routes siciliennes qui avaient fait perdre sa lieutenance au prince de Satriano, étaient de vagues pistes hérissées d'ornières et bourrées de poussière. La première nuit, passée à Marineo, chez un ami notaire, avait été encore supportable ; mais la seconde, dans une mauvaise auberge de Prizzi, fut très pénible pour les voyageurs, couchés trois par lit et dévorés par une faune repoussante. La troisième nuit, on était à Bisacquino : là, il n'y avait pas de punaises, mais, pour compenser, le Prince avait trouvé treize mouches dans son verre de *granita* ; une lourde odeur d'excréments s'exhalait des « commodités » contiguës, ce qui donna des cauchemars au Prince. Il se réveilla à la pointe de l'aube, englué de sueur et de puanteur, et ne put s'empêcher de comparer ce voyage répugnant à sa propre vie : elle s'était déroulée d'abord à travers des plaines riantes, avait escaladé des montagnes abruptes, s'était insinuée à travers des gorges menaçantes, pour déboucher enfin sur d'interminables ondulations de terrain, d'une couleur monotone, désertes comme le désespoir. Ces imaginations matinales étaient bien la pire chose qui pût arriver à un homme d'âge moyen ; le Prince savait qu'elles étaient destinées à s'évanouir avec l'activité du jour, mais il en souffrait cependant de façon aiguë. Il avait assez d'expérience pour comprendre que les souffrances déposent peu à peu au fond de l'âme des sédiments de deuil dont l'accumulation quotidienne est en définitive la cause de la mort.

Au lever du soleil, ces monstres se réfugièrent dans les zones de l'inconscient ; Donnafugata était désormais toute proche, avec son palais, ses eaux jaillissantes, le souvenir de saints ancêtres, avec cette impression d'enfance éternelle qu'elle savait donner. Les gens y étaient sympathiques, simples et dévoués. Une pensée assaillit le Prince : « Qui sait si, après les derniers événements, leur dévouement sera le même ? – Nous verrons bien. »

On était maintenant arrivé, ou à peu près. Le spirituel visage de Tancrède apparut, penché à la portière :

– Préparez-vous, nous y serons dans cinq minutes.

Tancrède avait trop de tact pour précéder le Prince dans le village. Il mit son cheval au pas et marcha d'un air réservé, à côté de la première voiture.

Au-delà du petit pont qui menait à l'intérieur du pays, attendaient les autorités, entourées de quelques dizaines de paysans. Dès que les voitures s'approchèrent, l'orphéon municipal attaqua avec une fougue frénétique *Nous sommes les petites bohémiennes*, salut étrange mais affectueux que, depuis quelques années, Donnafugata présentait à son Prince. Tout de suite après, les cloches de l'église mère et du couvent du Saint-Esprit, averties par quelque gamin en vedette, emplirent l'air d'un joyeux vacarme.

« Grâce à Dieu, tout me semble aller comme à l'accoutumée », pensa le Prince en descendant de voiture.

Il y avait là don Calogero Sedara, le maire, les hanches serrées dans une écharpe tricolore toute neuve, comme sa charge ; monseigneur Trottolino, l'archiprêtre, avec sa grosse face boucanée ; don Ciccio Ginestra, le notaire, couvert de jabots et de panaches, présent en qualité de capitaine de la garde nationale ; il y avait don Toto Giambone, le médecin ; il y avait la petite Nunzia Giarritta qui tendit à la Princesse un bouquet de fleurs tout ébouriffé, cueilli, du reste, une demi-heure plus tôt dans le jardin du palais ; il y avait aussi Ciccio Tumeo, l'organiste de la cathédrale, qui, à vrai dire, n'avait pas un rang suffisant pour se mêler aux autorités, mais qui était venu tout de même en tant qu'ami et compagnon de chasse. Il avait eu la bonne idée d'amener avec lui, pour faire plaisir au Prince, la chienne Térésina, une braque au poil de feu, avec deux petites taches noisette au-dessus des yeux. Un sourire tout particulier de don Fabrice le récompensa de sa hardiesse. Le Prince était d'excellente humeur et plein d'une sincère bienveillance. Il était descendu de voiture avec sa femme pour remercier et, tandis que la musique de Verdi faisait rage, au milieu du vacarme des cloches, il embrassa le maire et serra toutes les mains. La foule des paysans restait muette, mais leurs yeux immobiles trahissaient une curiosité qui n'était nullement hostile : les pauvres gens de Donnafugata nourrissaient vraiment une sorte d'affection pour leur tolérant suzerain, qui si souvent oubliait de réclamer les redevances et les petits loyers. Et puis, habitués à voir le Guépard moustachu se dresser sur la façade du palais, sur le fronton de l'église, sur les fontaines baroques, sur les carrelages de céramique des maisons, ils étaient heureux de contempler maintenant le Guépard authentique, en pantalon de piqué, distribuant des coups de patte amicaux et souriant avec la bonhomie d'un félin courtois.

« Il n'y a pas à dire, tout va comme avant, mieux qu'avant, même. »

Tancrède, de son côté, excitait la curiosité : tout le monde le connaissait depuis longtemps, mais il semblait transfiguré ; on ne voyait plus en lui le garçon sans préjugés, mais l'aristocrate libéral, le compagnon de Rosolino Pilo, le blessé glorieux des combats de Palerme. Quant à lui, il se sentait comme un poisson dans l'eau au sein de cet empressement bruyant ; ces admirateurs rustiques valaient leur pesant d'or. Il leur parlait en dialecte, plaisantait, se moquait de lui-même et de sa blessure ; mais quand il disait « le général Garibaldi » sa voix baissait d'un ton, il prenait l'air absorbé d'un enfant de chœur devant l'ostensoir. Parlant à don Calogero Sedara, dont il avait vaguement entendu dire qu'il s'était beaucoup démené au moment de la libération, il s'écria d'une voix sonore :

– Don Calogero, Crispi m'a dit grand bien de vous.

Après quoi, il offrit le bras à sa cousine Concetta et s'en alla, les laissant tous aux anges.

Les voitures, avec les serviteurs, les enfants, Bendicò, prirent le chemin du palais ; mais, selon l'antique rite, les autres, avant de rentrer, devaient écouter un *Te Deum* à la cathédrale. Elle était d'ailleurs à deux pas, et les nouveaux arrivés, poussiéreux mais imposants, s'y rendirent en cortège, suivis des autorités, étincelantes mais humbles. En tête marchait don Ciccio Ginestra qui, en vertu du prestige de l'uniforme, se frayait un chemin dans la foule des passants ; ensuite venait le Prince, pareil à un lion repu et paisible, la Princesse à son bras ; derrière s'avançaient Tancrède et Concetta ; elle retenait de douces larmes, toute troublée par cette arrivée à l'église au bras de son cousin. Ce trouble ne fut pas atténué, tant s'en faut, par la forte pression que l'obligeant jeune homme exerçait sur son bras, à seule fin, bien sûr, de la diriger parmi les trous et les épluchures qui constellaient la rue. Le reste suivait en désordre. L'organiste s'était échappé à la course pour déposer Teresina à la maison et se trouver, tonnant, à son poste, au moment où le cortège entrerait dans l'église. Les cloches ne cessaient pas de gronder, et sur les maisons les inscriptions « Vive Garibaldi », « Vive le roi Victor », « Mort au roi Bourbon », tracées deux mois plus tôt par un pinceau maladroit, pâlissaient et semblaient vouloir disparaître dans le mur. Les pétards crépitaient tandis que la procession montait les marches, et quand elle pénétra dans l'église, don Ciccio Tumeo, arrivé hors d'haleine mais juste à temps, attaqua impétueusement : *Aime-moi, Alfred.*

La nef était bourrée de curieux qui se bousculaient entre les lourdes colonnes de marbre rouge ; la famille Salina s'assit dans le chœur, et pendant la brève cérémonie don Fabrice se montra, magnifique, à la foule. La Princesse manqua se trouver mal de chaleur et de fatigue ; et Tancrède, sous prétexte de chasser les mouches, effleura plus d'une fois la tête blonde de Concetta. Tout se passa fort bien, et, après l'exhortation de monseigneur Trottolino, les assistants s'inclinèrent devant l'autel, se dirigèrent vers la porte et sortirent sur la place écrasée de soleil.

En bas des marches, les autorités prirent congé, et la Princesse, à qui l'on avait chuchoté certaines dispositions, invita pour le dîner de ce même soir le maire, l'archiprêtre et le notaire. L'archiprêtre étant garçon par profession et le notaire par vocation, leur cas ne présentait pas de difficulté ; quant au maire, il reçut pour sa femme une invitation indécise : c'était une espèce de paysanne, fort belle, mais jugée par son mari lui-même imprésentable à bien des égards. Personne donc ne fut surpris en entendant don Calogero déclarer qu'elle était souffrante ; mais l'étonnement fut grand quand il ajouta :

– Si Leurs Excellences le permettent, je viendrai avec ma fille Angélique qui depuis un mois ne parle que du plaisir qu'elle aurait à être présentée à la villa, maintenant qu'elle est grande.

Il reçut naturellement l'assentiment du Prince qui, ayant vu Tumeo regarder par-dessus l'épaule des autres, lui cria :

– Vous aussi, bien sûr, don Ciccio, et amenez Teresina !

Il ajouta, tourné vers le reste de l'assemblée :

– Après le repas, à neuf heures, nous serons heureux de recevoir tous nos amis.

Donnafugata commenta longuement ces dernières paroles. Le Prince avait trouvé Donnafugata semblable à elle-même ; Donnafugata jugea que le Prince avait bien changé : jamais auparavant il n'aurait parlé de façon si cordiale. De ce moment commença, invisible, le déclin de son prestige.

Le palais Salina était tout proche de l'église mère. Sa façade restreinte, avec sept fenêtres sur la place, ne laissait pas supposer l'immensité des bâtiments qui s'étendaient par-derrière, sur deux cents mètres. Ces constructions étaient de styles divers mais groupées harmonieusement autour de trois vastes cours, et donnaient sur un ample jardin. A l'entrée principale, sur la place, les voyageurs subirent de nouvelles manifestations de bienvenue. Don Onofrio Rotolo, l'intendant de la maison, ne participait pas aux cérémonies officielles. Formé à la rigide école de la princesse Caroline, il considérait le *vulgus* comme inexistant, et pour lui le Prince n'était pas à Donnafugata tant qu'il n'était pas entré dans son palais. Don Onofrio se tenait, à deux pas de la porte, tout petit, tout vieux, tout barbu, flanqué de sa femme, beaucoup plus jeune que lui et fort opulente, épaulé par les serviteurs et les huit gardes qui portaient le guépard doré sur leur casquette et dans leurs mains huit fusils dont l'innocuité n'était pas toujours certaine.

– Je suis heureux de souhaiter la bienvenue à Leurs Excellences dans leur demeure. Je leur remets le palais dans l'état exact où il a été laissé.

Don Onofrio Rotolo était une des rares personnes qu'estimât le Prince, et probablement la seule qui ne l'eût jamais volé. Son honnêteté confinait à la manie ; on en donnait des exemples typiques, celui du verre de rosolis, par exemple, que la Princesse avait laissé à moitié plein au moment du départ, et que l'on retrouva un an après, à la même place, son contenu évaporé et réduit en cristaux sucrés. On n'avait touché à rien « car ceci est une partie infinitésimale du patrimoine princier, et l'on ne doit pas le dissiper ».

Les compliments échangés avec don Onofrio et donna Maria, la Princesse, qui ne tenait que par les nerfs, alla se coucher en hâte ; les jeunes filles et Tancrède coururent vers les ombres tièdes du jardin. Le Prince et l'intendant entreprirent le tour du grand appartement. Tout était en ordre ; les tableaux, dans leurs cadres pesants, étaient époussetés, les dorures des reliures anciennes luisaient de leurs feux discrets, le haut soleil faisait briller les marbres gris autour de chaque porte. Rien n'avait changé depuis cinquante ans. Après le tourbillon bruyant des discordes civiles, don Fabrice se sentit rafraîchi, plein d'une sécurité sereine, et regarda presque tendrement don Onofrio qui trottinait à ses côtés.

– Don Nofrio, vous êtes vraiment un de ces gnomes qui gardent les trésors ; la reconnaissance que nous vous devons est grande.

Une autre année, son sentiment aurait été le même ; mais ces paroles ne lui seraient pas venues à la bouche. Don Nofrio le regarda plein de gratitude et de surprise.

– Je ne fais que mon devoir, Excellence.

Et pour cacher son émotion, il se grattait l'oreille avec l'ongle démesuré de son petit doigt gauche.

Ensuite, l'intendant fut soumis à la torture du thé. Don Fabrice en fit venir deux tasses et don Nofrio dut en avaler une, la mort dans l'âme. Après quoi, il se mit à faire la chronique de Donnafugata : deux semaines plus tôt, il avait renouvelé le loyer de la propriété d'Aquila à des conditions un peu moins bonnes que précédemment. Il avait dû affronter de lourdes dépenses pour la réparation des plafonds de la *foresteria*[1] ; mais il avait en caisse, à la disposition de Son Excellence, trois mille deux cent soixante-cinq onces, nettes de tous frais, de toute taxe, et de son propre traitement.

Puis vinrent les nouvelles du bourg, qui tournaient autour du grand événement de l'année : la rapide ascension de don Calogero Sedara. Six mois plus tôt avait expiré le prêt qu'il avait accordé au baron Tumino, et il avait saisi les terres ; pour avoir prêté mille onces, il possédait maintenant une propriété qui en produisait cinq cents par an. En avril, il avait pu acquérir pour une bouchée de pain une *salma*[2] de terrain, et dans ce terrain il y avait une carrière de pierre fort recherchée, qu'il se proposait d'exploiter. Enfin, il avait conclu des ventes de blé très avantageuses au moment de

1. *Foresteria* : l'ensemble des appartements réservés aux hôtes.
2. *Salma* : mesure de capacité, et, par extension, de surface. Ici, une *salma* vaut 1,56 hectare.

la panique et de la disette qui avaient suivi le débarquement. La voix de don Nofrio se fit pleine de rancœur :

– J'ai fait le compte sur les doigts de la main : les rentes de don Calogero égaleront dans peu de temps celles de Votre Excellence à Donnafugata.

En même temps que sa richesse, croissait son influence politique : il était devenu le chef des libéraux, dans le pays et aussi dans les bourgs voisins ; quand les élections auraient lieu, il était sûr de se voir député à Turin.

– Et quels grands airs ils prennent, non pas tant lui, d'ailleurs, car il est trop rusé, mais sa fille, par exemple, qui revient d'un collège de Florence et se promène dans les rues avec des jupes gonflées et des rubans de velours qui pendent de sa capeline !

Le Prince se taisait : la fille, oui... Cette Angélique qui viendrait ce soir pour le dîner ; il était curieux de la revoir, cette petite bergère endimanchée. Que rien n'eût changé, c'était inexact. Don Calogero aussi riche que lui ! Mais dans le fond c'était prévu. Il fallait bien payer.

Le silence de son maître troubla don Nofrio. Il s'imagina qu'il avait mécontenté le Prince en lui rapportant les cancans du pays.

– Excellence, j'ai fait préparer un bain ; il doit être prêt, maintenant.

Don Fabrice prit brusquement conscience de sa lassitude : il était presque trois heures, et pendant neuf heures il avait roulé sous un soleil torride, après une nuit pareille ! Il se sentait plein de poussière, jusque dans les replis les plus cachés de son corps.

– Merci, don Nofrio, d'avoir pensé au bain, merci pour tout le reste. Nous nous reverrons ce soir, au dîner.

Il monta l'escalier intérieur, traversa le salon aux tapisseries, le salon bleu, puis le salon jaune ; les persiennes abaissées filtraient la lumière ; dans le bureau, la pendule de Boulle battait, tout doucement. « Quelle paix, mon Dieu, quelle paix ! » Il entra dans la salle de bains, petite, blanchie à la chaux, avec un dallage de briques grossières, au centre duquel s'ouvrait un trou pour l'écoulement des eaux. La baignoire était une sorte de bassin ovale, immense, en tôle vernissée, jaune à l'extérieur et grise à l'intérieur, hissée sur quatre robustes pieds de bois. Un peignoir était suspendu au mur ; le linge de rechange se trouvait sur une chaise de corde ; sur une autre s'étalait un costume qui portait encore les plis pris dans la malle. A côté de la baignoire, un gros savon rose, une grosse brosse, un mouchoir noué plein de son qui, trempé dans l'eau chaude, émettrait un lait odorant, une énorme éponge, une de celles qu'envoyait l'intendant de Salina. Par la fenêtre sans rideaux ni volets, le soleil pénétrait brutalement.

Le Prince frappa des mains. Deux serviteurs entrèrent, portant chacun deux seaux débordants l'un d'eau froide, l'autre d'eau bouillante ; ils firent le va-et-vient plusieurs fois, et la baignoire fut remplie. Don Fabrice essaya la température de la main : cela allait. Il fit sortir les serviteurs, se déshabilla, se plongea dans le bain. Sous cette masse disproportionnée, l'eau déborda un peu. Il se savonna, s'étrilla. La tiédeur lui faisait du bien, le détendait. Il était près de s'endormir quand on frappa à la porte. Mimi, le valet de chambre, entra craintivement.

– Le père Pirrone demande à voir tout de suite Votre Excellence. Il attend dans la pièce voisine que Votre Excellence sorte du bain.

Le Prince fut surpris ; s'il se passait quelque chose de grave, autant le savoir tout de suite :

– Mais non, faites-le entrer immédiatement.

La hâte du père Pirrone alarmait don Fabrice ; un peu pour cette raison, un peu par respect de l'habit sacerdotal, il sortit rapidement de l'eau. Il espérait pouvoir enfiler son peignoir avant l'entrée du Jésuite, mais n'y parvint pas. Au moment précis où le père Pirrone poussait la porte, le baigneur n'était déjà plus voilé par l'eau savonneuse et pas encore revêtu de son suaire provisoire : il se dressait, entièrement nu comme l'Hercule Farnèse, et de plus tout fumant. L'eau coulait en ruisseaux de son cou, de ses bras, de son estomac, de ses cuisses, on aurait dit le Rhône, le

Rhin, le Danube et l'Adige arrosant et sillonnant les sommets alpins.

Pour le père Pirrone, le vaste panorama qu'offrait le Prince en costume d'Adam était inédit. Entraîné par le sacrement à contempler la nudité des âmes, il était beaucoup moins préparé à contempler celle des corps ; et lui qui n'aurait pas cillé en écoutant la confession d'une intrigue incestueuse, se troubla à la vue de cette chair titanesque et innocente. Il balbutia une excuse et fit mine de battre en retraite, mais don Fabrice, furieux de ne pas s'être couvert à temps, tourna contre lui son irritation.

– Mon père, ne faites donc pas le sot, donnez-moi plutôt mon peignoir, et, s'il vous plaît, aidez-moi à m'essuyer.

Une discussion passée lui revint soudain à l'esprit :

– Et écoutez ce que je vous dis, mon père, baignez-vous aussi de temps en temps.

Satisfait d'avoir pu donner un conseil d'hygiène à qui lui donnait tant de conseils moraux, il se sentit calmé. Il s'essuyait les cheveux, les favoris et le cou avec le haut du peignoir, qu'il avait enfin obtenu ; tandis qu'avec l'autre extrémité, le père Pirrone lui frottait humblement les pieds.

Quand le sommet et la base de la montagne furent secs :

– Et maintenant, mon père, asseyez-vous, et dites-moi pourquoi vous vouliez me voir avec tant de hâte.

Tandis que le Jésuite s'asseyait, il entreprit de son côté quelques frictions plus intimes.

– Voici, Excellence... J'ai été chargé d'une ambassade délicate. Une personne qui vous est très chère a voulu m'ouvrir son âme et me confier la mission de vous faire connaître ses sentiments, se fiant, peut-être à tort, à l'estime dont vous m'honorez...

En entendant cet hésitant discours, ces phrases interminables, don Fabrice perdit patience :

– Bref, mon père, de quoi s'agit-il ? de la Princesse ?

Il semblait plein de menace, le bras levé : en fait il s'essuyait l'aisselle.

– La Princesse est lasse ; elle dort et je ne l'ai pas vue.

Il s'agit de mademoiselle Concetta. (Pause.) Elle est amoureuse.

Un homme de quarante-cinq ans peut se croire jeune, jusqu'au moment où il découvre qu'il a des enfants en âge d'aimer. Le Prince, d'un seul coup, se sentit vieillir ; il oublia les milles qu'il parcourait à la chasse, les « Jésus-Marie » qu'il savait provoquer, sa fraîcheur présente au terme d'un voyage long et pénible. Brusquement il se vit sous les traits d'un vieillard chenu qui mène un essaim de petits-fils chevaucher les chèvres de la Villa Giulia.

– Cette fille stupide, pourquoi est-elle allée vous raconter ça à vous ? pourquoi n'est-elle pas venue me parler ?

Il ne demanda même pas le nom de l'autre, c'était inutile.

– Votre Excellence cache trop bien son cœur paternel sous l'autorité du maître. Il est naturel que la pauvre enfant soit craintive et ait recours au dévoué prêtre de la maison.

Don Fabrice enfilait son immense pantalon en soufflant de colère : il prévoyait de longs colloques, des larmes, des ennuis sans fin. Cette mijaurée lui gâchait son premier jour à Donnafugata.

– Je vois, mon père, je vois, ici, personne ne me comprend. C'est là mon malheur.

Il restait assis sur un escabeau, les poils blonds de sa poitrine tout emperlés de gouttes d'eau. De petits ruisseaux serpentaient sur les briques, l'odeur laiteuse du son, l'odeur d'amande du savon planaient dans la pièce.

– Eh bien, selon vous, que devrais-je dire ?

Le Jésuite suait ; une chaleur d'étuve régnait dans l'étroite salle de bains, et maintenant que la confidence était terminée, il aurait voulu s'en aller. Le sentiment de sa responsabilité le retint.

– Le désir de fonder une famille chrétienne est toujours agréable aux yeux de l'Église. La présence du Christ aux noces de Cana...

– Ne divaguons pas. J'entends parler d'un mariage particulier, non du mariage en général. Don Tancrède a-t-il fait des propositions précises, et quand ?

Pendant cinq ans, le père Pirrone avait essayé d'enseigner le latin à Tancrède ; pendant sept ans, il avait subi ses caprices et ses farces. Comme tout le monde, il était sous le charme. Mais récemment, l'attitude politique de Tancrède l'avait offensé ; la vieille affection luttait en lui avec la rancœur nouvelle. Il ne savait que dire.

– Des propositions à proprement parler, non. Mais mademoiselle Concetta n'a aucun doute : les attentions, les regards, les mots sous-entendus, de plus en plus fréquents, l'ont convaincue qu'elle était aimée. Cependant, en fille obéissante et affectueuse, elle voulait vous faire demander par mon intermédiaire ce qu'elle devrait répondre si ces propositions se présentaient. Elle sent qu'elles sont imminentes.

Le Prince fut un peu rassuré. Où donc cette petite fille avait-elle pu puiser assez d'expérience pour voir clair dans les attitudes d'un jeune homme, surtout d'un jeune homme tel que Tancrède ? C'était peut-être une simple lubie, un de ces « rêves d'or » qui bouleversent les oreillers des pensionnaires ? Il n'y avait pas péril en la demeure.

Péril. Ce mot résonna dans son esprit avec tant de netteté qu'il en fut surpris. Péril. Mais péril pour qui ? Il aimait beaucoup Concetta, il aimait sa perpétuelle soumission, la placidité avec laquelle elle se pliait aux plus insupportables manifestations du caractère paternel. Soumission et placidité que d'ailleurs il surestimait. Écartant naturellement tout ce qui menaçait sa tranquillité, il avait négligé l'éclat de fer qui passait dans les yeux de la jeune fille quand les bizarreries auxquelles elle obéissait étaient vraiment trop blessantes. Le Prince donc l'aimait beaucoup. Mais il aimait encore plus son neveu. Conquis depuis toujours par l'affection ironique du garçon, il admirait aussi depuis quelques mois son intelligence : ce sens de l'adaptation, cette pénétration mondaine, cet art inné des nuances qui lui permettaient de parler le langage démagogique à la mode tout en laissant comprendre aux initiés qu'il s'agissait d'un passe-temps auquel lui, comte de Falconeri, ne s'abandonnait que pour un moment. Ces nouveaux traits de caractère avaient amusé don Fabrice. Chez les personnes de son tempérament et de sa classe, l'amusement constitue les quatre cinquièmes de l'affection. Tancrède, selon le Prince, avait un grand avenir devant lui. Il pouvait être le porte-drapeau d'une éventuelle contre-attaque que la noblesse, sous des uniformes nouveaux, tenterait contre le nouvel état social. Il ne lui manquait qu'une chose, l'argent. Tancrède n'en avait pas, il ne lui restait pas un sou. Pour se faire un nom en politique, maintenant que le titre perdait de son importance, il lui fallait de l'argent, et beaucoup : pour acheter des voix, pour graisser la patte aux électeurs, pour avoir un train de maison qui éblouît ses rivaux.

Un train de maison... Concetta, avec toutes ses vertus passives, serait-elle capable d'aider un mari ambitieux et brillant à gravir les degrés glissants de la nouvelle société ? Timide, réservée, prude comme elle l'était ? Elle resterait ce qu'elle avait toujours été : une belle pensionnaire, un boulet de plomb au pied de son mari.

– Vous la voyez, Concetta, vous la voyez ambassadrice à Vienne ou à Pétersbourg ?

Le père Pirrone, à cette demande, sentit vaciller sa raison :

– Mais quel rapport ? je ne comprends pas.

Don Fabrice ne prit pas la peine de lui donner des explications et se replongea dans ses pensées. De l'argent ? certes, Concetta aurait une dot, mais la fortune des Salina devait être divisée en sept parties inégales, et la jeune fille aurait une des plus petites. Tancrède avait besoin de bien autre chose. Maria Santa Pau, par exemple, avec les quatre fiefs qui lui appartenaient déjà, avec tous ses oncles prêtres et parfaits économes ; ou l'une des filles Sutera, de vrais laiderons, mais si riches. L'amour ? Eh oui, l'amour. Feu et flammes pendant un an, et cendres pendant trente. Il le savait, lui, ce qu'était l'amour... Et ce Tancrède devant qui les femmes tomberaient comme des poires mûres...

Tout d'un coup, il eut froid ; l'eau, sur son corps, s'évaporait, la peau de ses bras était glacée. La pointe de ses doigts se fripait. Et toutes ces discussions ennuyeuses en vue ! Il fallait éviter...

– Il faut que je m'habille, mon père. Dites à Concetta que je ne suis pas fâché ; nous reparlerons de tout cela quand nous serons sûrs qu'il ne s'agit pas des rêveries d'une jeune personne romanesque. A bientôt, mon père.

Il se leva et passa dans le cabinet de toilette. De l'église voisine arrivaient, lugubres, les lents tintements d'un glas. Quelqu'un était mort à Donnafugata, quelque corps harassé n'avait pu résister au grand deuil de l'été sicilien, quelqu'un n'avait pas eu la force d'attendre la pluie... « Il a de la chance, pensa le Prince, tout en passant une lotion sur ses favoris. Il a de la chance, il s'en contrefiche, maintenant, de ses filles, des dots, des carrières politiques. » Cette éphémère identification avec le défunt inconnu suffit à le calmer : « Tant qu'il y a de la mort, il y a de l'espoir » ; puis il se trouva ridicule de céder à une pareille dépression sous le seul prétexte qu'une de ses filles voulait se marier. « *Ce sont leurs affaires, après tout* », se dit-il en français, comme il faisait toujours quand ses méditations s'efforçaient à la désinvolture. Il s'installa dans un fauteuil et s'endormit.

Au bout d'une heure, il s'éveilla réconforté et descendit au jardin. Le soleil baissait déjà, et ses rayons, toute férocité oubliée, éclairaient courtoisement les araucarias, les pins, les robustes chênes verts qui faisaient la gloire de l'endroit. Au fond de l'allée principale, qui descendait en pente douce entre des haies de lauriers et des bustes de déesses anonymes et camardes, on entendait la douce pluie des jets d'eau retomber dans la fontaine d'Amphitrite. Il s'avança, rapide, avide de tout revoir. Soufflées par la conque des Tritons, par la coquille des Naïades, par les narines des monstres marins, les eaux jaillissaient en minces lanières, cinglaient avec un bourdonnement acéré la surface verdâtre du bassin, ricochaient en gouttelettes, suscitaient des bulles, de l'écume, des ondulations, des frémissements, des remous rieurs ; la fontaine entière, par ses eaux tièdes, ses pierres vêtues de mousses veloutées, exhalait la promesse d'un plaisir qui jamais ne se changerait en douleur. Sur un îlot, au centre du bassin rond, un Neptune expéditif et souriant, modelé par un ciseau maladroit mais sensuel, empoignait une Amphitrite pleine de bonne volonté. Le nombril de la déesse, mouillé par les éclaboussures, brillait au soleil, en attendant d'être le nid de baisers cachés dans l'ombre des eaux. Don Fabrice s'arrêta, regarda, se souvint, regretta. Il resta longtemps immobile.

– Tonton, viens voir les pêches étrangères. Elles ont poussé magnifiquement. Et laisse donc ce spectacle indécent, qui n'est pas fait pour les hommes de ton âge.

L'affectueuse malice de Tancrède arracha le Prince à son engourdissement voluptueux. Il n'avait pas entendu venir Tancrède qui marchait comme un chat. Pour la première fois de sa vie, il lui sembla qu'un sentiment de rancune lui pinçait le cœur à la vue du jeune homme. Ce freluquet à la taille étroite sous son habit bleu sombre avait été, deux heures plus tôt, la cause d'une méditation amère sur la mort. Au fond ce n'était pas de la rancune, mais une peur déguisée : don Fabrice craignait que Tancrède ne lui parlât de Concetta. L'abord, le ton de son neveu n'étaient pourtant pas ceux de quelqu'un qui se prépare à faire des confidences amoureuses à un homme comme lui. Il se calma. L'œil de Tancrède le regardait avec l'ironie gentille que la jeunesse accorde aux personnes âgées. « Ils peuvent se permettre d'être câlins : ils sont si sûrs qu'au lendemain de nos funérailles, ils seront libres ! »

Il s'en fut donc avec Tancrède voir les « pêches étrangères ». La greffe de rejeton allemand, tentée deux ans auparavant, avait parfaitement réussi. Il y avait peu de fruits, une douzaine à peu près sur les deux arbres greffés ; mais c'étaient des pêches magnifiques, veloutées, odorantes, dorées, avec des nuances roses estompées sur les joues : des têtes de petites Chinoises pudiques. Le Prince les tâta, avec la célèbre délicatesse de ses doigts charnus :

– Je crois qu'elles sont juste mûres. Dommage qu'il n'y en ait pas assez pour les servir ce soir. Mais demain nous les ferons cueillir et nous verrons ce qu'elles donnent.

– Tu vois, c'est ainsi que tu me plais, oncle, jouant le

rôle de l'*agricola pius* qui apprécie et savoure à l'avance les fruits de son travail ; mais non comme je t'ai trouvé tout à l'heure, en contemplation devant des nudités scandaleuses.

– Cependant, Tancrède, ces pêches aussi sont le produit d'amours, de liaisons.

– Certes, mais ce sont des amours légales, permises par toi le maître, et par le jardinier Nino faisant office de notaire... Ce sont les produits d'amours méditées, fructueuses ; quant à ceux-là, dit-il en faisant un geste vers la fontaine dont on entendait le frémissement derrière le rideau de chênes, quant à ceux-là, crois-tu vraiment qu'ils sont passés devant le curé ?

La conversation prenait un tour scabreux, et don Fabrice préféra changer de sujet. En remontant vers la maison, Tancrède rapporta la chronique galante de Donnafugata ou ce qu'il en savait déjà : Menica, la fille du garde Saverio, s'était laissé engrosser par son fiancé, on devait bâcler rapidement le mariage. Calicchio n'avait échappé que d'un cheveu aux coups de fusil d'un mari jaloux.

– Mais comment fais-tu pour savoir déjà tout cela ?

– Comme ça, oncle, comme ça. On me raconte tout. Ils savent que je compatis.

Arrivés en haut de l'escalier qui, avec des courbes molles et des paliers permettant de longues haltes, montait du jardin à la maison, ils découvrirent l'horizon du soir, par-delà les arbres. Du côté de la mer, de monstrueux nuages couleur d'encre escaladaient le ciel. La colère de Dieu était peut-être calmée, la malédiction annuelle de la Sicile allait peut-être trouver son terme ? En ce moment précis, ces gros nuages gorgés de réconfort étaient guettés par des milliers d'yeux, devinés au sein de la terre par des milliards de graines.

– Espérons que l'été est fini, que la pluie va venir enfin, dit don Fabrice.

Et par ces mots, le hautain gentilhomme, à qui personnellement la pluie n'apporterait que de l'ennui, se révélait le frère de ses rudes paysans.

Le Prince avait toujours veillé à ce que le premier dîner à Donnafugata revêtît un caractère de solennité : les enfants de moins de quinze ans ne mangeaient pas avec les grandes personnes, on servait des vins français, un punch à la romaine précédait le rôti, les domestiques étaient en perruque poudrée et en culotte. Il ne transigeait que sur un seul point : il se présentait sans habit pour ne pas embarrasser ses hôtes qui, évidemment, n'en possédaient pas. Ce soir-là, dans le salon dit « de Léopold », la famille Salina attendait ses derniers invités. Sous les abat-jour recouverts de dentelle, les lampes à pétrole répandaient une lumière jaune, limitée. Les portraits équestres, démesurés, des Salina défunts n'étaient plus que des silhouettes imposantes et vagues comme leur souvenir. Don Onofrio était déjà arrivé, avec sa femme, l'archiprêtre était là également, portant une cape d'étoffe légère plissée à partir des épaules, en signe de gala ; il informait la Princesse des querelles du Collège de Marie. Don Ciccio, l'organiste, était arrivé ensuite (Teresina était attachée au pied d'une table, à l'office) ; il rappelait au Prince quelques coups fabuleux qu'ils avaient réussis ensemble dans les gorges de la Dragonara. Tout était calme, comme à l'accoutumée, quand François-Paul, le fils de seize ans, fit scandaleusement irruption dans le salon en criant :

– Papa, don Calogero est en train de monter l'escalier. Il est en frac !

Tancrède, qui était en train d'ensorceler la femme de don Onofrio, évalua l'importance de la nouvelle une seconde avant les autres. En entendant le mot fatal, il ne put se retenir et éclata d'un rire convulsif. Mais le Prince n'eut pas envie de rire : l'annonce de son fils lui fit, il faut le noter, une impression plus grande que le bulletin du débarquement à Marsala, événement prévu, lointain, invisible. Maintenant, sensible comme il l'était aux présages et aux symboles, il contemplait la révolution qui montait l'escalier en cravate blanche et habit noir. Non seulement il avait cessé d'être le plus gros propriétaire de Donnafugata, mais il se voyait encore contraint de recevoir en costume d'après-midi un invité qui se présentait en tenue de soirée.

Sa gêne fut grande ; elle durait encore tandis qu'il s'avançait mécaniquement vers la porte, pour recevoir son hôte. Elle fut cependant bien allégée quand il le vit. Parfaitement justifié en tant que manifestation politique, on pouvait cependant affirmer que, comme réussite vestimentaire, le frac de don Calogero était une catastrophe. Le drap en était très fin, le modèle récent, mais la coupe tout simplement monstrueuse. Le verbe londonien s'était maladroitement incarné en un artisan de Girgenti, à qui s'était adressée la tenace avarice de don Calogero. Les pointes des deux pans se redressaient vers le ciel en une muette supplication, le vaste col était informe, et, il faut l'avouer bien que cela soit fort douloureux, les pieds du maire étaient chaussés de bottines à boutons.

Don Calogero s'avança, sa main gantée tendue vers la Princesse :

– Ma fille vous prie de l'excuser, elle n'était pas encore tout à fait prête. Votre Excellence sait comment sont les femmes en pareille occasion, dit-il, exprimant en termes presque dialectaux une pensée légère, à la parisienne. Mais elle sera là dans un moment ; notre maison est à deux pas, comme vous savez.

Le moment dura cinq minutes ; puis la porte s'ouvrit et Angélique entra. La première impression fut une surprise éblouie. Les Salina restèrent le souffle court. Tancrède sentit réellement le sang battre dans les veines de ses tempes. Sous le choc qu'ils reçurent devant cette beauté, les hommes furent incapables de remarquer, en l'analysant, les défauts qu'elle présentait ; et il y en avait. Nombreux furent ceux qui se montrèrent toujours incapables de cet examen critique. Elle était grande et bien faite, selon de généreux critères ; sa carnation devait posséder la saveur de la crème fraîche qu'elle évoquait, et sa bouche enfantine la saveur des fraises. Sous la masse de ses cheveux couleur de nuit, enroulés en vagues suaves, ses yeux verts brillaient, immobiles comme ceux des statues et, comme eux, un peu cruels. Elle s'avançait lentement en faisant onduler son ample jupe blanche. Toute sa personne exprimait le calme invincible de la femme sûre de sa beauté. Ce n'est que plusieurs mois après qu'on l'apprit : au moment de son entrée victorieuse, elle avait été sur le point de s'évanouir d'anxiété. Elle négligea le Prince, qui accourait vers elle, dépassa Tancrède qui lui souriait, éperdu ; et devant le fauteuil de la Princesse, sa croupe admirable esquissa une légère révérence. Cette forme d'hommage, inhabituelle en Sicile, lui conféra un instant le charme fascinant de l'exotisme, renforçant celui de sa beauté locale.

– Mon Angélique ! je ne t'ai pas vue depuis si longtemps. Tu as beaucoup changé, mais pas à ton détriment !

La Princesse n'en croyait pas ses yeux : elle se souvenait de la fillette de treize ans, laideronne et mal soignée, qu'elle avait vue quatre ans auparavant, et n'arrivait pas à la retrouver dans la voluptueuse adolescente qui se tenait devant elle. Le Prince, lui, n'avait pas de souvenirs à mettre au point, mais une série de prévisions à renverser. Le coup reçu par son orgueil devant le frac du père se renouvelait devant la fille ; seulement, cette fois, il ne s'agissait plus de drap noir mais d'une peau mate et laiteuse, une peau bien taillée, elle, et comment ! En vieux cheval de bataille, il se sentit d'attaque quand résonna cette sonnerie de trompette qu'était pour lui la beauté féminine. Il se tourna vers la jeune fille avec le respect gracieux qu'il aurait eu pour parler à la duchesse de Bovino ou à la princesse de Lampedusa :

– C'est une chance pour nous, mademoiselle Angélique, de recevoir dans notre maison une fleur aussi belle ; j'espère que nous aurons le plaisir de l'y revoir souvent.

– Merci, Prince ; je vois que votre bonté pour moi est égale à celle dont vous avez toujours fait montre envers mon cher papa.

La voix était belle, basse, un peu trop étudiée, peut-être ; le collège florentin avait effacé les traînantes intonations de l'accent girgentais ; tout ce qui restait de sicilien dans ses paroles était une certaine âpreté de consonnes qui, du reste, s'harmonisait parfaitement avec sa vénusté claire mais un peu lourde. On lui avait même appris à omettre l'« Excellence ».

Il y a malheureusement peu à dire de Tancrède : après s'être fait présenter à don Calogero, après avoir manœuvré le phare de son œil bleu, après avoir résisté avec peine au désir de baiser la main d'Angélique, il était retourné auprès de Mme Rotolo et ne comprenait plus rien de ce qu'il entendait. Le père Pirrone méditait dans un coin obscur : il pensait aux saintes Écritures qui, ce soir-là, ne se présentaient à son esprit que comme une succession de Dalilas, de Judiths et d'Esthers.

La porte centrale du salon s'ouvrit et le maître d'hôtel déclama : « Ence... vie... », sons mystérieux au moyen desquels il annonçait que l'on pouvait passer à table. Le groupe hétérogène se dirigea vers la salle à manger.

Le Prince avait trop d'expérience pour offrir à des convives siciliens, dans un bourg de l'intérieur, un dîner qui commençât par un potage, et il enfreignait les règles de la grande cuisine d'autant plus facilement que ses propres goûts y trouvaient leur compte. Cependant, les personnalités de Donnafugata avaient entendu courir certains bruits sur l'usage de vagues bouillons servis à l'étranger comme premier plat ; un peu de crainte palpitait en leur cœur au début de ces repas solennels. Aussi, quand trois serviteurs verts, dorés et poudrés arrivèrent, portant chacun une majestueuse timbale de macaronis dans un immense plat d'argent, il n'y eut que quatre convives sur vingt qui s'abstinrent de manifester leur joyeuse surprise : le Prince et la Princesse parce qu'ils étaient au courant, Angélique par affectation et Concetta par manque d'appétit. Tous les autres (Tancrède compris, il faut bien l'avouer) manifestèrent leur soulagement avec des accents divers qui allaient des grognements extatiques du notaire aux cris aigus de François-Paul. D'un regard circulaire, plutôt menaçant, le Prince interrompit immédiatement ces manifestations inconvenantes.

Éducation à part, l'aspect de ces vol-au-vent monumentaux était bien digne de susciter des frémissements d'admiration. L'or bruni de la surface, le parfum de sucre et de cannelle qui s'en dégageait n'étaient que le prélude des délices que révélait l'intérieur, dès que le couteau entamait la croûte : il s'échappait d'abord une fumée chargée d'arômes, et puis l'on découvrait les foies de volaille, les œufs durs, les truffes, les filets de jambon et de poulet, perdus dans la masse onctueuse et chaude des macaronis coupés, à qui l'extrait de viande donnait une précieuse couleur chamois.

Le début du repas fut recueilli, comme il est de coutume en province. L'archiprêtre fit le signe de la croix et se jeta tête baissée dans la mêlée, sans dire un mot. L'organiste absorbait le mets succulent, les yeux fermés : il remerciait le Créateur de ce que son habileté à foudroyer lièvres et bécasses lui procurait parfois de semblables extases, et pensait qu'avec ce que valait l'une de ces timbales, lui et Teresina auraient pu vivre un mois. Angélique, la belle Angélique, oublia les *migliaccini* toscans et une partie de ses bonnes manières : elle dévora avec l'appétit de ses dix-sept ans et la vigueur que lui conférait sa fourchette empoignée à mi-manche. Tancrède, unissant la galanterie à la gourmandise, essaya d'imaginer la saveur des baisers de sa voisine d'après le parfum de ce qu'il mangeait, mais il s'aperçut bien vite que l'expérience était répugnante et la suspendit, se réservant de ressusciter ces fantaisies au moment des gâteaux. Le Prince, bien que ravi dans la contemplation d'Angélique, qui était en face de lui, fut seul à noter ce qui n'allait pas : la *demi-glace* était trop corsée ; il se promit d'en faire la remarque au cuisinier, le lendemain. Les autres mangeaient sans penser à rien ; ils ignoraient que si le repas leur semblait tellement exquis, c'est qu'une atmosphère sensuelle avait envahi la maison.

Tous étaient paisibles et contents. Tous, sauf Concetta. Elle avait embrassé plusieurs fois Angélique, elle avait refusé le « vous » pour le « tu » de leur enfance ; mais sous son corsage bleu pâle, son cœur était déchiré ; le sang violent des Salina s'éveillait en elle ; et derrière son front lisse s'ourdissaient des rêves d'empoisonneuse. Tancrède était assis entre elle et Angélique ; il répartissait regards, compliments et facéties entre ses deux voisines avec l'exactitude pointilleuse d'un homme qui se sent en faute. Mais Concetta sentait, animalement, le courant de désir qui passait entre son cousin et l'intruse. Le petit froncement qu'elle avait entre le front et le nez se faisait plus féroce : elle désirait tuer autant qu'elle désirait mourir. Parce qu'elle était femme, elle se cramponnait à des détails : elle nota la grâce vulgaire du petit doigt d'Angélique, quand celle-ci prenait son verre ; elle nota un grain de beauté rougeâtre sur le cou ; elle nota également le geste interrompu de sa rivale, qui avait failli enlever un petit morceau de viande pris entre deux dents blanches ; elle nota plus vivement encore une certaine dureté d'esprit ; elle s'attachait à ces détails qu'un pouvoir de fascination sensuelle peu ordinaire rendait pourtant insignifiants ; elle s'y accrochait, confiante et désespérée comme un maçon précipité dans le vide s'agrippe à une gouttière de plomb. Elle pensait que Tancrède ne noterait pas sans dégoût les preuves flagrantes d'une éducation si peu aristocratique. Mais Tancrède hélas avait déjà tout vu, et sans aucun résultat. Il se laissait entraîner par l'attrait physique que cette femme magnifique exerçait sur sa fougueuse jeunesse, et aussi par l'excitation en quelque sorte arithmétique que provoque une fille riche dans la cervelle d'un homme pauvre et ambitieux.

A la fin du repas, la conversation devint générale : don Calogero racontait, dans une langue exécrable mais avec une intuition pleine de sagacité, les dessous de la conquête garibaldienne dans la province ; le notaire parlait à la Princesse de la petite villa qu'il se faisait construire hors de la ville. Angélique, grisée par les lumières, la nourriture, le chablis, ainsi que par la bienveillance évidente qu'elle rencontrait auprès de tous les mâles de la table, avait demandé à Tancrède de lui raconter quelques épisodes de ses « glorieux faits d'armes » palermitains. Elle avait appuyé un coude sur la table et posé son menton dans sa main. Le sang affluait à ses joues, elle était fort délicieuse et fort dangereuse à regarder. L'arabesque dessinée par son avant-bras, son coude, ses doigts, son gant blanc qui pendait, parut exquise à Tancrède, répugnante à Concetta. Le jeune homme, tout en admirant, racontait la guerre à sa façon ; tout devenait léger et dépourvu d'importance : la marche nocturne sur Gibilrossa, la scène entre Bixio et La Masa[1], l'assaut à la porte de Termini.

– Je me suis follement amusé, mademoiselle, croyez-moi. Nos plus belles crises de fou rire, nous les avons eues le soir du 28 mai. Le général avait besoin d'un poste d'observation en haut du monastère de l'Origlione : on frappe, on cogne, on jure, personne n'ouvre. C'était un couvent de religieuses cloîtrées. Alors Tassoni, Aldrighetti, moi et quelques autres, nous essayons d'enfoncer la porte à coups de crosse. Rien à faire. Nous courons tout près, dans une maison bombardée, prendre une poutre. Finalement, avec un boucan du diable, la porte dégringole. Nous entrons : tout est désert. Mais, au bout du couloir, on entend des piaillements désespérés : un groupe de religieuses s'étaient réfugiées dans la chapelle, elles étaient entassées près de l'autel ; qui sait ce qu'elles re-dou-taient de cette dizaine de garçons exaspérés. C'était comique de les voir, laides et vieilles comme elles étaient, avec leurs robes noires, leurs yeux écarquillés, toutes prêtes, toutes disposées au... martyre. Elles glapissaient comme des chiennes. Tassoni, un fameux type, crie : « Rien à faire, mes sœurs, nous n'avons pas le temps, nous reviendrons quand vous pourrez nous procurer des novices. » Et tous les camarades de rire à s'en rouler par terre. Nous les laissâmes sur leur appétit, pour aller faire le coup de feu contre les royalistes, du haut des balcons. Dix minutes plus tard, j'étais blessé.

Angélique, toujours accoudée, riait en montrant ses dents de jeune louve. La plaisanterie lui semblait déli-

1. Nino Bixio et La Masa faisaient alors partie, avec Rosolino Pilo et quelques autres, de l'état-major de Garibaldi.

cieuse, cette allusion à un stupre possible la troublait ; sa belle gorge était toute palpitante.

– Quels garçons vous deviez être ! Comme j'aurais voulu me trouver à vos côtés !

Tancrède était transformé : la fougue du récit, la vivacité de ses souvenirs, excités encore par l'*aura* de sensualité qui entourait la jeune fille, tout cela avait métamorphosé en un instant le jeune homme bien élevé, qu'il était au fond, en un soldat brutal.

– Si vous aviez été là, mademoiselle, nous n'aurions pas eu besoin d'attendre les novices.

Angélique avait entendu chez elle beaucoup de mots grossiers, mais c'était la première fois (non la dernière) qu'elle se trouvait l'objet d'une plaisanterie lascive ; la nouveauté lui plut, son rire monta d'un ton et se fit strident.

Tout le monde se leva à ce moment-là. Tancrède se baissa pour ramasser l'éventail de plumes qu'Angélique avait laissé tomber ; en se relevant, il vit Concetta, le visage couleur de braise, deux petites larmes au bord des cils :

– Tancrède, ces horreurs, on ne les dit qu'en confession ; on ne les raconte pas aux jeunes filles, à table, tout au moins devant moi.

Et elle lui tourna le dos.

Avant d'aller se coucher, don Fabrice s'arrêta un moment sur le petit balcon de son cabinet de toilette. Au-dessous de lui, le jardin dormait, enfoncé dans l'ombre ; les arbres, dans l'air inerte, semblaient de plomb fondu ; du clocher voisin tombait le sifflement des hiboux, comme dans les contes de fées. Le ciel était vide de nuages ; ceux qu'on avait salués au coucher du soleil étaient partis, Dieu sait où, vers des pays moins coupables, que la colère divine condamnerait moins sévèrement. Les étoiles semblaient troubles, leurs rayons avaient peine à traverser la couche de chaleur suffocante.

L'âme du Prince s'élança vers elles, les intouchables, les inabordables, celles qui donnent la joie sans rien exiger en échange. Une fois de plus, il rêva du moment où il pourrait enfin se trouver dans ces espaces glacés, pur intellect armé d'un carnet de calculs : calculs bien difficiles, mais qui tomberaient toujours justes.

« Ce sont les seules qui soient pures, il n'est pas de personnes plus distinguées, pensa-t-il, en ce style mondain qui lui était habituel ; qui aurait l'idée de se préoccuper de la dot des Pléiades, de la carrière politique de Sirius, des secrets d'alcôve de Véga ? »

La journée avait été mauvaise, il le sentait mieux maintenant, non seulement à cette pression dans son estomac, mais aussi à ce que lui disaient les étoiles. Au lieu de les voir former leurs signes habituels, il découvrait, chaque fois qu'il levait les yeux, un unique diagramme : deux étoiles en haut, les yeux ; une en dessous, la pointe du menton. C'était le schéma ironique, le visage triangulaire que son âme projetait dans les constellations, lorsqu'il était troublé. Le frac de don Calogero, les amours de Concetta, l'emballement évident de Tancrède, sa propre pusillanimité, et jusqu'à la beauté menaçante d'Angélique ; autant de complications, autant de petites pierres roulantes qui annoncent l'éboulement. Et ce Tancrède ! il avait raison, d'accord, et on l'aiderait, mais on ne pouvait nier qu'il fût un tantinet ignoble. Au reste, Salina ne valait pas mieux que Tancrède. « Ça suffit, allons dormir. »

Bendicò, dans l'ombre, frottait sa grosse tête contre le genou de son maître.

– Tu vois, Bendicò, tu es un peu comme les étoiles, toi : une heureuse énigme, incapable d'engendrer l'angoisse.

Il souleva la tête du chien, presque invisible dans la nuit.

– Mais avec tes yeux au niveau du nez et ton absence de menton, ta caboche ne peut évoquer des spectres mauvais dans le ciel.

Des habitudes séculaires exigeaient que, le lendemain de leur arrivée, les Salina allassent au monastère du Saint-Esprit, prier sur la tombe de la bienheureuse Corbera, aïeule du Prince, qui avait fondé le couvent, l'avait doté, y avait saintement vécu et y était morte saintement.

Le monastère du Saint-Esprit était soumis à une règle de clôture extrêmement sévère ; l'entrée était rigoureusement interdite aux hommes. Le Prince était toujours heureux d'y pénétrer : en tant que descendant direct de la fondatrice, il échappait à la règle. Il était puérilement jaloux et fier de ce privilège qu'il ne partageait qu'avec le roi de Naples.

La jouissance de commettre une infraction conforme au droit canon était la cause principale, mais non unique, de sa prédilection pour le couvent du Saint-Esprit. Tout lui plaisait en ces lieux, à commencer par l'humble parloir aux murs grossiers, avec sa voûte en berceau frappée du Guépard, avec sa double grille pour la conversation, avec son petit tourniquet de bois pour faire entrer et sortir les messages, avec sa porte bien équarrie que, seuls hommes au monde, le Roi et lui avaient le droit de franchir. Il aimait l'allure des religieuses, avec leur large guimpe de lin blanc aux plis minuscules, tranchant sur la rude robe noire ; il aimait entendre la supérieure raconter pour la vingtième fois les naïfs miracles de la Bienheureuse, et se sentait tout édifié quand elle lui montrait le coin de jardin mélancolique où la sainte religieuse avait tenu en suspens dans les airs une grosse pierre que le Démon lui avait lancée un jour, rendu nerveux par son austérité. Il s'étonnait chaque fois en voyant, encadrées, au mur d'une cellule, les deux lettres fameuses et indéchiffrables : celle que la bienheureuse Corbera avait écrite au diable pour le convertir, et la réponse, qui exprimait paraît-il le regret de ne pouvoir obéir. Il appréciait les nougats confectionnés par les nonnes d'après des recettes centenaires ; il se réjouissait à l'idée d'écouter l'office dans le chœur, et il était même heureux de verser à la communauté une part appréciable de ses propres rentes, comme le voulait l'acte de fondation.

Donc, ce matin-là, il n'y avait que des gens heureux dans les deux voitures qui se dirigeaient vers le monastère, situé à la sortie du pays. Dans la première avaient pris place le Prince, la Princesse et leurs filles Caroline et Concetta ; dans la deuxième, une autre fille, Catherine, Tancrède et le père Pirrone ; ceux-ci, bien entendu, resteraient *extra muros* et, pendant la visite, attendraient dans le parloir en se réconfortant avec les nougats qu'on leur ferait passer par le tourniquet. Concetta semblait un peu distraite mais sereine, et le Prince voulut espérer que les lubies de la veille étaient oubliées.

L'entrée dans un couvent de religieuses cloîtrées n'est pas rapide, même pour qui possède les droits les plus sacrés. Les religieuses tiennent à montrer une certaine répugnance, toute formelle mais prolongée, qui du reste donne encore plus de saveur à l'admission. De fait, bien que la visite fût annoncée, on dut attendre un bon moment dans le parloir. Ce fut à la fin de cette attente que Tancrède dit au Prince, de façon assez inattendue :

– Oncle, ne pourrais-tu me faire entrer aussi ? après tout, je suis à moitié Salina ; et je n'ai jamais pu visiter.

Le Prince fut au fond très heureux de cette requête, mais secoua résolument la tête :

– Tu sais bien, mon fils, que je puis seul pénétrer ici ; pour les autres, c'est impossible.

Il n'était pas facile de démonter Tancrède.

– Pardon, tonton : *Le prince de Salina pourra entrer et, avec lui, deux gentilshommes de sa suite, si la supérieure y consent.* J'ai relu hier la règle. Je serai le gentilhomme de ta suite, je serai ton écuyer, je serai ce que tu voudras : je t'en prie, demande à la supérieure !

Sa voix avait une ferveur inaccoutumée. Il voulait peut-être faire oublier à quelqu'un les discours inconsidérés qu'il avait tenus la veille. Le Prince était flatté :

– Si tu y tiens vraiment, mon cher, je vais voir...

Mais Concetta, avec son sourire le plus doux, se tourna vers son cousin :

– Tancrède, en passant nous avons vu une poutre par

terre, devant la maison de Ginestra. Va la prendre, tu entreras plus vite.

L'œil bleu de Tancrède s'obscurcit, son visage devint rouge comme un coquelicot, de honte ou de colère, qui sait ? Il voulut dire quelque chose au Prince, mais Concetta intervint de nouveau, d'une voix mauvaise, et cette fois sans sourire :

– Laisse, papa, il plaisante. Il est déjà entré dans un couvent au moins, cela doit lui suffire. Dans le nôtre, ce ne serait pas juste.

Avec un fracas de verrous la porte s'ouvrit. La fraîcheur du cloître et le murmure des prières pénétrèrent dans le parloir étouffant. Il était trop tard pour parlementer. Tancrède sortit et resta devant le couvent, marchant de long en large sous le ciel de feu.

La visite fut parfaite. Don Fabrice, par amour du calme, s'était abstenu d'interroger Concetta sur ses paroles : il s'agissait sans aucun doute d'une de ces taquineries de gamins qui sont habituelles entre cousins. De toute façon, cette querelle entre les deux jeunes gens écartait les ennuis, les conversations, les décisions à prendre : elle était donc la bienvenue.

Sur ce, on vénéra avec componction la tombe de la bienheureuse Corbera, on prit sans risques d'insomnies le café léger des religieuses, on grignota avec satisfaction les nougats roses et verts. La Princesse inspecta la garde-robe, Concetta parla aux religieuses avec la bonté pleine de retenue qui lui était habituelle, et le Prince laissa sur la table du réfectoire les dix onces qu'il offrait à chaque visite. Il est vrai qu'à la sortie, on trouva le père Pirrone tout seul, mais il déclara que Tancrède était rentré à pied, s'étant souvenu d'une lettre qu'il avait à écrire d'urgence ; et personne n'y prêta attention.

Rentré au palais, le Prince monta dans la bibliothèque, qui s'ouvrait juste au centre de la façade, sous l'horloge et le paratonnerre. Par la fenêtre du grand balcon, fermée à cause de la chaleur, on voyait la vaste place de Donnafugata, ombragée de platanes poudreux. Les maisons d'en face exhibaient quelque façades dessinées avec grâce par un architecte du pays ; des monstres rustiques, en pierre tendre polie par les ans, soutenaient en se tordant des balcons exigus ; d'autres maisons, entre autres celle de don Calogero Sedara, se voilaient pudiquement de petites façades Empire.

Don Fabrice se promenait de long en large à travers l'immense salle : de temps en temps, au passage, il jetait un coup d'œil sur la place. Trois petits vieux se rôtissaient au soleil, sur un des bancs qu'il avait donnés à la commune ; quatre mulets étaient attachés à un arbre, une dizaine de gamins se poursuivaient en criant et en brandissant des épées de bois. Sous la fureur de la canicule, le spectacle ne pouvait être plus villageois. Cependant, à un de ses passages, son regard fut attiré par une silhouette nettement citadine : droite, mince, élégante. Il aiguisa son regard : c'était Tancrède ; il le reconnut, bien qu'il fût déjà loin, à ses épaules tombantes, à sa taille mince, serrée étroitement dans sa redingote. Il avait changé de costume, il n'était plus en marron comme au Saint-Esprit, mais en bleu de Prusse : « ma couleur de séduction », comme il disait. Il tenait à la main une canne au pommeau d'émail (c'était probablement celle qui portait la Licorne des Falconeri, avec la devise *Semper purus*). Il marchait, léger comme un chat, en homme qui craint de ramasser trop de poussière sur ses souliers. Derrière lui, à dix pas, suivait un domestique qui portait une corbeille enrubannée, contenant des pêches jaunes aux belles joues rouges. Il écarta un petit spadassin, évita soigneusement un pissat de mule. Et il atteignit la porte des Sedara.

CHAPITRE TROISIÈME

Départ pour la chasse. Soucis de don Fabrice. Une lettre de Tancrède. La chasse et le plébiscite. Don Ciccio Tumeo se fâche. Comment on avale une couleuvre. Petit épilogue.

OCTOBRE 1860.

La pluie était venue, la pluie était repartie ; le soleil était remonté sur son trône, tel un souverain absolu que les barricades de ses sujets ont éloigné pendant une semaine et qui revient régner, courroucé mais tenu en bride par des chartes constitutionnelles. La chaleur réconfortait sans brûler, la lumière était autoritaire mais laissait vivre les couleurs. Le trèfle et la menthe timide pointaient dans les campagnes, un espoir méfiant pointait sur les visages.

Don Fabrice, accompagné de Teresina et d'Arguto, chiens, et de don Ciccio Tumeo, fidèle suivant, passait de longues heures à la chasse, de l'aube à midi. La peine était sans rapport avec les résultats : il est difficile, même aux meilleurs tireurs, d'atteindre des cibles à peu près inexistantes. C'était déjà beaucoup si le Prince, en rentrant, pouvait faire porter à la cuisine une couple de perdrix. De son côté, don Ciccio s'estimait heureux s'il pouvait le soir jeter sur la table un lapin des champs, qu'il promouvait *ipso facto* au grade de lièvre, comme on fait chez nous.

D'ailleurs, un butin abondant n'aurait donné au Prince

qu'un plaisir secondaire. La joie de la chasse était ailleurs, fragmentée en cent menus épisodes. La joie commençait à éclore dans la chambre encore sombre, quand il se rasait à la lueur d'une chandelle qui projetait emphatiquement ses gestes sur le plafond, parmi les architectures peintes en trompe-l'œil. Elle se faisait plus aiguë pendant la traversée des salons endormis, où il fallait éviter, dans un halo vacillant, les guéridons encombrés de cartes à jouer jetées en désordre parmi les jetons et les verres vides : au beau milieu, le valet de pique, surgissant à l'improviste, semblait virilement souhaiter bonne chance au chasseur. C'était un autre plaisir de parcourir le jardin, immobile sous la lumière grise, tandis que les oiseaux matinaux s'ébrouaient pour faire tomber de leurs plumes la rosée de la nuit. Quelle joie enfin de se glisser par la petite porte encombrée de lierre ; quelle joie de fuir, en somme... Et sur la route encore tout innocente dans les premiers reflets de l'aube, il retrouvait don Ciccio, souriant sous sa moustache jaunie et pestant affectueusement contre Teresina et Arguto. Les muscles des chiens frémissaient dans l'attente, sous le poil velouté.

Vénus brillait, grain de raisin gonflé, transparent et humide ; mais déjà on croyait entendre le grondement du char solaire montant de l'abîme, sous l'horizon. On rencontrait bientôt les premiers troupeaux qui avançaient, lourds comme des marées, guidés à jets de pierres par des bergers chaussés de peaux. Les toisons semblaient moelleuses et roses sous les premiers rayons. Il fallait apaiser d'obscures querelles de préséance entre chiens de bergers et braques pointilleux. Après cet intermède assourdissant, on prenait le chemin des hauteurs et l'on se trouvait dans l'immémorial silence de la Sicile pastorale.

On était brusquement loin de tout, dans l'espace et plus encore dans le temps. Donnafugata, avec son palais et ses nouveaux riches, n'était guère qu'à quelques milles, mais son souvenir semblait décoloré comme ces paysages que l'on entrevoit parfois au débouché lointain d'un tunnel. Ses misères et son luxe paraissaient plus insignifiants que s'ils eussent appartenu au passé. Dans la fixité immuable de ces lieux écartés, Donnafugata et ses habitants semblaient plutôt tenir au futur ; on aurait dit qu'ils étaient faits non de pierre et de chair, mais de l'étoffe d'un avenir mythique, qu'ils émergeaient d'une Utopie caressée par un Platon rustique. Il aurait suffi d'un rien, de l'accident le plus minime, pour que tout cela revêtît des formes bien différentes ou même cessât d'exister. Ainsi, dépourvue de cette énergie que même le passé conserve dans le souvenir, Donnafugata ne pouvait être une cause de soucis.

Des soucis, don Fabrice en avait eu quantité, durant ces deux derniers mois : ils débouchaient de toute part, comme des fourmis se lançant à l'abordage d'un lézard mort. Quelques-uns avaient poussé dans les crevasses de la situation politique ; le Prince devait les autres aux passions de son entourage ; d'autres encore (et les plus mordants) avaient germé en lui-même, nourris de ses réactions irrationnelles devant la politique et les caprices de son prochain (il appelait *caprices* quand il était irrité ce qu'il appelait *passions* quand il était calme). Il passait chaque jour en revue ces contrariétés, il les faisait manœuvrer, leur commandait de se mettre en colonnes, de se déployer en file sur la place d'armes de sa conscience, espérant reconnaître dans leurs évolutions quelque finalité qui le rassurerait ; mais il n'y parvenait pas. Les années précédentes, les difficultés étaient moindres, et de toute façon, le séjour à Donnafugata constituait une période de repos. Les soucis laissaient tomber leurs fusils, se dispersaient dans les anfractuosités des vallées pour s'y nourrir modestement de pain et de fromage : ils se tenaient si tranquilles qu'on oubliait l'ardeur belliqueuse de leur uniforme et qu'on pouvait les prendre pour d'inoffensifs bergers. Mais cette année ils étaient restés rassemblés, troupes mutinées qui vocifèrent en brandissant leurs armes ; lui, éprouvait le désarroi d'un colonel qui a crié : « Rompez les rangs », et voit son régiment plus serré, plus menaçant que jamais.

Orphéon, pétards, cloches, *Petites Bohémiennes* et *Te*

Deum, à l'arrivée, bien sûr : mais après... La révolution bourgeoise qui montait les degrés dans le frac de don Calogero ; la beauté d'Angélique qui rejetait dans l'ombre la grâce distinguée de Concetta ; la hâte de Tancrède, qui bousculait l'évolution des temps et qui trouvait le moyen de parer des fleurs de son exaltation sensuelle ses motifs les plus réalistes ; les scrupules et les équivoques du plébiscite ; les mille astuces auxquelles il devait se plier, lui, le Guépard, lui qui pendant tant d'années avait balayé les difficultés d'un revers de patte.

Tancrède, parti depuis plus d'un mois, se trouvait maintenant à Caserte, campé dans les appartements de son ancien Roi. De là, il envoyait de temps en temps à don Fabrice des lettres que celui-ci lisait avec des grognements et des sourires alternés et qu'ensuite il cachait dans le tiroir le plus secret de son bureau. Tancrède n'avait jamais écrit à Concetta, mais il ne manquait pas de lui envoyer ses saluts, avec son affectueuse malice habituelle ; une fois même il écrivit : « Je baise les pattes de toutes les petites guépardes, et surtout celles de Concetta », phrase qui fut censurée par la prudence paternelle au cours de la lecture faite à la famille assemblée.

Angélique venait rendre visite aux Salina presque chaque jour, plus séduisante que jamais, accompagnée de son père ou d'une femme de chambre à l'œil de *jettatrice*. Officiellement, ses visites s'adressaient à ses jeunes amies, les filles de la maison, mais on sentait qu'elles atteignaient leur point climatérique quand elle demandait avec indifférence :

– A-t-on des nouvelles du Prince ?

Dans la bouche d'Angélique, « Prince », hélas, ne le désignait pas, lui, don Fabrice, mais le petit capitaine garibaldien. Cela provoquait en Salina un sentiment plutôt cocasse, tissé du coton de sa jalousie sensuelle et de la soie de sa satisfaction devant les succès du cher Tancrède ; impression désagréable, tout compte fait. C'était toujours lui qui répondait à la question. Il rapportait ce qu'il savait, sous une forme très étudiée. Il avait soin de présenter une petite plante de nouvelles bien émondée, à qui ses ciseaux prudents enlevaient les épines (récits de promenades à Naples, allusions très claires aux belles jambes d'Aurore Schwarzwald, danseuse du San Carlo) aussi bien que les bourgeons trop hâtifs (« Donne-moi des nouvelles de Mlle Angélique. » « Dans le bureau de Ferdinand II, j'ai trouvé une madone d'Andrea del Sarto qui me fait penser à Mlle Sedara »). Il modelait une image insipide de Tancrède, aussi peu véridique que possible, mais on ne pourrait prétendre qu'il jouait le rôle de trouble-fête ni celui d'entremetteur. D'ailleurs, ces précautions verbales répondaient bien à ses propres sentiments devant la passion raisonnée de Tancrède ; elles l'irritaient pourtant dans la mesure où elles représentaient pour lui une contrainte. De plus, elles n'étaient qu'un exemple des mille astuces de langage et d'attitude qu'il était contraint d'imaginer depuis quelque temps.

Il repensait avec envie à sa situation de l'année précédente : alors, il pouvait dire tout ce qui lui passait par la tête, assuré que n'importe quelle sottise serait considérée comme parole d'évangile, et n'importe quelle étourderie comme négligence princière. Dans ses moments de mauvaise humeur, quand il était sur la voie de la nostalgie, il allait fort loin dans le regret du passé et se laissait glisser sur une pente dangereuse. Un jour, tandis qu'il sucrait la tasse de thé que lui avait tendue Angélique, il se surprit à regretter les possibilités des Fabrice Salina et des Tancrède Falconeri qui vivaient trois siècles plus tôt. Ils auraient satisfait leur envie de coucher avec les Angéliques de leur temps sans avoir à passer devant le curé ; ils se seraient fort peu souciés de la dot de leurs vassales (qui d'ailleurs n'en avaient pas) et finalement n'auraient pas forcé leurs oncles respectables à faire des tours d'adresse pour révéler et pour cacher selon les besoins. L'assaut de la luxure atavique (ce n'était pas seulement luxure, mais aussi une forme sensuelle de la paresse) fut tellement brutal qu'il fit rougir le très civilisé gentilhomme, quinquagénaire ou peu s'en faut. Et son âme, qui, à travers de nombreux filtrages, avait fini par se teinter de scrupules à la Rousseau, en fut profondément honteuse. Son dégoût des conjonctures sociales où il se trouvait empêtré augmenta dès lors de façon aiguë.

Ce matin-là, il se sentait plus nettement encore prisonnier d'une situation qui évoluait trop rapidement. Le soir précédent, en effet, la malle-poste, qui dans sa caisse jaune canari trimbalait irrégulièrement le mince courrier de Donnafugata, lui avait apporté une lettre de Tancrède.

Avant même de révéler son secret, cette lettre en proclamait l'importance par de somptueux feuillets de papier glacé, par une calligraphie harmonieuse aux pleins et aux déliés soignés. Au premier coup d'œil, on y devinait l'aboutissement de bon nombre de brouillons incohérents. Le Prince n'y était pas appelé « Tonton », nom qui lui était devenu cher ; le sagace garibaldien avait employé la formule : « Très cher oncle Fabrice », qui possédait de multiples mérites : celui d'éloigner tout soupçon de plaisanterie dès le pronaos du temple, celui de faire comprendre à première vue l'importance de ce qui allait suivre, celui de permettre que l'on montrât la lettre à n'importe qui. Enfin un tel exorde semblait se rattacher à d'antiques traditions païennes, qui attribuaient le pouvoir d'un lien incantatoire au nom qu'on invoquait avec précision.

Le « très cher oncle Fabrice » était donc informé que son « très affectionné et dévoué neveu » était depuis trois mois la proie du plus violent amour ; que ni « les risques de la guerre » (lisez : les promenades dans le parc de Caserte) ni « les distractions sans nombre d'une grande ville » (lisez : les charmes de la danseuse Schwarzwald) n'avaient pu un seul instant éloigner de son esprit et de son cœur l'image de Mlle Angélique Sedara (ici, une longue profusion d'adjectifs exaltait la beauté, la grâce, la vertu, l'intelligence de la jeune fille aimée). A travers d'éblouissantes arabesques d'encre et de sentiments, il était exposé comment Tancrède lui-même, conscient de sa propre indignité, avait essayé d'étouffer son ardeur (« Bien longues et bien vaines furent les heures durant lesquelles, au milieu du vacarme de Naples et partageant l'austérité de mes compagnons d'armes, j'ai cherché à réprimer mes sentiments »). Mais l'amour maintenant l'emportait sur la retenue, et Tancrède priait son oncle bien-aimé de vouloir, en son nom, demander la main de Mlle Angélique à « son estimable père ». « Tu sais, oncle, que je ne peux offrir à l'objet de ma flamme que mon amour, mon nom et mon épée. » Après cette noble phrase, qui montrait bien que l'on était en pleine période romantique, Tancrède s'abandonnait à de longues considérations sur l'opportunité, mieux : sur la nécessité, d'unions entre des familles comme celle des Falconeri et celle des Sedara (il allait même jusqu'à écrire quelque part, hardiment, « la maison Sedara ») ; on devait les encourager pour l'apport de sang nouveau qu'elles transmettaient aux vieilles souches, et parce qu'elles concouraient à niveler les classes sociales, ce qui était présentement l'un des buts du mouvement politique italien. Ce fut la seule partie de la lettre que don Fabrice lût avec plaisir, non seulement parce qu'elle confirmait ses prévisions et lui conférait les lauriers du prophète, mais aussi (il serait méchant de dire « surtout ») parce que le style, débordant de sous-entendus ironiques, évoquait comme par magie le visage de son neveu, la gaieté nasale de sa voix, ses yeux d'où jaillissait une malice azurée, ses petits ricanements courtois. Quand il s'aperçut que ce morceau jacobin tenait sur une seule feuille, si bien que l'on pouvait facilement faire lire le reste de la lettre en soustrayant le chapitre révolutionnaire, l'admiration du Prince pour le tact de Tancrède ne connut plus de bornes. Après avoir narré rapidement les derniers incidents guerriers, et exprimé la conviction que dans un an on aurait atteint Rome, « capitale auguste et prédestinée de l'Italie nouvelle », Tancrède remerciait pour les tendres soins et l'affection qu'il avait reçus chez les Salina, et concluait en s'excusant d'avoir eu la hardiesse de confier à son oncle cette mission « dont dépendait sa félicité future ». Puis venaient les salutations, mais pour lui seul.

La première lecture de cet extraordinaire morceau de prose donna un peu le vertige à don Fabrice : il nota une fois de plus la stupéfiante accélération de l'histoire. Exprimons la chose en termes plus modernes : il se trouvait dans l'état d'esprit d'un homme qui, croyant embarquer sur un des gros avions paisibles qui font la navette entre Palerme et Naples, s'aperçoit qu'il se trouve dans un engin supersonique et sera arrivé avant d'avoir pu faire un signe de croix. La deuxième couche de sa personnalité, la couche affective, parlant à son tour, il se réjouit de la décision de Tancrède, qui assurait aussi bien l'éphémère félicité charnelle du jeune homme que sa durable tranquillité économique. Il ne remarqua qu'ensuite l'incroyable sûreté de Tancrède : celui-ci semblait déjà assuré que le désir d'Angélique rejoignait le sien. Finalement, toutes ces considérations furent bousculées par un grand sentiment d'humiliation : don Fabrice allait être forcé de traiter avec don Calogero des sujets les plus intimes. Quel ennui d'entamer dès le lendemain des tractations délicates, de déployer précautions et ruses qui, toutes, répugnaient à une nature présumée léonine...

Don Fabrice ne communiqua cette lettre qu'à sa femme : ils étaient déjà au lit, dans la lueur bleuâtre de la veilleuse à huile qu'un globe de verre encapuchonnait. Maria-Stella, tout d'abord, ne souffla pas mot, mais fit une kyrielle de signes de croix. Puis elle affirma que ce n'était pas de la main droite mais de la main gauche qu'elle aurait dû se signer ; ayant ainsi exprimé sa stupéfaction, elle déchaîna les foudres de son éloquence. Assise sur le lit, elle pétrissait le drap tandis que ses paroles, rouges comme des torches courroucées, zébraient l'atmosphère lunaire de la chambre close.

– Et moi qui avais espéré qu'il épouserait Concetta ! c'est un traître, comme tous les libéraux de son espèce. D'abord, il a trahi son Roi, maintenant c'est nous qu'il trahit ! Ce Tancrède, avec son visage faux, ses paroles mielleuses et ses actions empoisonnées ! Voilà ce qui arrive quand on fait entrer chez soi des gens qui ne sont pas de votre sang !

C'est alors qu'elle fit donner la charge des cuirassiers, inévitable dans une scène de ménage :

– Je l'avais bien dit ! mais personne ne m'écoute ! Je n'ai jamais pu sentir ce freluquet. C'est toi qui avais perdu la tête à cause de lui !

En réalité, la Princesse avait été elle aussi subjuguée par les câlineries de Tancrède, et elle l'aimait toujours ; mais la volupté de crier « je l'avais bien dit » est la plus forte que puisse éprouver une créature humaine ; toutes les vérités et tous les sentiments s'évanouissent devant elle.

– Et maintenant, il a encore l'audace de te charger, toi, son oncle, prince de Salina, père de la fille qu'il a trompée, de faire ses indignes requêtes à ce gredin, au père de cette gourgandine ! Tu ne dois pas faire ça, Fabrice, tu ne dois pas faire ça, tu ne le feras pas, tu ne dois pas !

Sa voix montait, son corps commençait à se raidir. Don Fabrice, encore couché sur le dos, vérifia d'un coup d'œil oblique que la valériane était bien posée sur la commode. La bouteille était là, ainsi que la cuillère d'argent posée en travers du bouchon, elle brillait comme un phare rassurant, dressée contre les tempêtes hystériques dans la pénombre glauque de la chambre. Il voulut un moment se lever et prendre le remède ; puis il se contenta de s'asseoir, lui aussi, récupérant de la sorte une partie de son prestige.

– Ma petite Stella, ne dis pas trop de sottises. Tu ne sais pas ce que tu racontes. Angélique n'est pas du tout une gourgandine. Elle le deviendra peut-être, mais pour l'instant c'est une fille comme les autres, plus belle que les autres, et qui veut simplement faire un beau mariage. Elle est probablement aussi un peu amoureuse de Tancrède, comme tout le monde. De l'argent, en tout cas, elle en aura : de l'argent à nous, en grande partie, mais fort bien administré (trop bien même) par don Calogero ; et Tancrède en a besoin ; c'est un gentilhomme, il est ambitieux, et il a les mains percées. Il n'a jamais rien dit à Concetta, c'est plutôt elle qui le traitait comme un chien depuis notre arrivée à Donnafugata. Et puis ce n'est pas un traître ; il suit la marche du temps, voilà tout, en politique comme dans sa vie privée. Pour le reste, c'est le plus sympathique garçon que je connaisse, et tu le sais aussi bien que moi, ma petite Stella.

Ses cinq énormes doigts effleurèrent le crâne minuscule de sa femme. Elle sanglotait maintenant ; elle avait eu le bon sens de boire une gorgée d'eau, et le feu de sa colère s'était changé en chagrin. Don Fabrice reprit espoir ; il ne serait pas obligé de sortir du lit tiède et d'affronter pieds nus la traversée de la chambre déjà fraîche. Pour assurer sa paix future, il se drapa dans une fausse fureur :

– Et puis je ne veux pas de cris dans ma maison, dans ma chambre, dans mon lit ! je ne veux pas de « tu feras... tu ne feras pas », c'est moi qui décide ; et j'ai déjà décidé bien avant que tu n'y penses ! ça suffit.

Gonflant son énorme coffre, l'ennemi des cris hurlait lui-même de tout son souffle. Oubliant qu'il n'avait pas sa table devant lui, il assena un grand coup de poing sur son genou, se fit mal et se calma à son tour.

La Princesse, terrifiée, gémissait tout bas comme un petit chien grondé.

– Maintenant, dormons. Demain je vais à la chasse et il faut que je me lève tôt. Ça suffit. Ce qui est décidé est décidé. Bonne nuit, petite Stella.

Il embrassa sa femme, d'abord sur le front, puis sur la bouche. Il se recoucha, se tourna vers le mur. Sur la soie de la tenture, son ombre allongée se projetait comme le profil d'une chaîne de montagnes devant un horizon bleu.

Stella s'installa à côté de lui, sa jambe droite effleurant la jambe gauche du Prince. Elle se sentait consolée et pleine d'orgueil à l'idée d'avoir un mari aussi énergique, aussi fier. Qu'importait Tancrède... et même Concetta.

Ces acrobaties sur la corde raide étaient pour le moment oubliées, toute pensée déplaisante s'était évanouie dans le parfum de la campagne archaïque, à supposer que l'on puisse appeler campagne les lieux sauvages où le Prince chassait tous les matins. Ce n'était pas là une terre transformée par le travail de l'homme ! Le maquis suspendu aux pentes des collines demeurait dans le même état de chaos aromatique où l'avaient trouvé les Phéniciens, les Doriens, les Ioniens quand ils débarquèrent en Sicile, cette Amérique de l'Antiquité. Don Fabrice et Tumeo montaient, descendaient, glissaient, se déchiraient aux ronces comme un Archédamus ou un Philostrate, vingt-cinq siècles plus tôt. Ils voyaient les mêmes objets, une sueur tout aussi visqueuse mouillait leurs vêtements ; le même vent marin, indifférent, infatigable, agitait les myrtes et les genêts, répandait l'odeur du thym. Les arrêts imprévus, méditatifs, des chiens, leur pathétique tension dans l'attente de la proie renouvelaient les chasses où l'on invoquait Artémis. Réduite à ses éléments essentiels, le visage lavé de ses fards et de ses soucis, la vie retrouvait un aspect supportable. Un peu avant d'arriver au sommet de la colline, ce matin-là, Arguto et Teresina commencèrent la danse rituelle des chiens qui ont découvert le gibier. Glissements, raidissements, prudents haussements de patte, aboiements réprimés. Quelques minutes plus tard, un petit derrière beige fila entre les herbes, deux coups de feu presque simultanés mirent fin à l'attente silencieuse ; et Arguto déposa aux pieds du Prince une bestiole agonisante.

C'était un lapin des champs ; sa discrète casaque couleur de glaise n'avait pas réussi à le sauver. D'horribles éclats lui avaient lacéré le museau et la poitrine. Deux grands yeux noirs, rapidement envahis par une brume glauque, regardaient sans reproche don Fabrice ; ils étaient pleins d'une douleur étonnée devant l'ordre des choses. Les oreilles veloutées étaient déjà froides, les vigoureuses petites pattes se contractaient rythmiquement, symbole par-delà la mort d'une fuite inutile : l'animal, comme tant d'hommes, mourait torturé par l'anxieuse espérance du salut, imaginant pouvoir s'en tirer encore quand il était déjà perdu. Tandis que les doigts attendris du Prince caressaient le pauvre museau, la petite bête eut un frémissement et mourut ; mais don Fabrice et don Ciccio avaient eu leur passe-temps ; le premier, même, avait ajouté au plaisir de tuer le plaisir rassurant de compatir.

Quand les chasseurs arrivèrent au haut de la montagne, le vrai visage de la Sicile leur apparut de nouveau entre les tamaris et les chênes-lièges. Auprès de tels paysages, villes baroques et orangeraies ne sont que fanfreluches négligeables. La campagne aride ondulait à l'infini, croupes après croupes, désolée et irrationnelle ; l'esprit ne pouvait en saisir les lignes principales, conçues en un moment délirant de la création ; c'était comme une mer brusquement pétrifiée à l'instant où un changement de vent a rendu les vagues démentes. Donnafugata, blottie sur elle-même, se cachait dans un pli anonyme du terrain ; on ne voyait âme qui vive : quelques maigres cordons de vigne dénonçaient seuls la présence des hommes. Au-delà des collines, sur le côté, la tache indigo de la mer, plus minérale encore et plus inféconde que la terre. Un vent léger glissait sur tout cela, répandait partout les odeurs de fiente, de charognes et de sauges, effaçait, élidait, recomposait toute chose sous son passage négligent ; ici, il séchait les petites gouttes de sang, unique legs du lapin ; beaucoup plus loin, il agitait la chevelure de Garibaldi ; plus loin encore, il jetait une fine poussière dans les yeux des soldats napolitains qui renforçaient en hâte les bastions de Gaète, pleins d'un espoir aussi illusoire et aussi vain que celui du gibier en fuite. Dans l'ombre restreinte des chênes-lièges, le Prince et l'organiste se reposèrent : ils burent du vin tiède à leurs gourdes de bois ; ils mangèrent un poulet rôti, tiré de la gibecière de don Fabrice, en l'accompagnant de délicieux *muffoletti*[1] parsemés de farine crue, apportés par don Ciccio. Ils dégustèrent le doux *insolia*, ce raisin aussi laid à voir que succulent à manger. Ils calmèrent à l'aide de larges tranches de pain la faim des braques qui se tenaient devant eux, impassibles comme des huissiers attendant fermement l'argent qu'on leur doit. Sous le soleil constitutionnel, don Fabrice et don Ciccio furent près de s'assoupir.

Si un coup de fusil avait tué le lapin, si les canons rayés

1. *Muffoletti* : miche molle et légère.

de Cialdini[1] décourageaient déjà les soldats bourboniens, si la chaleur méridienne endormait les hommes, rien en revanche ne pouvait vaincre l'ardeur des fourmis. Attirées par quelques grains de raisin gâtés que don Ciccio avait crachés devant lui, elles accouraient en troupes serrées, brûlant de s'emparer de ces débris moisis, mélangés à de la salive d'organiste. Elles accouraient crânement, en désordre, mais avec résolution. Elles s'arrêtaient un peu pour bavarder par petits groupes de trois ou quatre ; certainement, elles se congratulaient de la gloire séculaire et de l'abondance future de la fourmilière numéro 2, sous le chêne numéro 4, à la cime du Monte Morco ; puis, toutes ensemble, elles reprenaient leur marche vers un avenir prospère. Les dos luisants de ces impérialistes semblaient vibrer d'enthousiasme, et, sans aucun doute, les notes d'un hymne triomphal volaient au-dessus de leurs rangs.

En vertu de quelques associations d'idées qu'il serait inutile de préciser, l'affairement de ces insectes empêcha le Prince de s'endormir : il repensait aux jours du plébiscite, tels qu'il les avait vécus, quelques semaines plus tôt, à Donnafugata. Ces journées lui avaient laissé, en plus d'un sentiment de stupéfaction, un certain nombre d'énigmes à résoudre. Et maintenant, en face de cette nature qui (les fourmis exceptées) se moquait éperdument de semblables problèmes, il était peut-être possible de chercher une solution. Teresina et Arguto dormaient, aplatis comme les chiens de pierre des gisants. Le petit lapin, accroché la tête en bas à une branche, pendait en diagonale sous la poussée continuelle du vent ; seul Tumeo, aidé en cela par sa pipe, réussissait encore à tenir les yeux ouverts.

– Et vous, don Ciccio, comment avez-vous voté, le 21 ?

Le pauvre homme sursauta ; il était pris à l'improviste, en un moment où il se trouvait loin de ces haies de précautions derrière lesquelles il se mouvait d'habitude,

1. Gaète, dernier bastion du royaume des Deux-Siciles, fut assiégée et bombardée par un général de l'armée piémontaise, Cialdini. La place forte tomba le 21 février.

comme chacun de ses concitoyens. Il hésita, ne sachant que répondre.

Le Prince prit pour de la crainte ce qui n'était que de la surprise, et se fâcha :

– Mais voyons, de quoi avez-vous peur ? Il n'y a ici que nous deux, le vent et les chiens.

A vrai dire, cette liste de témoins rassurants n'était guère heureuse : le vent est bavard par définition ; quant au Prince, il était à demi sicilien. Seuls les chiens étaient absolument sûrs, et uniquement parce qu'ils étaient privés du langage articulé. Don Ciccio cependant s'était remis, et l'astuce paysanne lui suggéra la réponse adéquate, c'est-à-dire anodine :

– Pardon, Excellence, votre demande est inutile. Vous savez bien qu'à Donnafugata, tout le monde a voté *oui*.

Certes, don Fabrice le savait. Cette réponse eut comme seul résultat de transformer une énigme minuscule en énigme historique. Avant le vote, de nombreuses personnes étaient venues lui demander son avis, et toutes avaient reçu le conseil sincère de voter de façon affirmative. Don Fabrice ne concevait pas qu'on pût prendre un autre parti, que ce fût en vertu du fait accompli ou devant la banalité théâtrale de l'acte ; sans parler de la nécessité historique, et des difficultés que risquaient de rencontrer ces pauvres gens si l'on venait à découvrir leur opposition. Cependant, il avait bien vu que beaucoup de ses interlocuteurs n'étaient pas convaincus par ses paroles : le machiavélisme abstrait des Siciliens était entré en jeu, qui si souvent pousse un peuple généreux par définition à dresser des échafaudages complexes sur des bases fragiles. Comme des cliniciens très habiles qui auraient appuyé leur diagnostic sur des analyses radicalement fausses du sang et des urines, mais qui seraient trop paresseux pour les corriger, les Siciliens d'alors en arrivaient à tuer le malade, c'est-à-dire eux-mêmes, par leur astuce raffinée que n'étayait presque jamais une réelle connaissance des problèmes, ou tout au moins des interlocuteurs. Quelques-uns de ceux qui avaient effectué le voyage *ad limina guepardorum* estimaient impossible qu'un prince Salina pût voter en faveur de la Révolution (c'est ainsi que l'on appelait les récents changements, dans ce pays perdu). Ils interprétaient ses raisonnements comme des sorties ironiques, destinées à obtenir un résultat directement opposé. Ces pèlerins (et c'étaient les meilleurs) étaient sortis du bureau en clignant de l'œil, autant que le respect le leur permettait, tout fiers d'avoir pénétré le sens des paroles princières. Ils se frottaient les mains, se félicitaient de leur perspicacité dans l'instant même où elle subissait une éclipse. D'autres au contraire, après l'avoir écouté, s'en allaient tristement, convaincus qu'il était un transfuge ou un fou, décidés plus que jamais à ne pas lui donner raison et à obéir au proverbe millénaire qui conseille de préférer un mal connu à un bien que l'on n'a pas expérimenté. Ces derniers hésitaient également à ratifier la nouvelle réalité nationale pour des raisons personnelles : par foi religieuse, ou pour avoir reçu les faveurs du système passé, ou pour n'avoir pas su s'insérer assez rapidement dans le nouveau ; ou enfin parce que, durant des désordres de la libération, on leur avait subtilisé quelques couples de chapons, ou quelques mesures de fèves, et fait pousser quelques paires de cornes, soit par enrôlement volontaire en faveur des troupes garibaldiennes, soit par recrutement forcé au profit des régiments bourboniens.

D'une quinzaine de personnes, le Prince avait eu l'impression pénible mais nette qu'elles voteraient *non.* Ce serait une faible minorité, certes, mais non négligeable dans le petit électorat de Donnafugata. De plus, il fallait considérer que seule venait le voir l'élite du pays, et qu'il y aurait encore quelques opposants parmi les centaines d'électeurs qui n'avaient pas eu l'audace de se montrer au palais. Bref, le Prince avait calculé que le groupe compact des *oui* serait contrebalancé par une quarantaine de votes négatifs.

Le jour du plébiscite fut venteux et couvert. On avait vu errer avec lassitude dans les rues du pays des groupes de jeunes gens dont le chapeau portait un carton orné d'énormes *Oui*, plantés entre le feutre et le ruban. Parmi les papiers sales et les débris soulevés par les tourbillons de vent s'élevaient quelques strophes de la *Belle Gigugin* transformées en mélopée arabe, ce qui est le destin habituel des mélodies les plus vives quand elles veulent conquérir la Sicile. On avait vu également deux ou trois « têtes étrangères » (c'est-à-dire de Girgenti), installées dans le bistrot du père Menico, chanter les *magnifiche sorti e progressive*[1] d'une Sicile rénovée unie à une Italie ressuscitée. Quelques paysans les écoutaient, muets, abrutis par un usage immodéré de la « houe » autant que par plusieurs jours d'oisiveté forcée et affamée. Ils se raclaient la gorge et crachaient souvent, mais ils se taisaient. Ils se taisaient tellement que ce fut probablement alors (comme le raconta plus tard don Fabrice) que les « visages étrangers » décidèrent de donner à l'Arithmétique et autres arts du quadrivium la prédominance absolue sur la Rhétorique.

Vers quatre heures de l'après-midi, le Prince alla voter, flanqué à droite du père Pirrone, à gauche de don Onofrio Rotolo. L'air sombre et le poil clair, il avançait lentement vers la mairie, tout en protégeant d'une main ses yeux fragiles contre les tourbillons chargés de toutes les poussières récoltées dans la rue : il craignait la conjonctivite à laquelle il était sujet. Tout en marchant, il faisait remarquer au père Pirrone que l'air, sans vent, serait un étang putride, mais que ces souffles vivifiants entraînaient avec eux beaucoup de saletés. Il portait la même redingote noire que deux ans auparavant, quand il était allé à Caserte, aux obsèques de ce pauvre roi Ferdinand qui, grâce au ciel, était mort assez tôt pour ne pas assister à cette journée flagellée d'un vent impur, durant laquelle on allait consacrer solennellement son incapacité. Mais était-ce bien de l'incapacité ? On pourrait en dire autant de ceux qui meurent du typhus. Il se souvint de ce Roi qui s'efforçait d'opposer des digues au débordement des paperasses inutiles. Brusquement il comprit tout l'inconscient appel à la miséricorde qu'exprimait ce visage antipathique. Ces pensées étaient pénibles, comme toutes celles qui nous dévoilent une situation alors qu'il est trop tard. L'aspect du

1. Vers de Leopardi, dans *La Ginostra* (Canti).

Prince, son visage devinrent si ténébreux et si solennels qu'il semblait suivre un invisible corbillard. Les graviers, giclant violemment sous le choc rageur de ses pieds, trahissaient seuls ce conflit intime. Inutile de dire que le nœud de son chapeau était vierge de toute étiquette ; mais aux yeux de qui le connaissait bien, un *oui* et un *non* alternatifs se succédaient sur le feutre soyeux.

Il fut surpris de voir tous les membres du bureau se lever au moment où sa haute silhouette vint combler l'ouverture de la porte qui menait à la salle de vote. On écarta quelques paysans arrivés avant lui, et c'est sans avoir à attendre que don Fabrice confia son *oui* aux mains patriotiques de don Calogero Sedara. Le père Pirrone ne vota pas, car il avait eu soin d'éviter qu'on l'inscrivît comme ayant sa résidence à Donnafugata. Don Onofrio, lui, manifesta son opinion monosyllabique sur la délicate question italienne en se conformant aux désirs du Prince. Il exécuta ce chef-d'œuvre de concision avec la bonne grâce d'un enfant qui boit son huile de ricin. Ensuite, tout le monde fut invité à « prendre un verre » dans le bureau du maire ; mais le père Pirrone et don Nofrio s'abritèrent, pour refuser, derrière de bonnes raisons, l'un d'abstinence, l'autre de fragilité stomacale. Ils restèrent en bas. Don Fabrice dut affronter seul les rafraîchissements.

Derrière le bureau du maire flamboyaient un portrait de Garibaldi et, déjà, un portrait de Victor-Emmanuel, heureusement placé sur la droite. Le premier fort bel homme, le second très laid, ils devaient cependant un air de famille à la prodigieuse luxuriance du poil qui masquait une partie de leurs visages. Sur une petite table basse, on avait posé une assiette pleine de biscuits très vieux, endeuillés par les crottes de mouches, et douze petits verres trapus pleins de liqueur : quatre de rosolis rouge, quatre de rosolis vert, et au centre quatre de rosolis blanc. Ce symbole ingénu du nouveau drapeau veina d'un sourire le remords du Prince. Il choisit la liqueur blanche, non comme on le crut pour rendre un tardif hommage à l'étendard des Bourbons, mais parce qu'il la présumait moins indigeste. Les trois variétés de rosolis étaient du reste également sucrées, poisseuses et répugnantes. On eut le bon goût de ne pas porter de toast. Comme le fit remarquer don Calogero, les grandes joies sont muettes. On montra à don Fabrice une lettre des autorités de Girgenti, qui annonçaient aux laborieux citoyens de Donnafugata l'attribution d'un crédit de deux mille lires pour la construction d'égouts : entreprise qui serait menée à terme avant la fin de 1961, comme l'annonça le maire, trébuchant sur un de ces lapsus dont Freud devait expliquer le mécanisme quelques dizaines d'années plus tard. Puis la réunion prit fin.

Avant le coucher du soleil, les trois ou quatre prostituées de Donnafugata (car il y en avait là comme ailleurs, mais établies à leur propre compte et fort actives dans leurs entreprises privées) apparurent sur la place, leur chevelure parée de rubans tricolores, pour protester contre la loi qui privait les femmes du droit de vote. Les pauvres filles furent couvertes de quolibets, même par les libéraux les plus enflammés, et durent aller se cacher au plus vite. Ceci n'empêcha pas le *Giornale di Trinacria*, quatre jours après, de faire savoir aux Palermitains qu'à Donnafugata, « quelques distinguées représentantes du beau sexe ont voulu manifester leur foi inébranlable dans les nouveaux et éclatants destins de leur Patrie bien-aimée, et ont défilé sur la place au milieu de l'approbation générale d'une foule de patriotes ».

On ferma le bureau de vote et les scrutateurs se mirent à l'œuvre. A la nuit noire, don Calogero apparut au balcon central de la mairie, avec l'écharpe tricolore et tout le tremblement, flanqué de deux acolytes portant des candélabres que le vent éteignit au plus vite. A la foule invisible dans les ténèbres, il annonça qu'à Donnafugata le plébiscite avait donné les résultats suivants :

Inscrits : 515 ; votants : 512 ; *oui* : 512 ; *non* : 0.

De la place obscure montèrent les applaudissements et les cris. Sur le petit balcon de sa maison, Angélique, accompagnée de sa funèbre servante, battit ses belles mains rapaces. On fit des discours ; des adjectifs empanachés de superlatifs et de doubles consonnes résonnèrent et se répercutèrent entre les murs, dans le noir. On envoya au milieu du tonnerre des pétards un message au Roi (le nouveau) et un autre au Général ; quelques feux d'artifice tricolores grimpèrent au-dessus du village sombre, vers un ciel sans étoiles. A huit heures tout était fini, et l'obscurité régna seule, comme chaque soir, depuis toujours.

Tout était maintenant limpide au sommet du Monte Morco, la lumière triomphait ; don Fabrice sentait cependant cette sombre nuit stagner encore au fond de son âme. Son malaise prenait des formes d'autant plus pénibles qu'elles demeuraient plus vagues ; il ne tenait nullement aux vastes questions que le plébiscite avait commencé à résoudre : les grands intérêts du royaume (celui des Deux-Siciles), les intérêts de sa propre classe, ses avantages privés sortaient des événements quelque peu meurtris mais préservés pour l'essentiel. Étant donné les circonstances, on ne pouvait demander davantage. Le malaise du Prince n'était donc pas de nature politique. Il devait avoir des racines plus profondes, plonger dans une de ces causes que nous appelons irrationnelles parce qu'elles sont ensevelies sous la masse de l'ignorance où nous sommes de notre propre nature. L'Italie était née au cours de cette soirée morose, à Donnafugata, dans ce pays oublié, aussi bien que dans la paresse de Palerme ou l'agitation de Naples. Une méchante fée était certainement présente, une méchante fée dont on ne connaissait pas le nom ; de toute façon, l'Italie était née et il fallait espérer qu'elle vivrait sous la forme qu'elle avait prise : toute autre aurait été pire, d'accord. Pourtant, cette inquiétude persistante devait avoir un sens ; il sentait que pendant cette trop sèche énumération de chiffres, comme pendant ces discours trop emphatiques, quelque chose était mort, quelque chose ou quelqu'un, Dieu seul savait dans quelle ruelle du pays, dans quel repli de la conscience populaire.

La fraîcheur avait dissipé la somnolence de don Ciccio, et l'imposante immobilité du Prince avait éloigné ses craintes ; il sentait maintenant revenir à la surface une colère, certes inutile, mais point méprisable. Dressé, il parlait en dialecte et gesticulait, pauvre pantin raisonnable, ridicule :

– Moi, Excellence, j'avais voté *non*. *Non*, cent fois *non*. Je sais ce que vous m'avez dit : la nécessité, l'unité, l'opportunité. Certes, c'est vous qui devez avoir raison : moi, la politique, je n'y comprends rien. Je laisse ce souci aux autres. Mais Ciccio Tumeo est un honnête homme, pauvre et misérable, aux culottes percées (et il frappait sur ses fesses les pièces qui minutieusement raccommodaient son pantalon de chasse) ; je n'oublie pas les bontés qu'on a eues pour moi. Ces cochons de la Mairie ne font qu'une bouchée de mon opinion, ils la mâchent et puis ils la chient transformée comme bon leur semble. Pour une fois que je pouvais dire ce que je pensais, ce vampire de Sedara m'annule, fait comme si je n'avais jamais existé, comme si je ne m'étais jamais mêlé de rien, moi, Francesco Tumeo La Manna, fils de feu Léonard, organiste de la cathédrale de Donnafugata, mille fois supérieur à ce crétin, à qui j'ai même dédié une mazurka quand naquit sa... (il se mordit un doigt pour rattraper ce qu'il allait dire) sa pimbêche de fille !

Alors, le calme descendit sur don Fabrice. Il avait enfin résolu l'énigme ; il savait maintenant qui avait été tué à Donnafugata et en cent autres endroits au cours de cette nuit de vent sale : une petite fille à peine née, la bonne foi – cette enfant que l'on aurait dû justement soigner avec le plus d'égards, et dont la croissance aurait pu justifier après coup quelques actes de stupide vandalisme. Le vote négatif de don Ciccio, cinquante votes semblables à Donnafugata, cent mille *non* dans tout le royaume n'auraient rien changé au résultat : ils l'auraient au contraire rendu plus significatif ; et l'on aurait évité de forcer des âmes. Six mois plus tôt, on entendait une voix dure et despotique qui menaçait : « Fais ce que je te dis, sans quoi gare à toi. » Maintenant, la menace était remplacée par les paroles doucereuses de l'usurier : « Mais voyons ! tu as signé toi-même. Tu ne vois pas ? c'est tellement clair... Il faut faire ce que nous te disons ; tiens, regarde ce papier : tu veux ce que je veux. »

Don Ciccio tonnait encore :

– Vous, les nobles, c'est différent. On peut se montrer ingrat pour un fief qu'on a reçu en supplément ; mais pour un morceau de pain, la reconnaissance est une obligation. Quant aux trafiquants comme Sedara, c'est encore une autre paire de manches : ils considèrent le profit comme une loi naturelle. En ce qui nous concerne, nous, les petites gens, les choses restent ce qu'elles sont. Vous le savez, Excellence, mon pauvre père était garde-chasse du pavillon royal de San Onofrio, au temps de Ferdinand IV, sous l'occupation anglaise. La vie était dure, mais l'uniforme royal vert et la plaque d'argent vous donnaient de l'autorité. Ce fut la reine Isabelle, l'Espagnole, alors duchesse de Calabre, qui me fit faire mes études et me permit d'être ce que je suis, organiste de la cathédrale, honoré de la bienveillance de Votre Excellence. Quand les années devenaient trop difficiles, ma mère envoyait une supplique à la cour, et les cinq onces de secours arrivaient, sûres comme la mort, parce qu'à Naples on nous aimait bien ; on savait que nous étions de braves gens, de fidèles sujets. Quand le Roi venait, il frappait sur l'épaule de mon père et disait : « Don Léonard, il me faudrait beaucoup de fidèles comme vous : j'ai besoin de soutiens du trône et de ma personne qui vous ressemblent. » Et puis, l'aide de camp distribuait des pièces d'or. Aumônes, disent-ils à présent en parlant des générosités des vrais rois ; mais ils le disent pour ne pas avoir à faire la même chose ; c'étaient pourtant les justes récompenses de notre dévouement. Aujourd'hui, si ces saints rois et ces belles reines nous regardent du ciel, que doivent-ils penser ? « Le fils de don Léonard Tumeo nous trahit. » Heureusement qu'au paradis, on connaît la vérité. Je le sais bien, Excellence, je le sais bien, les gens comme vous me l'ont dit, ces générosités-là, de la part des rois, ça ne signifie rien, ça fait partie du métier. C'est peut-être vrai, c'est sûrement vrai. Mais les cinq onces, on les avait, c'est un fait, et grâce à elles, on tenait le coup tout l'hiver. Et maintenant que je pouvais payer un peu ma dette, rien à faire : « Tu n'y entends rien. » Et mon *non* devient un *oui*. J'étais un « fidèle sujet », je deviens un « dégoûtant bourbon ». Aujourd'hui, tout le monde est savoyard. Mais les « savoyards », je les avale avec mon café, voilà !

Et, tenant entre le pouce et l'index un biscuit invisible, il le trempait dans une tasse imaginaire.

Don Fabrice avait toujours aimé don Ciccio : un homme qui s'est pris, jeune, pour un artiste et qui découvre par la suite son manque de talent mais continue d'exercer son activité à un plus bas échelon, en mettant ses rêves flétris dans sa poche, un tel homme inspire la pitié. Le Prince était aussi touché par la digne pauvreté de l'organiste. Désormais, il éprouvait même une sorte d'admiration et, tout au fond de son orgueilleuse conscience, il se demandait si par hasard don Ciccio ne s'était pas comporté plus noblement que le prince de Salina. Et les Sedara, tous les Sedara, du minuscule Sedara qui violentait l'arithmétique à Donnafugata, jusqu'aux grands Sedara de Palerme, de Turin, n'avaient-ils pas commis un crime en forçant ces consciences ? Don Fabrice ne pouvait pas savoir alors qu'une bonne partie de la paresse, du fatalisme dont, pendant les décades suivantes, on devait accuser les gens du Sud aurait son origine dans cette stupide abolition de leur première expression de liberté.

Don Ciccio était soulagé. Le rôle sincère mais inhabituel de l'« honnête homme austère » cédait le pas au rôle beaucoup plus fréquent et non moins naturel du snob. Car Tumeo appartenait à l'espèce zoologique des « snobs passifs », espèce injustement décriée aujourd'hui. Bien entendu, le mot snob était inconnu dans la Sicile de 1860 ; mais, de même que les tuberculeux existaient avant Koch, de même il existait en cet âge lointain des gens pour qui obéir, imiter, et surtout ne pas choquer ceux qu'ils estimaient de rang supérieur, était la loi suprême de la vie. Le snob, en fait, est le contraire de l'envieux. En ce temps-là, il apparaissait sous l'étiquette du « dévoué », « très attaché », « fidèle » et il menait une vie agréable parce que le sourire le plus fugitif d'un noble suffisait pour ensoleiller toute sa journée. Et comme il se présentait toujours sous ces appellations gentilles, les grâces qu'on lui faisait, qui le réjouissaient, étaient plus fréquentes que de nos jours. Don Ciccio, cordial et snob par nature, craignit d'avoir ennuyé don Fabrice ; et sa sollicitude chercha à dissiper les ombres qui s'étaient accumulées, par sa faute, croyait-il, sur le front olympien du Prince. Le moyen le plus immédiatement efficace lui sembla de reprendre la chasse : il le proposa et ce fut fait.

Surprises dans leur sieste, quelques malheureuses bécasses et un second lapin tombèrent sous les coups des chasseurs, particulièrement précis et impitoyables ce jour-là : tous deux se plaisaient à identifier avec don Calogero Sedara ces innocentes bestioles. Mais les pétarades des fusils, les pirouettes des petits paquets de poils ou de plumes que les coups faisaient briller un instant au soleil ne suffisaient pas à rasséréner le Prince. A mesure que les heures passaient, à mesure que s'approchait son retour à Donnafugata, sa préoccupation, son dépit et l'humiliation anticipée de son entrevue avec le maire plébéien l'accablaient toujours davantage ; c'est en vain qu'il avait appelé en son cœur deux bécasses et un lapin « don Calogero ». Bien que décidé à avaler la couleuvre, qui lui semblait fort répugnante, il sentit le besoin d'avoir sur son adversaire de plus amples informations, de sonder l'opinion publique sur le pas qu'il se décidait à franchir. C'est ainsi que pour la deuxième fois de la journée, don Ciccio fut surpris par une demande faite à brûle-pourpoint.

– Don Ciccio, écoutez-moi. Vous qui connaissez tous les gens du pays, dites-moi ce qu'on pense vraiment de don Calogero, à Donnafugata.

Tumeo, à dire vrai, croyait bien avoir exprimé assez clairement son opinion sur le maire ; il se préparait à répondre dans ce sens, quand il se souvint brusquement de « bruits vagues » : don Tancrède aurait fait à Angélique les yeux doux ; en même temps, dans un autre compartiment de son esprit, il se réjouissait de n'avoir rien dit de positif contre Angélique ; et même, la légère douleur qu'il sentait encore à son index droit lui fit l'effet d'un baume.

– Après tout, Excellence, don Calogero Sedara n'est pas pire que tant de gens qui se sont mis en avant ces derniers temps.

L'hommage était modéré mais permit à don Fabrice d'insister :

– Voyez-vous, don Ciccio, cela m'intéresse beaucoup de savoir la vérité sur don Calogero et sa famille.

– La vérité, Excellence, c'est que don Calogero est très riche, et aussi très influent ; qu'il est avare (quand sa fille était au collège, lui et sa femme se nourrissaient d'un œuf au plat pour deux) mais que, quand il le faut, il sait dépenser. Chaque *tari*[1] aboutit fatalement dans la poche de quelqu'un et le résultat c'est que beaucoup de personnes dépendent maintenant du maire. Et puis, quand il aime les gens, il les aime, il n'y a pas à dire : sa terre, il la donne à cinq terrages[2] et les paysans doivent se crever pour la payer, mais il y a un mois, il a prêté cinquante onces à Pascal Tripi, qui l'avait aidé au moment du débarquement, et sans intérêts, ce qui est le plus grand miracle qu'on ait vu depuis que sainte Rosalie a arrêté la peste de Palerme. Au demeurant, intelligent comme le diable : dommage que Votre Excellence ne l'ait pas vu en avril et mai derniers ; il filait à droite et à gauche, dans toute la contrée, comme une chauve-souris : en voiture, à cheval, sur sa mule, à pied, par la pluie ou le beau temps ; là où il passait, on formait des sociétés secrètes, on préparait la voie à ceux qui devaient venir. Un fléau de Dieu, Excellence, un fléau de Dieu. Et encore, ce n'est que le début de sa carrière. Dans quelques mois, il sera député au parlement de Turin ; dans quelques années, quand on vendra les biens du clergé, il achètera pour une bouchée de pain les fiefs de Marca et de Fondachello, et deviendra le plus gros propriétaire de la province. Voilà don Calogero, Excellence, voilà l'homme nouveau tel qu'il doit être ; mais c'est dommage qu'il doive en être ainsi.

1. *Tari* · pièce d'argent : 1/30 d'once sicilienne. L'once vaut 12 francs 75 centimes d'or.

2. Terrage ou *tirragiu* sicilien : droit féodal sur les produits de la terre, qui varie selon les régions.

Don Fabrice se rappela la conversation qu'il avait eue, quelques mois plus tôt, avec le père Pirrone, dans l'observatoire inondé de soleil. Ce qu'avait prédit le Jésuite s'accomplissait ; mais n'était-ce pas une bonne tactique que de s'insinuer dans le nouveau mouvement, de le faire servir au moins en partie au profit de quelques individus de sa classe ? L'agacement que Salina éprouvait en pensant à sa conversation imminente avec don Calogero diminua.

– Mais les autres personnes de la maison, don Ciccio, les autres, que sont-elles, au fond ?

– Excellence, personne n'a vu moins que moi la femme de don Calogero, depuis des années. Elle sort seulement pour aller à la messe, la première, celle de cinq heures, quand il n'y a personne. A cette heure-là, il n'y a pas d'orgues : une fois j'ai sauté de mon lit tout exprès pour la voir. Donna Bastiana est entrée, suivie d'une femme de chambre. Moi, gêné par le confessionnal derrière lequel je m'étais caché, je voyais mal. Mais à la fin du service, la chaleur fut plus forte que la prudence de la pauvre femme ; elle écarta son voile noir. Parole d'honneur, Excellence, elle est belle comme le soleil, on ne peut donner tort à ce cloporte de don Calogero, s'il veut la garder cachée aux yeux des autres. Pourtant, les nouvelles finissent par filtrer même des maisons les mieux surveillées ; les servantes bavardent : il paraît que donna Bastiana est une espèce d'animal ; elle ne sait ni lire ni écrire, elle ne connaît pas l'heure, c'est à peine si elle parle ; c'est une magnifique jument, voluptueuse et mal dégrossie ; elle n'est même pas capable d'aimer sa fille ; elle est seulement bonne pour le lit, un point c'est tout.

Don Ciccio, pupille des Reines et courtisan des Princes, tenait beaucoup à ses manières, qui étaient fort simples mais qu'il estimait parfaites ; et il souriait avec complaisance : il avait découvert le moyen de prendre une petite revanche sur l'homme qui avait anéanti sa personnalité.

– Du reste, continua-t-il, il ne peut en être autrement. Savez-vous, Excellence, savez-vous de qui donna Bastiana est la fille ?

Se retournant, dressé sur la pointe des pieds, il montra dans le lointain un petit groupe de masures qui semblaient glisser sur la pente d'une colline où un misérable clocher essayait à grand-peine de les clouer : un village crucifié.

– C'est la fille d'un de vos métayers de Runci, celui qui s'appelait Peppe Giunta ; il était si sale, si sauvage que tout le monde l'appelait « Peppe Merda », sauf le respect que je dois à Votre Excellence.

Satisfait, il enroulait autour de son doigt l'oreille de Teresina.

– Deux ans après la fugue de sa fille avec don Calogero, on l'a trouvé mort sur le chemin de Rampinzeri, avec douze chevrotines dans la peau. Il a toujours de la chance, don Calogero ; l'homme commençait à devenir gênant et exigeant.

Don Fabrice connaissait plusieurs de ces détails, et il en avait déjà soupesé l'importance ; mais il ignorait le surnom du grand-père d'Angélique. Ceci entrouvrait une profonde perspective historique, et faisait entrevoir des abîmes en comparaison desquels don Calogero était rassurant comme une plate-bande. Il sentit vraiment la terre se dérober sous ses pieds : comment diable Tancrède avalerait-il cette nouveauté ? Et lui-même ?

Il se creusa la tête pour trouver quel lien de parenté pouvait exister entre le prince Salina, oncle du marié, et le grand-père de la mariée : il n'en trouva aucun, et il n'y en avait pas. Angélique était Angélique, un beau brin de fille, une vraie rose à qui le sobriquet de son grand-père avait seulement servi d'engrais. *Non olet*, répétait-il, *non* ; *olet* au contraire ; *optime faeminam ac contubernium olet.*

– Vous me parlez de tout, don Ciccio, de mère sauvage et d'ascendance fécale, mais non de ce qui m'intéresse : de mademoiselle Angélique.

Le secret des intentions matrimoniales de Tancrède, qui jusque-là étaient demeurées dans les limbes, se serait certainement divulgué, si les circonstances ne l'avaient déguisé. Sans aucun doute, on avait remarqué les fréquentes visites du jeune homme chez don Calogero, on avait remarqué ses sourires d'extase et ses mille petites attentions, qui, courantes et insignifiantes en ville, devenaient aux yeux des vertueux habitants de Donnafugata le symptôme de violents désirs. Le plus grand scandale fut certainement le premier : les petits vieux qui se grillaient au soleil et les gamins qui jouaient dans la poussière avaient tout vu, tout compris, et tout répété ; quant à la signification proxénétique et aphrodisiaque de cette fameuse dizaine de pêches, on avait consulté à ce sujet de très expertes mégères et des livres révélateurs d'arcanes amoureux, parmi lesquels l'Aristote des campagnes, Rutilio Benincasa. Heureusement, un phénomène relativement fréquent chez nous s'était produit : les malignités avaient masqué la vérité ; tout le monde avait imaginé un pantin tiré par de grosses ficelles, un Tancrède libertin, dont la lascivité s'était fixée sur Angélique : il s'évertuait à la séduire, c'est tout. La simple pensée d'un mariage soigneusement médité entre un prince de Falconeri et la petite-fille de Peppe Merda ne traversa pas une seconde l'imagination de ces paysans qui, par leurs commérages, rendaient à la féodalité l'hommage que le blasphémateur rend à Dieu. Le départ de Tancrède coupa court à ces fantaisies et l'on n'en parla plus. A ce point de vue, Tumeo ne savait rien de plus que les autres ; il accueillit donc la question du Prince avec l'air facétieux que prennent les hommes d'âge pour parler des friponneries de la jeunesse.

– Sur la demoiselle, Excellence, il n'y a rien à dire : elle-même en dit assez. Ses yeux, sa peau, sa beauté magnifique sont explicites et sont compris par tout le monde. Je crois que don Tancrède a compris, lui aussi, ce langage ; est-il trop hardi de le penser ? Il y a en elle toute la beauté de sa mère sans l'odeur de fumier du grand-père ; et puis elle est intelligente. Avez-vous vu comme ces quelques années à Florence ont suffi à la transformer ? C'est maintenant une vraie dame, continua don Ciccio insensible aux nuances, une dame accomplie. Quand elle est revenue du collège, elle m'a fait venir chez elle et elle m'a joué ma vieille mazurka : elle jouait mal, mais c'était délicieux de la voir, avec ces tresses noires, ces yeux, ces jambes, cette poitrine... Houou ! il s'agit bien de fumier ! ses draps doivent avoir le parfum du paradis !

Le Prince tiqua : l'orgueil de classe est si fort, même quand il décline, que ces louanges orgiastiques à l'excitante beauté de sa future nièce l'offensèrent profondément : comment don Ciccio osait-il s'exprimer avec ce lyrisme lascif en parlant d'une future princesse de Falconeri ? Il est vrai que le pauvre homme ignorait le fin mot de l'histoire ; il fallait lui raconter tout cela ; du reste, dans trois heures, la nouvelle deviendrait publique. Don Fabrice se décida immédiatement et adressa à Tumeo un sourire guépardien mais amical :

– Calmez-vous, cher don Ciccio, calmez-vous ; j'ai chez moi une lettre de mon neveu qui me charge de demander en son nom la main de mademoiselle Angélique ; désormais vous parlerez d'elle avec le respect qui vous est coutumier. Vous êtes le premier à connaître la nouvelle, mais vous devez payer cet avantage : de retour au palais, vous serez enfermé à clef avec Teresina dans l'armurerie ; vous aurez le temps de nettoyer et de graisser tous les fusils et vous ne serez remis en liberté qu'après la visite de don Calogero. Jusque-là, je veux qu'aucun bruit ne transpire.

Surpris ainsi à l'improviste, les cent précautions, les cent snobismes de don Ciccio s'écroulèrent d'un seul coup, comme un groupe de quilles frappé en plein centre. Seul, un sentiment très ancien survécut au choc.

– Ça, Excellence, c'est une saleté ! un neveu à vous ne doit pas épouser la fille d'un de vos ennemis, d'un de ceux qui vous ont toujours tiré dans les jambes. Chercher à la séduire, comme je le croyais, c'était un acte de conquérant ; mais là, il se rend sans conditions. C'est la fin des Falconeri et c'est la fin des Salina.

Cela dit, il baissa la tête et désira ardemment que la terre s'ouvrît sous ses pieds. Le Prince devenait écarlate : ses oreilles et ses yeux mêmes étaient couleur de sang. Les poings serrés, durs comme des massues, il fit un pas vers don Ciccio. Mais en homme de science, il était, après tout, habitué à peser le pour et le contre ; en outre, sous son aspect léonin, c'était un sceptique. Il en avait tant vu, aujourd'hui : le résultat du plébiscite, le surnom du grand-père, les chevrotines ! Et Tumeo avait raison : c'est le passé lui-même qui parlait par sa bouche. Cela n'empêchait pas qu'il fût stupide : ce mariage n'était la fin de rien, c'était le début de tout. Il se plaçait dans la ligne des meilleures traditions.

Les poings du Prince se rouvrirent, la trace de ses ongles resta marquée sur ses paumes.

– Rentrons, don Ciccio, vous ne pouvez comprendre certaines choses. D'accord comme avant, n'est-ce pas ?

Et tandis qu'ils redescendaient vers la route, il aurait été difficile de dire lequel était don Quichotte et lequel Sancho Pança.

Quand, à quatre heures et demie précises, on lui annonça l'arrivée ponctuelle de don Calogero, le Prince n'avait pas fini sa toilette. Il fit prier M. le Maire de bien vouloir attendre un moment au bureau et continua placidement à se faire beau. Il passa sur ses cheveux le *Lime-Juice* d'Atkinson, une épaisse lotion blanchâtre qui lui arrivait en caisses de Londres, et dont le nom subissait la même déformation ethnique que les chansons, pour devenir le Lemo-Liscio. Il refusa sa redingote noire et la remplaça par une autre, d'un lilas pâle, qui lui semblait mieux adaptée à une circonstance présumée joyeuse. Il prit encore un moment pour arracher avec une pince à épiler un insolent poil blond qui avait échappé au rasoir hâtif du matin. Il fit prévenir le père Pirrone et, avant de sortir de sa chambre, prit sur la table un extrait des *Blätter der Himmelsforschung.* Avec la brochure enroulée, il fit le signe de la croix, geste de dévotion qui a, en Sicile, une signification non religieuse plus fréquente qu'on ne croit.

En traversant les deux pièces qui précédaient son bureau, il se flatta d'être un imposant guépard, au poil lisse et parfumé, prêt à lacérer un petit chacal craintif. Mais par une de ces associations d'idées qui sont le fléau de natures comme la sienne, surgit dans sa mémoire le souvenir d'un tableau historique français : les maréchaux et les généraux autrichiens, chargés de décorations et de panaches, défilaient devant un Napoléon ironique auquel ils venaient de se rendre ; ils étaient élégants, sans aucun doute, mais le vainqueur n'en était pas moins le petit homme en redingote grise. Ainsi, sous l'outrage des souvenirs inopportuns d'Ulm et de Mantoue, ce fut un guépard irrité qui pénétra dans le bureau.

Don Calogero l'attendait debout, tout petit, tout menu, rasé de façon bien imparfaite ; il aurait vraiment ressemblé à un chacal si ses yeux n'avaient pétillé d'intelligence. Mais cette intelligence poursuivait un but matériel ; le Prince croyait tendre à des fins abstraites : don Calogero se vit donc taxé de malignité.

Don Calogero était dépourvu d'une faculté innée chez don Fabrice : il ne savait pas adapter ses vêtements aux circonstances et avait cru bien faire en venant habillé de noir ; il était presque aussi endeuillé que le père Pirrone ; mais tandis que ce dernier s'asseyait dans un coin, avec cet air d'abstraction marmoréenne qu'ont les prêtres qui ne veulent pas peser sur la décision d'autrui, le visage de don Calogero exprimait une attente avide, presque pénible à voir. L'entretien débuta par ces escarmouches de paroles insignifiantes qui précèdent les grandes batailles verbales. Ce fut don Calogero qui esquissa la première attaque :

– Excellence, avez-vous reçu de bonnes nouvelles de don Tancrède ?

Dans les petits pays, le maire avait alors la possibilité de contrôler le courrier, sans avoir à s'en cacher, et l'inhabituelle élégance du papier l'avait probablement mis en garde. Le Prince, en y pensant, sentit la colère le gagner :

– Non, don Calogero, non. Mon neveu est devenu fou...

Il existe une divinité protectrice des Princes. Elle s'appelle Courtoisie. Elle intervient souvent pour tirer les guépards des situations épineuses. Mais il faut lui payer un fort tribut. Pallas Athéné intervenait pour réfréner les écarts d'Ulysse ; Courtoisie apparut à don Fabrice pour l'arrêter sur le bord de l'abîme ; mais le Prince dut payer son salut en s'exprimant de façon explicite, au moins une fois dans sa vie. Avec un naturel parfait, sans une seconde d'hésitation, il enchaîna :

– ... fou d'amour pour votre fille, don Calogero. Il me l'a écrit hier.

Le maire garda une surprenante égalité d'humeur. Il sourit à peine et s'absorba dans la contemplation du ruban de son chapeau. Le père Pirrone avait les yeux fixés au plafond, comme un contremaître chargé d'en juger la solidité. Le Prince fut vexé : ces attitudes taciturnes le privaient de la satisfaction mesquine d'étonner ses auditeurs. Ce fut avec soulagement qu'il s'aperçut que don Calogero allait parler.

– Je le savais, Excellence. On les a vus s'embrasser le mardi 25 septembre, la veille du départ de don Tancrède. Dans votre jardin, à côté de la fontaine. Les haies ne sont pas toujours aussi épaisses qu'on le croit. J'ai attendu un mois une démarche de votre neveu, et je comptais déjà venir demander à Votre Excellence quelles étaient ses intentions.

Un essaim de guêpes piquantes assaillit don Fabrice. Il sentit, d'abord, comme il est normal chez un homme qui n'est pas encore décrépit, l'aiguillon de la jalousie charnelle : Tancrède avait savouré ce goût de fraises et de lait qui lui resterait toujours inconnu. Il ressentit ensuite une vive humiliation sociale : il se trouvait être l'accusé quand il se croyait messager de bonnes nouvelles. Tertio, il éprouvait un dépit tout personnel : celui de l'homme qui, par une douce illusion, croyait contrôler tout le monde et découvre que bien des choses se produisent à son insu.

– Don Calogero, n'inversons pas les rôles. Rappelez-vous que c'est moi qui vous ai fait appeler. Je voulais vous communiquer une lettre de mon neveu, qui m'est arrivée hier. Il y déclare sa passion pour votre fille, passion que personnellement...

Ici le Prince hésita un peu, car les mensonges sont parfois difficiles à proférer devant des yeux aussi perçants que ceux du maire.

– ... dont personnellement j'ignorais jusqu'à présent

l'intensité ; et pour conclure, il me charge de vous demander la main de mademoiselle Angélique.

Don Calogero demeurait impassible ; le père Pirrone, d'expert en bâtiment, se transforma en sage musulman, et, croisant quatre doigts de la main droite avec quatre doigts de la main gauche, se tourna les pouces sur un rythme irrégulier, tantôt en avant, tantôt en arrière, déployant des trésors d'inspiration chorégraphique. Le silence se prolongeait ; le Prince s'impatienta.

– A présent, don Calogero, c'est moi qui attends que vous me déclariez vos intentions.

Le maire, qui avait tenu ses yeux fixés sur la frange orangée du fauteuil princier, les couvrit un instant de sa main droite, puis les releva. Ils étaient maintenant naïfs, pleins de stupéfaction, on aurait vraiment dit qu'il avait suffi d'un geste pour les métamorphoser.

– Excusez-moi, Prince. (A la foudroyante omission de l'« Excellence », don Fabrice comprit que tout était heureusement consommé.) Mais cette magnifique surprise m'a coupé la parole. A vrai dire, je suis un père moderne, et je ne pourrai vous donner une réponse définitive qu'après avoir interrogé cet ange qui fait la joie de notre foyer. Cependant, je sais également exercer les droits sacrés d'un père : je connais tout ce qui se passe dans le cœur et dans l'esprit d'Angélique ; et je crois pouvoir affirmer que l'attachement de don Tancrède, qui nous honore tant, est sincèrement partagé.

Don Fabrice fut submergé par une chaude émotion ; il avait avalé la couleuvre : la tête et les entrailles, bien broyées, descendaient dans son gosier ; il fallait encore avaler la queue, mais ce n'était pas grand-chose en comparaison du reste : le plus gros était fait. Enfin libéré, il sentit se réveiller sa tendresse pour Tancrède : il imagina ses étroits yeux bleus qui scintillaient en lisant l'heureuse réponse ; il imagina, ou plutôt se rappela, les premiers mois d'un mariage d'amour durant lesquels les frénésies et les acrobaties des sens sont étayées et soutenues par les hiérarchies angéliques, bienveillantes mais un peu surprises. Il entrevit, plus loin encore, la vie sûre, les possibilités que trouveraient les talents de Tancrède, tout prêts à prendre leur essor, pour peu que la pauvreté ne lui rogne pas les ailes.

Le gentilhomme se leva, fit un pas vers don Calogero frappé d'étonnement, le souleva de son fauteuil et le serra sur son cœur : les courtes jambes du maire restèrent suspendues dans le vide. Au fond de cette province reculée, au milieu de cette chambre sicilienne, se dessina ainsi une sorte d'estampe japonaise : un bourdon velu accroché aux pétales d'un énorme iris mauve. Quand don Calogero put reprendre pied : « Il faut absolument que je lui donne une paire de rasoirs anglais, pensa don Fabrice, ça ne peut pas durer comme ça. »

Le père Pirrone bloqua la rotation de ses pouces, se leva et serra la main du Prince :

– Excellence, j'invoque la protection de Dieu sur ces noces ; votre joie est devenue la mienne.

Sans mot dire, il tendit le bout de ses doigts à don Calogero. Puis s'approchant du mur, il tapota le baromètre qui descendait. Mauvais temps en perspective. Il se rassit, rouvrit son bréviaire.

– Don Calogero, dit le Prince, l'amour de ces deux jeunes gens est la base de toute leur vie, c'est l'unique fondement sur lequel peut s'édifier leur félicité future. Pour eux, il n'y a rien d'autre, nous le savons. Mais nous, hommes d'âge, hommes d'expérience, nous devons bien nous occuper du reste. Il est inutile que je vous dise à quel point est illustre la famille Falconeri : venue en Sicile avec Charles d'Anjou, elle n'en a pas moins continué à prospérer sous les Aragons, les Espagnols, les Bourbons (si je peux me permettre de les nommer devant vous !) et je suis sûr qu'elle continuera à prospérer sous la nouvelle dynastie continentale (que Dieu l'ait en sa sainte garde !).

Il était bien difficile de savoir quand le Prince faisait de l'ironie ou quand il n'en faisait pas.

– Ils furent pairs du royaume, grands d'Espagne, chevaliers de Saint-Jacques, et quand il leur prend l'envie d'être chevaliers de Malte, ils n'ont qu'à lever le petit doigt ; la rue Condotti leur passe les diplômes sans sourciller, comme si c'étaient des brioches. Jusqu'à présent du moins.

Cette insinuation perfide fut complètement perdue, car don Calogero ignorait tout des statuts de l'ordre de Saint-Jean de Jérusalem.

– Je suis persuadé que votre fille, avec sa rare beauté, ajoutera un ornement à la plus ancienne branche de la famille Falconeri, et qu'avec ses vertus elle saura être l'émule de ces saintes princesses dont la dernière, ma défunte sœur, bénira certainement les nouveaux mariés du haut du ciel.

Don Fabrice se sentit de nouveau tout ému au souvenir de la chère Julia et de sa vie gâchée, perpétuel sacrifice aux extravagances du père de Tancrède.

– Quant au garçon, vous le connaissez ; ou si vous ne le connaissez pas, je suis là pour vous le garantir, à tous les points de vue. Il y a en lui des tonnes de bonté, et je ne suis pas seul à le dire, n'est-ce pas, père Pirrone ?

L'excellent Jésuite, arraché à sa lecture, se trouva brusquement en face d'un nouveau dilemme. Il avait été le confesseur de Tancrède et connaissait bon nombre de ses péchés, dont aucun n'était vraiment grave, bien sûr, mais certains cependant assez gros pour diminuer de plusieurs quintaux le poids de cette massive bonté. De plus, ils étaient tous de nature à garantir (c'était vraiment le cas de le dire) une infidélité conjugale solide comme le fer. Le Père, cela va de soi, ne pouvait rien en dire, tant pour des raisons sacramentelles que par convenances mondaines. De surcroît, le Jésuite aimait Tancrède, et bien qu'il désapprouvât ce mariage au fond de son cœur, il n'aurait pas prononcé un mot qui pût en entraver ou même en gêner la conclusion. Il trouva refuge dans la prudence, qui est bien, des vertus cardinales, la plus ductile, la plus aisée à manier.

– Le fonds de bonté de notre cher Tancrède est grand, don Calogero ; soutenu par la grâce divine et la vertu terrestre de mademoiselle Angélique, il pourra devenir un jour un bon époux chrétien.

La prophétie, un peu risquée mais présentée avec circonspection, passa sans anicroche.

– Mais, don Calogero, poursuivit le Prince, mâchant les derniers cartilages de la couleuvre, s'il est inutile de vous rappeler l'ancienneté de la maison Falconeri, il est malheureusement inutile aussi de vous dire ce que vous savez déjà : la situation économique de mon neveu ne répond plus à la grandeur de son nom. Le père de don Tancrède, mon beau-frère Ferdinand, n'était pas ce que l'on peut appeler un père prévoyant. Ses munificences de grand seigneur, jointes à la légèreté de ses administrateurs, ont gravement compromis le patrimoine de mon cher neveu et ancien pupille ; ses grands fiefs autour de Mazzara, sa plantation de pistachiers de Ravanusa, ses plantations de mûriers à Oliveri, son palais de Palerme, tout cela a disparu, vous le savez, don Calogero.

Don Calogero le savait parfaitement : on n'avait jamais vu plus grande migration d'hirondelles ; et son souvenir inspirait encore, sinon de la prudence, du moins de la terreur à toute la noblesse sicilienne ; cependant qu'il était une fontaine de délices pour tous les Sedara de Sicile.

– Pendant la période de tutelle, je n'ai réussi à sauver que la villa voisine de la mienne, à force de chicanes juridiques, grâce aussi à quelques sacrifices que j'ai du reste faits avec joie, en souvenir de ma sainte sœur Julia et par affection pour ce cher garçon. C'est une belle villa : l'escalier a été dessiné par Marvuglia, les salons décorés par le Serenario ; mais actuellement, le mieux conservé des appartements peut à peine servir d'étable pour les chèvres.

La fin de la couleuvre avait été plus désagréable encore que Salina ne le prévoyait ; mais en définitive, il l'avait avalée comme le reste. Il sentit le besoin de se rincer la bouche avec quelques phrases plaisantes et du reste sincères :

– Mais, don Calogero, le résultat de tous ces chagrins, c'est Tancrède. Nous autres, nous savons ceci : il est probablement impossible d'obtenir la distinction, la délicatesse, le charme d'un garçon tel que lui sans qu'une demi-douzaine de gros patrimoines aient été dilapidés par ses ancêtres. C'est ainsi du moins que cela se passe en Sicile. Il s'agit là d'une sorte de loi naturelle, comme il en existe pour les tremblements de terre et la sécheresse.

Il se tut ; un laquais entrait, portant sur un plateau deux lampes allumées. Pendant qu'on les mettait en place, le Prince laissa régner dans le bureau un silence chargé d'une tristesse complaisante. Puis :

– Tancrède n'est pas un garçon quelconque, don Calogero, il n'est pas seulement distingué et élégant ; on lui a enseigné peu de choses, mais il connaît tout ce que l'on doit connaître : les hommes, les femmes, les circonstances, la couleur du temps. Il est ambitieux et il a raison de l'être, car il ira loin. Votre fille Angélique aura de la chance, si elle accepte de monter à ses côtés le chemin de la vie. Et puis, quand on est avec Tancrède, on se sent quelquefois irrité, mais on ne s'ennuie jamais. Et c'est beaucoup.

Il serait exagéré de dire que le maire appréciait toutes les nuances mondaines contenues dans cette dernière partie du discours ; dans l'ensemble, sa conviction, sommaire, s'en trouva confirmée : Tancrède était astucieux et opportuniste, et don Sedara avait précisément besoin d'avoir dans sa famille un homme astucieux et opportuniste, sans plus. Il se croyait, il se sentait, l'égal de n'importe qui ; il était même agacé de remarquer chez sa fille une certaine affection pour le beau jeune homme.

– Prince, je savais tout cela et bien d'autres choses encore. Et cela m'est indifférent.

Il se drapa dans la sentimentalité :

– L'amour, Excellence, l'amour est tout, et ceci je le sais.

Peut-être était-il sincère, le pauvre homme. Tout dépend de l'idée qu'il se faisait de l'amour.

– Mais je suis un homme du monde et je veux moi aussi jouer cartes sur table. Il serait inutile de parler de la dot de ma fille, elle est le sang de mon cœur, le cœur de mes entrailles : je n'ai personne d'autre à qui laisser ce que je possède, ce qui est à moi est à elle. Mais il est juste que les jeunes gens sachent sur quoi ils peuvent compter immédiatement. Par contrat de mariage, je donnerai à ma fille les six cent quarante-quatre *salme* du fief de Settesoli, soit cent dix hectares, comme on dit aujourd'hui, tout en blé, en terres de première qualité, aérées et fraîches, et cent quatre-vingts *salme* de vignes et d'oliviers à Gibildolce ; le jour du mariage, je remettrai à l'époux vingt sacs de dix mille onces chacun. Moi, je resterai les mains vides, ajouta-t-il, sachant et espérant qu'on ne le croyait pas, mais une fille est une fille. Avec cela, on peut refaire tous les escaliers de *Marruggia* et tous les plafonds de *Sorcionario* de ce bas monde. Angélique doit être bien logée.

Une vulgarité ignare suintait par tous ses pores ; ses deux interlocuteurs n'en restèrent pas moins abasourdis. Don Fabrice dut faire appel à tout son flegme pour cacher sa surprise ; l'affaire de Tancrède était encore plus grosse qu'on n'aurait pu le supposer. Une sensation de dégoût allait l'envahir de nouveau ; mais la beauté d'Angélique, la grâce de son fiancé réussirent à voiler de poésie la brutalité du contrat. Le père Pirrone, lui, fit claquer sa langue sur son palais ; puis, fâché d'avoir ainsi révélé son étonnement, il essaya de trouver une rime à ce bruit inconvenant en faisant craquer sa chaise et ses chaussures, en feuilletant avec fracas son bréviaire ; mais ce fut peine perdue, et l'impression resta.

Heureusement, une énormité de don Calogero, la seule de la conversation, tira tout le monde d'embarras :

– Prince, je sais que ce que je vais vous dire fera peu d'impression sur vous, qui descendez des amours de l'empereur Tithon et de la reine Bérénice ; mais les Sedara sont nobles, eux aussi ; jusqu'à moi, ce fut une race malheureuse, enterrée en province, sans lustre, mais j'ai tous les papiers en règle dans mes tiroirs, et un jour on saura que votre neveu a épousé la baronne Sedara del Biscotto, titre concédé par Sa Majesté Ferdinand IV sur les ségréages[1] du port de Mazzara. Je dois faire les démarches, il ne me manque que l'occasion.

1. Ségréage : taxe féodale d'un cinquième.

Ces histoires d'occasions manquées, de ségréages, d'homonymies étaient, il y a cent ans, un élément important de la vie sicilienne ; elles fournissaient à des milliers de braves gens ou de gens moins braves des moments alternés de dépression et d'exaltation. Mais ce sujet est trop important pour qu'on le traite à la légère ; nous nous contenterons donc de signaler que la sortie héraldique de don Calogero causa au Prince l'incomparable satisfaction artistique de voir un type se réaliser sous ses yeux jusque dans les derniers détails ; un rire réprimé lui affadit la bouche ; il sentait monter la nausée.

La conversation se perdit ensuite en ruisseaux inutiles : don Fabrice se souvint de Tumeo prisonnier dans le noir de la salle d'armes et, pour la millième fois de sa vie, déplora la longueur des visites paysannes. Il finit par s'enfermer dans un silence hostile. Don Calogero comprit, promit de revenir le lendemain pour apporter le consentement certain d'Angélique, et prit congé. Le Prince l'accompagna à travers les deux salons, l'embrassa, et tandis que le visiteur descendait, son hôte, debout comme une tour en haut de l'escalier, regardait diminuer ce petit tas d'astuce, de vêtements mal coupés, d'or et d'ignorance, qui ferait d'ici peu partie de la famille, ou presque.

Une chandelle à la main, don Fabrice alla libérer Tumeo, qui fumait sa pipe avec résignation dans le noir.

– Je suis désolé, don Ciccio, mais vous comprenez que je devais agir ainsi.

– Je comprends, Excellence, je comprends, est-ce qu'au moins tout a bien marché ?

– Très bien, on ne peut mieux.

Tumeo mâchonna quelques congratulations, remit son collier à Teresina qui dormait, épuisée par la chasse, et ramassa son carnier.

– Prenez aussi mes bécasses, de toute façon il n'y en a pas assez pour nous tous. Au revoir, don Ciccio, revenez bientôt. Pardon pour tout...

Une grande claque sur les épaules de l'organiste scella la réconciliation, non sans rappeler la puissance du Prince. Et le dernier fidèle de la maison Salina regagna sa pauvre demeure.

Quand le Prince revint dans le bureau, le père Pirrone s'était esquivé pour éviter toute discussion. Don Fabrice se dirigea vers la chambre de sa femme afin de raconter l'entrevue. Le bruit de ses pas vigoureux et rapides l'annonçait à dix mètres de distance. Il traversa le salon de ses filles ; Caroline et Catherine, qui dévidaient un écheveau de laine, se levèrent en souriant à son passage. Mlle Dombreuil enleva en hâte ses lunettes et répondit avec componction au salut princier. Concetta, le dos tourné, brodait au tambour ; elle ne bougea même pas ; elle n'avait pas entendu passer son père.

CHAPITRE QUATRIÈME

Don Fabrice et don Calogero. Première visite d'Angélique fiancée. Arrivée de Tancrède et de Cavriaghi. Arrivée d'Angélique. Le cyclone amoureux. Détente après le cyclone. Un Piémontais arrive à Donnafugata. Un petit tour dans le pays. Chevalley et don Fabrice. Départ à l'aube.

NOVEMBRE 1860.

Le projet de mariage rendant les entrevues de plus en plus fréquentes, don Fabrice commença à éprouver pour les mérites de Sedara un mélange d'admiration et de curiosité. L'habitude fit qu'il négligea bientôt les joues mal rasées du maire, son accent plébéien, ses vêtements extravagants et son odeur persistante de sueur aigrie, pour découvrir peu à peu la rare intelligence de l'homme. Quantité de problèmes qui semblaient insolubles au Prince furent résolus en un tour de main par don Calogero. Affranchi des mille entraves que l'honnêteté, la décence et la bonne éducation imposent à la plupart, il s'avançait dans la forêt de la vie avec la sûreté d'un éléphant qui, déracinant les arbres et piétinant les tanières, continue son chemin, en ligne droite, indifférent aux griffures des épines comme aux plaintes de ses victimes. Élevé au creux protecteur d'amènes vallons que parcourent les zéphyrs courtois des « s'il te plaît », « je te serais reconnaissant », « me ferais-tu la faveur... », « tu as été tout à fait charmant », don Fabrice se trouvait, quand il conversait avec don Calogero, à découvert sur une lande balayée par des vents violents. Tout en continuant dans son cœur à préférer les anfractuosités des montagnes, il était bien forcé d'admirer la fougue de ce courant d'air qui tirait des chênes et des cèdres de Donnafugata des arpèges inouïs.

Les affaires de don Fabrice étaient nombreuses et complexes, et il les connaissait lui-même fort mal, non par défaut de pénétration, mais par une sorte d'indifférence méprisante à l'égard de problèmes qu'il estimait infimes. Au fond, cette attitude provenait de son indolence naturelle et de la facilité avec laquelle il se tirait habituellement de situations délicates, en vendant quelques centaines d'hectares sur les milliers qu'il possédait. Tout doucement, presque sans s'en apercevoir, il exposa ses problèmes à Sedara.

Les conseils que donnait don Calogero, après avoir écouté le Prince et coordonné les divers éléments du compte rendu, étaient parfaitement opportuns et d'un effet immédiat. Mais on n'en put dire autant de leur résultat final : conçus avec une efficacité cruelle mais exécutés avec une craintive mollesse par le débonnaire don Fabrice, ils valurent en quelques années à la maison Salina une renommée exécrable auprès de ses vassaux, renommée aussi peu méritée que possible, mais qui n'en détruisit pas moins le prestige de don Fabrice à Donnafugata et Querceta. La ruine de son patrimoine ne se trouva d'ailleurs pas ralentie pour autant.

Il serait injuste de dire que la fréquentation assidue de don Fabrice n'eût aucune influence sur Sedara. Jusqu'alors, il n'avait rencontré les aristocrates qu'au cours de réunions d'affaires (c'est-à-dire pour des achats et des ventes) ou à la suite d'invitations fort exceptionnelles et longuement méditées ; aucune de ces circonstances ne permet à cette très singulière classe sociale de se montrer sous son meilleur jour. De ces rencontres, il avait tiré la conclusion que l'aristocratie était constituée d'hommes-moutons, dont l'existence se justifiait seulement par la laine qu'ils abandonnaient à la tonte de ses ciseaux, et par leur nom, rayonnant d'un inexplicable prestige, qu'ils devraient un jour ou l'autre céder à sa fille. Pourtant, quand il connut Tancrède, le Tancrède de l'époque post-garibaldienne, il se trouva devant un exemplaire inattendu de jeune noble, aussi âpre que lui, capable de troquer très avantageusement ses sourires et ses titres contre les grâces et les richesses d'autrui, tout en revêtant ces actions « à la Sedara » d'une désinvolture et d'un charme que Sedara lui-même savait ne pas posséder, qu'il subissait sans s'en rendre compte, et sans pouvoir le moins du monde en discerner les origines. Quand il connut un peu mieux don Fabrice, il découvrit chez celui-ci la mollesse et la vulnérabilité caractéristiques de son noble-mouton imaginaire, mais il lui trouva de plus un attrait qui égalait bien celui du jeune Falconeri, encore qu'il fût de nature différente. Le Prince y ajoutait un penchant à l'abstraction ; il cherchait à façonner sa vie avec ce qui lui venait de lui-même, sans rien arracher aux autres. Cette puissance d'abstraction frappa très fortement Sedara, bien qu'il n'en saisît que l'aspect brut et fût incapable de la réduire en paroles, comme nous avons tenté de le faire ici. Il s'aperçut qu'une grande partie du charme de Salina provenait de ses bonnes manières ; il comprit à quel point un homme bien élevé peut être d'un commerce plaisant : un homme bien élevé, c'est au fond un individu qui élimine toutes les manifestations désagréables de la condition humaine et qui exerce une sorte d'altruisme profitable (formule dans laquelle l'efficacité de l'adjectif fait tolérer l'inutilité du substantif). Peu à peu, don Calogero comprenait qu'un repas en commun n'est pas nécessairement une tempête de bruits de mâchoire et de taches de graisse ; qu'une conversation peut très bien ne pas ressembler à une querelle de chiens ; que céder le passage à une femme est signe de force et non, comme il l'avait cru, de faiblesse ; qu'on obtient bien davantage d'un interlocuteur en lui disant : « Je me suis mal fait comprendre » qu'en lui lançant : « Tu es bouché à l'émeri » ; et que, ces quelques précautions une fois prises, repas, causeries, femmes et interlocuteurs sont tout acquis à qui a su les bien traiter.

Il serait hardi d'affirmer que don Calogero profita

immédiatement de tout ce qu'il avait appris ; il sut désormais se raser un peu mieux et s'effrayer un peu moins de la quantité de savon qui disparaissait dans la lessive ; ce fut à peu près tout. Mais à partir de ce moment commença, pour lui et pour les siens, cet affinement constant d'une classe qui, en trois générations, transforme d'innocents croquants en gentilshommes sans défense.

La première visite d'Angélique, fiancée, à la famille Salina se déroula selon une mise en scène impeccable. L'attitude de la jeune fille fut si parfaite qu'elle semblait lui avoir été suggérée jusque dans ses moindres détails par Tancrède ; mais les lentes communications du temps rendaient cette éventualité impossible et l'on dut recourir à une hypothèse risquée, certes, même pour qui connaissait le mieux la prévoyance du jeune Prince, mais pas absurde : il avait sans doute fait ses suggestions avant même les fiançailles. Angélique arriva à six heures du soir, vêtue de blanc et de rose ; ses épaisses tresses noires étaient ombragées par un grand chapeau de paille encore estival, sur lequel des grappes de raisin artificiel et des épis dorés évoquaient discrètement les vignobles de Gibildolce et les greniers de Settesoli. Elle abandonna son père dès la salle d'entrée et, dans le balancement de son ample jupe, gravit légèrement les nombreux degrés de l'escalier intérieur pour aller se jeter entre les bras de don Fabrice et poser sur ses favoris deux gros baisers, qui lui furent rendus avec une affection sincère. Le Prince s'attarda peut-être plus que de raison à respirer l'arôme de gardénia des belles joues adolescentes. Angélique rougit, recula d'un pas : « Je suis tellement, tellement heureuse... » Elle s'approcha de nouveau et, dressée sur la pointe de ses petits souliers, soupira à l'oreille du Prince : « ... tonton ! », trouvaille des plus réussies, comparable pour son efficacité scénique à la voiture d'enfant d'Eisenstein. Devant cette démonstration à la fois explicite et secrète, le cœur simple du Prince s'attendrit et se trouva définitivement placé sous le joug de cette belle enfant. Pendant ce temps, don Calogero montait les marches et disait à quel point sa femme se désolait de ne pas l'accompagner ; elle avait fait la veille au soir un faux pas dans la maison et s'était foulé le pied gauche assez douloureusement.

– Elle a le cou-de-pied comme une aubergine, Prince !

Don Fabrice, tout réjoui de la caresse verbale qu'il venait de recevoir, et assuré, après sa conversation avec Tumeo, que sa courtoisie n'aurait pas de suites dangereuses, se paya le luxe de dire qu'il se rendrait lui-même, immédiatement, chez Mme Sedara. La proposition ahurit don Calogero, qui dut, pour la repousser, accabler sa pauvre femme d'un second malaise, une migraine cette fois ; la malheureuse était contrainte de rester dans l'obscurité.

En attendant, le Prince donnait le bras à Angélique. On traversa dans la pénombre plusieurs salons vaguement éclairés par de petites lampes à huile qui permettaient à peine de trouver son chemin. Au fond d'une longue perspective resplendissait le « salon de Léopold » où se tenait le reste de la famille. Cette procession dans l'obscurité déserte vers le centre lumineux de l'intimité domestique allait au rythme d'une initiation maçonnique.

La famille se pressait sur le seuil : devant la colère de son mari, qui les avait non pas repoussées, ce serait trop peu dire, mais carrément foudroyées et anéanties, la Princesse avait renoncé à toutes ses réserves. Elle embrassa à plusieurs reprises sa future nièce et la serra si fort dans ses bras que la peau de la jeune fille fut marquée par le fameux collier de rubis, orgueil des Salina, que Maria-Stella avait tenu à porter en signe de fête, bien qu'il fît encore jour.

François-Paul, le fils de seize ans, savoura le droit exceptionnel d'embrasser lui aussi Angélique sous le regard jaloux mais impuissant de son père. Concetta montra son affection d'une manière toute particulière : sa joie était si intense que les larmes lui venaient aux yeux. Les autres sœurs se pressaient tout autour, d'autant plus bruyantes et joyeuses qu'elles étaient moins émues. Le père Pirrone, qui, saintement, n'était pas insensible à la beauté des femmes où il se complaisait à voir une preuve inégalable de la bonté divine, sentit fondre à la tiédeur de la grâce (avec un g minuscule) toutes ses oppositions et murmura : « *Veni, sponsa, de Libano.* » Il dut lutter quelque peu pour refouler de sa mémoire d'autres versets plus chaleureux. Mlle Dombreuil pleurait d'émotion, comme il convient aux gouvernantes, et serrait entre ses mains déçues les épaules florissantes de la jeune fille : « *Angélique, Angélique, pensons à la joie de Tancrède.* » Mais Bendicò, pourtant si sociable d'habitude, se tenait sous une console, la gorge pleine de grondements. Il fallut que François-Paul, indigné, les lèvres encore frémissantes, le remît brutalement dans le droit chemin.

Sur vingt-quatre des quarante-huit bras du lampadaire se dressait une bougie allumée, et chacune de ces bougies, à la fois candide et ardente, pouvait figurer une vierge qui se consume d'amour ; les fleurs bicolores de Murano, à l'extrémité de leur tige de verre recourbé, se penchaient afin de regarder, d'admirer celle qui entrait, de lui adresser un sourire irisé et fragile. Dans la grande cheminée, le feu scintillait, non pour réchauffer l'atmosphère encore tiède, mais en signe de jubilation. La lumière des flammes palpitait sur les dalles, arrachant des lueurs intermittentes aux dorures passées de l'ameublement. C'était vraiment là le foyer, le symbole de la maison : les tisons figuraient l'éclat des désirs, et la braise, de continuelles ardeurs.

La Princesse, qui possédait au plus haut degré la faculté de réduire les émotions à leur plus petit commun dénominateur, narra des épisodes sublimes de l'enfance de Tancrède ; à voir son insistance, on aurait cru qu'Angélique devait se considérer heureuse d'épouser un homme qui, à six ans, était capable de se soumettre sans faire de caprices à des lavements indispensables, et à douze ans assez hardi pour voler une poignée de cerises. Tandis qu'elle narrait cet épisode de banditisme enfantin, Concetta se mit à rire :

– Ça, c'est un vice dont Tancrède ne s'est pas encore débarrassé : te rappelles-tu, papa, comment il t'a pris, voici deux mois, ces pêches auxquelles tu tenais tant ?

Là-dessus, elle s'assombrit comme la présidente d'une société horticole qui a subi des dommages.

La voix de don Fabrice fit bien vite glisser dans l'ombre ces détails insignifiants. Il parla du Tancrède adulte, du garçon vif et adroit, toujours prêt à trouver une de ces saillies qui ravissent ceux qui l'aiment et exaspèrent les autres ; il raconta comment, durant un de ses séjours à Naples, la duchesse de Saint-Quelque-chose, à qui on l'avait présenté, se prit de passion pour lui et exigea de le voir chez elle le matin, à midi et le soir, qu'elle fût dans son salon ou dans son lit, car, disait-elle, personne ne savait raconter *les petits riens* comme lui. Don Fabrice s'empressa de préciser qu'alors Tancrède n'avait pas seize ans et que la duchesse en avait plus de cinquante, mais les yeux d'Angélique lancèrent des éclairs ; elle possédait des informations précises sur les jeunes garçons de Palerme, et de fortes intuitions sur le compte des duchesses napolitaines.

En déduisant de cette attitude qu'Angélique aimait Tancrède, on se tromperait ; elle avait trop d'orgueil et trop d'ambition pour céder à cet anéantissement provisoire de la personnalité sans lequel il n'existe pas d'amour ; en outre, elle avait encore trop peu d'expérience pour apprécier les réelles qualités du jeune homme, faites de subtiles nuances. Mais sans l'aimer, elle était alors amoureuse de lui, ce qui est fort différent. Les yeux bleus de Tancrède, son affection ironique, le ton soudain plus grave de sa voix lui causaient, même en souvenir, un trouble précis, et pendant ces journées, elle ne souhaitait rien d'autre que de plier entre ses mains. Plus tard, elle pourrait les oublier et les remplacer – ce qui advint en effet. Mais pour le moment, elle voulait devenir leur proie. La révélation d'une liaison possible (du reste inexistante) la livra brutalement à la plus absurde de toutes les calamités : la jalousie rétrospective. Cette crise fut du reste bien vite calmée par un froid examen des avantages, érotiques et non érotiques, du mariage avec Tancrède.

Don Fabrice continuait à exalter Tancrède. Entraîné par l'affection, il parlait de lui comme d'un Mirabeau :

– Il a commencé tôt et il a bien commencé ; le chemin qu'il fera le mènera loin.

Le front lisse d'Angélique s'inclinait en signe d'assentiment. En réalité, elle se préoccupait peu de l'avenir politique de Tancrède ; elle était de ces jeunes personnes qui considèrent que les événements historiques se déroulent dans un univers à part ; elle n'imaginait pas le moins du monde qu'un discours de Cavour pût, le temps aidant, et par mille menus engrenages, avoir de l'influence sur sa propre vie et la transformer. Elle pensait en sicilien : « Nous avons du blé, ça suffit ; il s'agit bien *d'aller loin* ! » Ingénuités juvéniles qu'elle écarterait par la suite radicalement, pour devenir l'une des plus vipérines égéries de Montecitorio et de la Consulta[1].

– Et puis, Angélique, vous ne savez pas encore à quel point Tancrède peut être amusant ! Il sait tout, c'est toujours le côté le plus imprévu des choses qu'il voit d'abord. Quand on est avec lui et qu'il est en veine, le monde paraît plus drôle qu'on ne pense, quelquefois aussi plus sérieux.

Que Tancrède fût amusant, Angélique le savait ; qu'il fût capable de révéler des mondes nouveaux, elle ne se contentait pas de l'espérer, mais elle avait ses raisons de le penser depuis le vingt-cinq septembre, jour du fameux premier baiser, officiellement constaté derrière la perfide haie de lauriers, et qui n'avait pas été le dernier. Baiser beaucoup plus subtil et savoureux que le seul exemplaire auquel elle eût goûté précédemment, il y avait un an de cela, avec le fils du jardinier de Poggio a Caiano ; c'était vraiment tout à fait différent. Mais Angélique se souciait peu des traits d'esprit, voire de l'intelligence de son fiancé, beaucoup moins en tout cas que ce cher don Fabrice, si sympathique, mais tellement « intellectuel ». Tancrède, pour Angélique, c'était la promesse d'une place de premier plan dans la haute société sicilienne, qu'elle imaginait pleine de merveilles bien différentes de ce qu'on y trouvait en réalité. Et puis, elle espérait en lui un compagnon de plaisir plein de fougue. Que, par-dessus le mar-

1. Chambre des députés et ministère des Affaires étrangères.

ché, il fût supérieur sur le plan spirituel, tant mieux ; mais elle, pour son compte, n'y tenait guère. On pouvait toujours s'amuser sans cela. Du reste, toutes ces idées concernaient l'avenir : pour le moment, spirituel ou sot, elle aurait voulu l'avoir auprès d'elle, en train de lui chatouiller la nuque sous ses tresses, comme il l'avait fait une fois.

– Mon Dieu, mon Dieu, comme je voudrais qu'il fût parmi nous !

L'exclamation émut tout le monde, autant par son évidente sincérité que par l'ignorance où l'on était de ses véritables causes. Ainsi fut heureusement conclue la première visite d'Angélique. Peu après, en effet, la jeune fille et son père prirent congé ; précédés d'un valet d'écurie portant une lanterne qui allumait de son or incertain le rouge des feuilles tombées des platanes, père et fille rentrèrent dans la demeure dont Peppe Merda n'avait pu franchir le seuil, empêché par les chevrotines qui lui avaient crevé les reins.

Don Fabrice avait retrouvé sa sérénité et s'était réinstallé dans ses vieilles habitudes, celle des lectures du soir, par exemple. En automne, après le rosaire, il faisait trop sombre pour sortir, et la famille se réunissait autour de la cheminée en attendant l'heure du repas. Le Prince, debout, lisait à haute voix, fascicule après fascicule, un roman moderne ; une bienveillance pleine de dignité semblait rayonner par tous ses pores.

Ces années-là virent se former les mythes littéraires qui dominent encore de nos jours les esprits européens. La Sicile, cependant, ignorait l'existence de Dickens, d'Eliot, de George Sand, de Flaubert et jusqu'à celle de Dumas : la traditionnelle imperméabilité insulaire à tout ce qui est nouveau, l'ignorance générale des langues étrangères, enfin les vexations de la censure bourbonienne qui s'exerçait sous le couvert des douanes, tout concourait à ce retard. Quelques volumes de Balzac, il est vrai, parvinrent entre les mains de don Fabrice, par des subterfuges variés.

Il les lut, car il s'était attribué le rôle de censeur familial ; puis, dégoûté, il les prêta à un ami qu'il n'aimait pas : selon lui, ces romans étaient le fruit d'un esprit vigoureux mais extravagant, plein d'idées fixes (on dirait aujourd'hui : un monomaniaque). Jugement hâtif, comme on voit, mais non dépourvu de finesse. Le niveau des lectures familiales restait donc assez bas, déterminé qu'il était par le respect des virginales pudeurs des filles, par les scrupules religieux de la Princesse et par la propre dignité du Prince, qui se serait énergiquement refusé à faire entendre « des saletés » aux Salina assemblés.

C'était vers la fin du séjour à Donnafugata, aux environs du dix novembre. Il pleuvait à verse, un mistral humide faisait rage, abattant des gifles de pluie rageuses sur les fenêtres. On entendait au loin des roulements de tonnerre. De temps en temps, des gouttes d'eau, parvenant à pénétrer dans les naïves cheminées siciliennes, venaient frire quelques secondes sur le feu et piquetaient de noir les ardents tisons d'olivier. On lisait *Angiola-Maria*, et on en était ce soir-là aux dernières pages. La description du douloureux voyage de la tendre héroïne à travers la Lombardie transie par l'hiver glaçait le cœur sicilien des jeunes filles, blotties dans de tièdes fauteuils. Brusquement, il y eut une grande agitation dans la pièce voisine et Mimi, le valet de chambre, entra tout essoufflé :

– Excellence ! cria-t-il, oubliant complètement ses manières stylées. Excellence, monsieur Tancrède est arrivé ! Il est dans la cour, il fait décharger ses bagages. Sainte mère, douce Madone, par un temps pareil !

Et il s'enfuit en courant.

La surprise transporta Concetta en un temps qui n'était plus, et elle s'exclama : « Cher Tancrède ! » Mais le son de sa propre voix la rappela au présent douloureux. Ce brusque passage d'un monde secret et chaleureux à un autre, glacé et sans mystère, lui causa une vive souffrance ; heureusement, son cri, noyé dans l'émotion générale, ne fut entendu de personne.

Précédés à grandes enjambées par don Fabrice, tous se précipitèrent vers l'escalier ; on traversa en hâte des salons obscurs, on descendit ; la grande porte bâillait sur l'escalier extérieur et sur la cour en contrebas ; le vent entrait furieusement, faisait frémir les toiles des portraits, poussait devant lui l'humidité et l'odeur de la terre. Sur un fond de ciel frémissant d'éclairs, les arbres du jardin se tordaient et bruissaient comme de la soie lacérée. Don Fabrice allait passer le seuil quand apparut, sur la dernière marche, une masse lourde et informe : c'était Tancrède, enveloppé dans l'énorme manteau bleu de la cavalerie piémontaise, tellement trempé par la pluie qu'il devait bien peser cent kilos et virait au noir.

– Attention, tonton, ne me touche pas, je suis une véritable éponge !

A la lumière de la lanterne, on put entrevoir son visage. Il entra, dégrafa la chaînette qui retenait le lourd vêtement autour de son cou, le laissa tomber sur le sol où il s'écrasa, flasque, avec un bruit visqueux. Tancrède sentait le chien mouillé ; depuis trois jours, il n'avait pas quitté ses bottes. Mais il était, pour don Fabrice, le garçon aimé entre tous, plus même que les jeunes Salina ; pour Maria-Stella, un cher neveu, perfidement calomnié ; pour le père Pirrone, la brebis toujours égarée, toujours retrouvée ; pour Concetta, un cher fantôme qui ressemblait à son amour perdu. Mlle Dombreuil elle même l'embrassa, de sa bouche qui avait oublié les caresses, et cria, la pauvre fille : « *Tancrède, Tancrède, pensons à la joie d'Angélique !* » ; comme elle en était réduite à imaginer la joie des autres, elle avait bien peu de cordes à son arc. Quant à Bendicò, il retrouvait son cher compagnon de jeux, celui qui savait, mieux que quiconque, lui souffler dans le museau à travers un poing fermé ; mais il extériorisait son extase canine en galopant frénétiquement autour de la salle, sans s'occuper de son ami.

Ce fut un moment émouvant. La famille se regroupa autour du jeune homme qui revenait, d'autant plus aimé qu'il n'appartenait pas réellement à la famille, d'autant plus heureux qu'il venait cueillir l'amour et l'assurance d'une sécurité matérielle durable. Moment émouvant mais un peu long. Les premiers transports calmés, don Fabrice s'aperçut que deux autres silhouettes se tenaient sur le seuil, également ruisselantes, également souriantes. Tancrède les vit aussi et se mit à rire.

– Excusez-moi tous, l'émotion m'a fait perdre la tête. Tante, j'ai pris la liberté d'amener avec moi un ami très cher, le comte de Cavriaghi ; du reste, vous le connaissez, il est venu bien souvent à la villa du temps qu'il servait auprès du général. Et voici le lancier Moroni, mon ordonnance.

Au garde-à-vous, le soldat souriait d'un air à la fois honnête et obtus tandis que l'eau ruisselait de son manteau jusqu'au sol. Le petit Comte, lui, n'était pas au garde-à-vous : il avait ôté son képi trempé et déformé ; il baisait la main de la Princesse, souriait, éblouissait les jeunes filles avec ses favoris blonds et son incurable « r » à la française.

– Quand je pense ! On m'avait dit que dans votre pays il ne pleut jamais ! Dieu du ciel ! Voilà trois jours que nous barbotons.

Puis il redevint sérieux :

– Mais enfin, Falconeri, où est mademoiselle Angélique ? Tu m'as traîné de Naples jusqu'ici pour me la montrer : je vois de nombreuses beautés, mais pas elle.

Il se tourna vers don Fabrice :

– Savez-vous qu'à l'entendre on croirait qu'il s'agit de la reine de Saba ! Allons tout de suite présenter nos hommages à la *formosissima et nigerrima.* Remue-toi donc, tête de bois !

Le langage des tables d'officiers faisait irruption au beau milieu du salon renfrogné, entre la double file des ancêtres cuirassés et empanachés. Tout le monde riait. Mais don Fabrice et Tancrède en savaient plus long que Cavriaghi ; ils connaissaient don Calogero, ils savaient que son épouse était tout à la fois la Belle et la Bête, ils pensaient à l'incroyable désordre de cette maison de riches parvenus, toutes choses qu'ignorait la candide Lombardie.

Don Fabrice intervint :

– Comte, écoutez-moi. Vous pensiez qu'en Sicile il ne pleuvait jamais, vous pouvez constater que nous avons des déluges. Je ne voudrais pas que vous pensiez qu'en Sicile il n'y a pas de pneumonies, et qu'ensuite vous vous retrouviez au lit avec quarante degrés de fièvre. Mimi, fais allumer du feu dans la chambre de Tancrède et dans la chambre d'amis, la verte. Fais préparer aussi la petite pièce d'à côté pour le soldat. Vous, Comte, allez vous sécher et vous changer. Je vous ferai porter un punch et des biscuits. Le repas est à huit heures, vous avez deux heures devant vous.

Cavriaghi était habitué depuis trop longtemps à l'armée pour résister à cette voix autoritaire. Il salua, et suivit tout doux le valet de chambre. Moroni traîna derrière lui les cantines et les sabres recourbés dans leurs fourreaux de flanelle verte.

Pendant ce temps-là, Tancrède écrivait :

« Mon Angélique bien-aimée, je suis arrivé, et arrivé pour toi. Je suis amoureux comme un chat, mais trempé comme une grenouille, sale comme un chien perdu et affamé comme un loup. Dès que je serai présentable et que je me jugerai digne de paraître devant la belle des belles, je me précipiterai chez toi : dans deux heures. Mes respects à tes chers parents. Pour toi... rien, pour le moment ! »

Il soumit ce texte à l'approbation du Prince ; celui-ci, qui avait toujours admiré le style épistolaire de Tancrède, éclata de rire et approuva pleinement. Donna Bastiana aurait le temps de se découvrir un nouveau malaise. Le billet traversa la rue.

La fougue et la joie générales étaient si vives qu'il fallut seulement un quart d'heure aux deux jeunes gens pour se sécher, faire leur toilette, changer d'uniforme et retrouver les Salina dans le « salon de Léopold » autour de la cheminée. Tout en buvant du thé et du cognac, ils se laissaient admirer. En ce temps-là, rien n'était moins militaire que les familles de l'aristocratie sicilienne ; les officiers bourboniens ne se montraient jamais dans les salons de Palerme, et les quelques garibaldiens qui y avaient pénétré faisaient l'effet de pittoresques épouvantails plutôt que de véritables soldats.

Les deux jeunes officiers étaient donc les seuls que les jeunes filles de la maison Salina eussent jamais vus de près.

Sur la tunique croisée de Tancrède brillaient les boutons d'argent des lanciers ; Charles avait les boutons dorés des bersagliers ; tous deux portaient le haut col de velours noir, bordé pour l'un d'orange, pour l'autre de cramoisi. Ils tendaient vers les flammes leurs jambes vêtues de drap bleu et de drap noir. Sur leurs manches, les chamarrures d'argent ou d'or s'enlaçaient en arabesques, avec des élans et des retombées ininterrompues. Spectacle enchanteur pour des filles habituées aux sévères redingotes et aux fracs funèbres. Le roman édifiant gisait par terre, derrière un fauteuil.

Don Fabrice n'y comprenait rien ; il revoyait encore les garçons rouges comme des écrevisses et négligés dans leur tenue.

– Mais voyons... vous autres garibaldiens, vous ne portez plus la chemise rouge ?

Ils sursautèrent tous les deux, comme mordus par une vipère.

– Plus question de garibaldiens, tonton ; nous l'avons été, c'est fini. Cavriaghi et moi, grâce au ciel, nous sommes officiers de l'armée régulière de Sa Majesté, roi de Sardaigne pour quelques mois encore, d'Italie dans peu de temps. Quand l'armée de Garibaldi a été dissoute, on nous a donné le choix : ou retourner chez nous, ou rester dans les armées du Roi. Lui et moi, comme beaucoup, nous sommes entrés dans l'armée, *la vraie.* Avec les autres, ce n'était vraiment plus vivable, n'est-ce pas, Cavriaghi ?

– Miséricorde, quelle racaille ! des hommes de main, bons pour tirailler et c'est tout ! A présent, nous sommes entre gens du monde, nous sommes officiers pour de bon, quoi !

Et il soulevait sa petite moustache en une grimace d'adolescent dégoûté.

– Ils nous ont enlevé un grade, tu sais, tonton, tant ils doutaient de nos aptitudes militaires. Moi, par exemple, de capitaine, je suis redevenu lieutenant, tu vois ?

Et il montrait les deux étoiles sur ses pattes d'épaule.

– Lui, de lieutenant, est passé sous-lieutenant. Mais nous sommes heureux comme si on nous avait donné de l'avancement. On nous respecte bien plus, avec nos uniformes.

– Tu penses, interrompit Cavriaghi, les gens n'ont plus peur que nous leur volions leurs poules !

– J'aurais voulu que tu nous voies en route, depuis Palerme ; quand nous nous arrêtions aux relais, il nous suffisait de dire : « Ordres urgents, service de Sa Majesté ! » et les chevaux apparaissaient comme par enchantement. Et nous de montrer les « ordres », c'est-à-dire nos notes d'hôtel de Naples, bien enveloppées et scellées.

Quand on eut épuisé cette matière, on passa à de plus agréables sujets. Concetta et Cavriaghi s'étaient assis un peu à l'écart, et le petit Comte montrait à la jeune fille le cadeau qu'il lui avait apporté de Naples : les *Chants* d'Aleardo Aleardi, magnifiquement reliés. Sur le cuir bleu sombre était profondément gravée une couronne princière, et, en dessous, le chiffre de la jeune fille : C. C. S. Plus bas, de grands caractères vaguement gothiques disaient : « *Toujours sourde.* » Concetta, amusée, se mit à rire :

– Mais pourquoi sourde, Comte ? C. C. S. entend fort bien.

Le visage du petit Comte s'enflamma d'une juvénile passion :

– Sourde, oui, sourde, mademoiselle, sourde à mes soupirs, à mes gémissements ; et aveugle, aussi, aveugle devant les supplications dont mes regards sont pleins. Si vous saviez tout ce que j'ai souffert à Palerme, quand vous êtes partis pour Donnafugata : pas un salut, pas un signe par la portière, pendant que la voiture disparaissait dans l'avenue ! Et vous voulez que je dise que vous n'êtes pas sourde ? C'est « cruelle » que j'aurais dû faire graver.

Cette excitation littéraire se glaça devant la réserve de la jeune fille :

– Vous êtes encore las de votre voyage, vos nerfs sont à bout ; calmez-vous. Faites-moi plutôt entendre quelque beau poème.

Tandis que le bersaglier lisait de tendres vers, d'une voix désolée, avec des pauses pleines de découragement,

Tancrède, devant la cheminée, tirait de sa poche un petit écrin de satin bleu ciel.

– Voici la bague, tonton, la bague que je donne à Angélique, ou plutôt que tu lui offres par ma main.

Il fit jouer le déclic et l'on vit apparaître un saphir très sombre taillé en octogone écrasé, étroitement cerclé d'une multitude de petits brillants très purs. C'était un bijou un peu tragique, mais hautement accordé au goût sépulcral du temps, et qui valait amplement les deux cents onces envoyées par don Fabrice. En réalité, il avait coûté beaucoup moins : au cours de ces mois de pillage et de débandade, on trouvait à Naples de magnifiques bijoux d'occasion ; le reliquat avait payé une broche, souvenir laissé à la Schwarzwald. On appela Concetta et Cavriaghi pour qu'ils vinssent admirer la bague, mais ils ne bougèrent pas : le petit Comte l'avait déjà vue, et Concetta renvoya ce plaisir à plus tard. La bague passa de main en main, fut admirée, louée. On exalta le bon goût, prévisible, de Tancrède. Don Fabrice demanda :

– Mais pour la mettre à la mesure, comment fera-t-on ? Il faudra envoyer la bague à Girgenti, la rétrécir ou l'élargir...

Les yeux de Fabrice étincelèrent de malice :

– Inutile, oncle, elle va exactement. J'avais pris sa mesure avant de partir.

Don Fabrice se tut : il avait reconnu un coup de maître.

Le petit écrin avait fini sa promenade et se trouvait de nouveau dans les mains de Tancrède quand on entendit derrière la porte à voix basse : « Peut-on entrer ? » C'était Angélique. Dans sa hâte et son émotion, elle n'avait rien trouvé de mieux à mettre, pour se protéger de la pluie, qu'un « scapulaire » en drap grossier, immense houppelande de paysans. Enveloppé dans les plis bleu foncé, son corps semblait fragile ; ses yeux verts, anxieux, éperdus sous le capuchon mouillé, parlaient de volupté.

A cette vue, devant le contraste que formaient sa beauté et l'aspect rustique du vêtement, Tancrède reçut un coup au cœur. Il se leva, courut vers elle sans parler et l'embrassa sur la bouche. L'écrin qu'il tenait dans sa main droite chatouillait la nuque inclinée. Falconeri pressa le ressort, prit la bague, la passa à l'annulaire de sa fiancée ; l'écrin tomba sur le sol.

– Tiens, ma belle, c'est pour toi, c'est ce que te donne ton Tancrède.

Son ironie se réveilla :

– Remercie aussi tonton !

Puis il l'embrassa de nouveau. L'inquiétude de leurs sens les faisait trembler ; le salon, les autres, tout leur semblait lointain. Le jeune homme eut vraiment l'impression qu'il reprenait par ces baisers possession de la Sicile, de cette terre belle et perfide que les Falconeri avaient possédée pendant des siècles et qui maintenant, après une vaine révolte, se livrait à lui de nouveau, comme elle s'était livrée aux siens de tout temps, riche de délices charnelles et de récoltes dorées.

L'arrivée de ces hôtes bienvenus fit repousser le retour à Palerme. Il y eut deux semaines d'enchantement. L'ouragan qui avait accompagné le voyage des officiers fut le dernier de la saison : ensuite resplendit l'été de la Saint-Martin, qui est, en Sicile, la vraie saison de volupté. Atmosphère lumineuse et azurée, oasis de douceur rompant l'âpre cours des mois, l'été de la Saint-Martin persuade, égare les sens par sa mollesse, invite par sa tiédeur aux nudités secrètes. Des nudités érotiques, on ne peut dire qu'il y en eut au palais de Donnafugata, et pourtant la sensualité s'y répandait, s'y exaltait, d'autant plus pénétrante que plus soigneusement contenue. La demeure des Salina avait été, quatre-vingts ans plus tôt, un lieu de rendez-vous pour ces plaisirs obscurs où se complaisait le XVIIIe siècle agonisant ; mais la régence sévère de la princesse Marie-Caroline, le regain de religiosité qui accompagna la Restauration, le caractère même de don Fabrice, qui se contentait d'être gaillard avec bonhomie, avaient fait oublier les égarements bizarres d'antan. Les petits diables en perruque poudrée avaient été mis en fuite. Ils existaient certainement encore, mais à l'état larvaire ; ils hivernaient sous des amas de poussière, dans Dieu sait quelle mansarde de l'immense édifice. L'entrée d'Angélique parmi les Salina avait un peu réveillé ces larves, on s'en souvient peut-être ; mais ce fut l'arrivée des deux jeunes hommes qui déchaîna vraiment les instincts amoureux tapis dans les recoins de la maison. Ils accoururent immédiatement de toutes parts, comme des fourmis réveillées par le soleil, privés de leur venin, mais pleins d'une merveilleuse vivacité. L'architecte et la décoration rococo du palais, pleines de courbes imprévues, se mirent à évoquer des nudités couchées, des seins dressés ; chaque porte, en s'entrouvrant, soupirait comme un rideau d'alcôve.

Cavriaghi était amoureux de Concetta ; mais, enfant comme il l'était, non seulement par son allure, comme Tancrède, mais au plus profond de lui-même, il épanchait son amour sur les rythmes faciles de Prati et d'Aleardi, dans des songeries pleines d'enlèvements et de clairs de lune, dont il n'avait pas la hardiesse d'envisager les suites logiques et que d'ailleurs la surdité de Concetta écrasait dans l'œuf. Peut-être, dans l'intimité de sa chambre verte, s'abandonnait-il à des rêves plus concrets : on ne sait ; mais il est certain que si le jeune homme brossait pour sa part un peu du décor galant de cet automne, c'était en ébauchant des nuages et des horizons évanescents, et non comme créateur de solides architectures. Caroline et Catherine jouaient en revanche fort bien leur partie dans la symphonie de désirs qui, en ce mois de novembre, circulait dans tout le palais, se mêlait aux murmures de la fontaine, aux piétinements des chevaux amoureux dans les écuries, et aux grincements tenaces des vers creusant leur nid nuptial dans les vieux meubles. Elles étaient jeunes et avenantes, et, bien que sans amoureux attitré, elles se trouvaient plongées dans le courant d'excitation sensuelle qui émanait des autres. Souvent, le baiser que Concetta refusait à Cavriaghi, les caresses d'Angélique, insuffisantes pour rassasier Tancrède, se reflétaient sur Caroline et Catherine, fleurissaient leurs corps intacts ;

elles faisaient rêver, et rêvaient elles-mêmes de boucles de cheveux moites, de spécieuses sueurs, de brefs gémissements. La malheureuse demoiselle Dombreuil, à force de faire office de paratonnerre, fut entraînée dans ce tourbillon trouble et riant, comme ces psychiatres qui cèdent et succombent à la frénésie de leurs malades. Quand, après une journée de poursuites et de guets moralisateurs, elle s'étendait sur son lit solitaire, elle palpait ses seins fanés et murmurait au hasard des invocations à Tancrède, à Charles, à Fabrice...

Le centre et le moteur de cette exaltation sensuelle était naturellement le couple de Tancrède et d'Angélique. Des noces assurées, bien qu'assez lointaines, étendaient leur ombre rassurante sur le sol brûlé de leurs désirs mutuels. La différence de classe sociale trompa les deux familles : don Calogero crut que dans la noblesse il était normal d'accorder de longs moments de solitude à deux amoureux ; et la princesse Maria-Stella jugea que, pour des gens comme les Sedara, la fréquence des visites d'une fiancée, ainsi qu'une certaine liberté d'attitudes qu'elle n'aurait pas approuvée chez ses filles, allait de soi. Ainsi les visites d'Angélique au palais se firent toujours plus fréquentes ; elle finit par y passer le plus clair de son temps.

Petit à petit, on cessa même de l'escorter, sinon symboliquement : son père la quittait bien vite, se rendait au bureau pour y découvrir ou tramer des manœuvres cachées ; sa femme de chambre disparaissait dans l'office pour boire du café et jeter la mélancolie parmi les malheureux domestiques.

Tancrède voulait qu'Angélique connût le palais tout entier, avec son inextricable réseau d'appartements pour les invités, ses salons pour les réceptions, ses cuisines, ses chapelles, ses théâtres, ses galeries de tableaux, ses remises à l'odeur de cuir, ses écuries, ses serres étouffantes, ses passages, ses escaliers dérobés, ses terrasses, ses portiques, et surtout la série des appartements négligés et désaffectés, oubliés depuis des années, qui formaient un labyrinthe compliqué et mystérieux.

Tancrède ne se rendait pas compte (ou plutôt se rendait parfaitement compte) qu'il entraînait la jeune fille vers le centre caché de tout ce cyclone sensuel ; et Angélique, en ce temps-là, voulait tout ce que voulait Tancrède. Les expéditions à travers cet édifice presque illimité étaient interminables ; on partait comme pour une terre inconnue, et c'en était vraiment une, car don Fabrice lui-même n'avait jamais mis les pieds dans maints appartements et recoins. Il en tirait une grande satisfaction, répétant qu'un palais dont on connaît toutes les pièces n'est pas digne d'être habité. Les deux amoureux s'embarquaient pour Cythère sur un vaisseau fait de chambres sombres et de chambres ensoleillées, d'appartements luxueux ou misérables, vides ou bourrés de vieux meubles hétéroclites. Ils partaient accompagnés de Cavriaghi ou de Mlle Dombreuil, parfois de tous les deux (le père Pirrone, avec la sagesse coutumière de son ordre, se refusa toujours à leur servir de chaperon). La décence extérieure était ainsi sauvegardée. Mais dans le palais de Donnafugata, il n'était pas difficile d'égarer qui voulait vous suivre : il suffisait d'enfiler un couloir (il y en avait de longs, étroits et tortueux, avec de petites fenêtres grillagées, qu'on ne pouvait parcourir sans angoisse), puis de tourner sur un balcon, de grimper un petit escalier complice. Les deux jeunes gens se retrouvaient invisibles, lointains, isolés comme dans une île déserte. Leurs seuls témoins étaient un portrait au pastel tout fané, qu'un peintre inexpérimenté avait privé de regard, ou, sur un plafond aux fresques effacées, une bergère qui comprenait immédiatement les choses. Cavriaghi, du reste, en avait vite assez, et dès qu'il rencontrait sur sa route une pièce connue ou un escalier descendant au jardin, il s'éclipsait, autant pour faire plaisir à son ami que pour s'en aller soupirer en contemplant les mains glacées de Concetta. La gouvernante résistait plus longtemps, mais tout a une fin ; on entendait ses appels se perdre peu à peu dans le lointain et rester sans réponse : « *Tancrède, Angélique, où êtes-vous ?* » Puis tout retombait dans un silence à peine troublé par le galop des rats au-dessus des plafonds, par le froissement d'une lettre centenaire, oubliée là et que le vent faisait glisser sur le plancher : c'étaient autant de prétextes à peurs délicieuses, à étreintes rassurantes. L'*eros* se tenait toujours au côté des fiancés, malicieux et tenace ; le jeu dans lequel il les entraînait était plein d'enchantements et de hasards. Tous deux, à peine sortis de l'enfance, prenaient plaisir au jeu lui-même ; ils trouvaient délicieux de se poursuivre, de se perdre, de se retrouver ; mais quand ils s'étaient rejoints, leurs sens aiguisés reprenaient le dessus, les cinq doigts du garçon s'entrelaçaient aux doigts de la jeune fille, en un geste cher aux sensuels indécis, ou effleuraient suavement les veines pâles de son dos. Ces contacts bouleversaient tout leur être, préludaient à des caresses plus insinuantes.

Une fois, Angélique se cacha derrière un énorme tableau posé à terre ; pendant quelques minutes *Arturo Corbera au siège d'Antioche* protégea son anxiété gonflée d'espoir ; cependant Tancrède la dénicha, le visage barbouillé de toiles d'araignée, les mains voilées de poussière, l'empoigna et la serra contre lui pendant qu'elle répétait sans s'arrêter : « Non, Tancrède, non » ; refus qui était une invite, car en fait il se contentait de fixer ses yeux bleus dans les grands yeux verts.

Une autre fois, par un matin lumineux et frais, elle frissonna dans sa robe d'été : sur un divan couvert d'étoffes en lambeaux, il la serra contre lui pour la réchauffer et sentit le souffle parfumé de la jeune fille caresser son front et ses cheveux. Ce furent des moments d'extase douloureuse, où le désir se changeait en tourment, et la retenue en délices.

Dans ces appartements abandonnés, les chambres n'avaient ni nom ni physionomie caractéristiques. Ils baptisèrent les pièces qu'ils traversaient de noms qui commémoraient leurs découvertes réciproques, à la façon des navigateurs débarquant dans le Nouveau Monde. Une vaste chambre à coucher dont l'alcôve contenait un spectre de lit à baldaquin, surmonté d'un squelette de plumes d'autruche, resta dans leur souvenir la « chambre des peines ». Un petit escalier aux degrés d'ardoise usés et fêlés fut nommé par Tancrède : « l'escalier de l'heureuse glissade ». Parfois, ils ne savaient plus où ils étaient et perdaient vraiment le nord à force de tours, de détours, de poursuites, de longues haltes pleines de contacts et de murmures. Ils se penchaient à une fenêtre aux vitres brisées pour comprendre, par l'aspect d'une cour ou la perspective d'un jardin, dans quelle aile du palais ils se trouvaient. Parfois cela s'avérait impossible : la fenêtre ne donnait pas sur une cour mais sur un passage intérieur, également anonyme et inconnu, qui se signalait seulement par une charogne de chat ou l'immanquable tas de pâtes à la tomate qu'on avait vomies là peut-être ou bien jetées par une fenêtre ; tombant des combles, le regard d'une femme de chambre en retraite les découvrait. Un après-midi, ils trouvèrent dans une armoire quatre de ces boîtes à musique dont l'ingénuité affectée du XVIIIe siècle faisait ses délices. Trois d'entre elles, noyées dans la poussière et dans les toiles d'araignée, restèrent muettes ; mais la dernière, moins vieille, mieux protégée par sa gaine de bois sombre, se mit en branle, le cylindre de cuivre hérissé de pointes tourna, et les languettes d'acier soulevées tour à tour firent entendre une musiquette grêle, aux sons aigus, argentins : le fameux *Carnaval de Venise*. Les baisers de Tancrède et d'Angélique épousèrent le rythme de cette gaieté désenchantée. Quand leur étreinte se relâcha, ils furent surpris de découvrir que la chanson s'était tue et que leurs effusions n'avaient suivi d'autres cadences que celles d'une musique fantôme.

Ils eurent, une fois, une surprise d'un tout autre genre. Dans une des chambres de l'ancienne *foresteria*, ils découvrirent une porte cachée par une armoire ; la serrure centenaire céda bien vite à ces doigts heureux de se rencontrer et de s'enlacer pour la forcer ; derrière, apparut un long et étroit escalier qui déroulait en courbes moelleuses ses degrés de marbre rose. Tout en haut, une autre porte, ouverte, au capitonnage crevé ; puis un appartement étrange et gracieux : six petites chambres groupées autour d'un salon de proportions moyennes, toutes pavées, comme le salon, de marbre très blanc incliné en pente douce vers une rigole latérale.

Sur les plafonds bas, des stucs colorés, bizarres, que l'humidité avait heureusement rendus indéchiffrables ; aux murs, de grands miroirs hébétés pendus trop bas, l'un d'eux brisé presque en son centre, tous encadrés de chandeliers du XVIIIe siècle. Les fenêtres donnaient sur une cour écartée, une sorte de puits aveugle et sourd qui laissait entrer une lumière grise et qui n'offrait pas de vis-à-vis. Dans chacune des pièces et dans le salon, d'amples divans, de trop amples divans exhibaient leur soie, déchirée autour des clous, et des accoudoirs tachés. Sur les cheminées, de délicates statuettes de marbre, aux formes compliquées, des nus en plein paroxysme, avaient été martyrisées et mutilées par un marteau rageur. L'humidité avait maculé les murs dans leur partie supérieure et peut-être même vers le bas, à hauteur d'homme, là où se formaient des traces étranges, des épaisseurs inattendues, aux sombres couleurs. Tancrède, inquiet, ne voulut pas qu'Angélique s'approchât d'un placard encastré dans le mur du salon. Mais lui-même l'entrouvrit : il était très profond, mais vide, à part un rouleau d'étoffe sale, dressé dans un angle, d'où sortait une gerbe de petits fouets, de cravaches en nerf de bœuf, quelques-unes à manches d'argent, d'autres à moitié recouvertes d'une soie très ancienne, fort gracieuse, blanche avec de fines raies bleues, sur laquelle on voyait trois rangées de taches noirâtres. Il y avait aussi de petits engins métalliques, inexplicables. Tancrède eut peur, peur aussi de lui-même.

– Allons-nous-en, ma chérie. Il n'y a rien d'intéressant par ici.

Ils refermèrent soigneusement la porte, redescendirent l'escalier en silence, remirent l'armoire à sa place. Pendant tout le reste de la journée, les baisers de Tancrède furent d'une légèreté aérienne, comme des baisers de rêve et d'expiation.

En vérité, le fouet était l'objet que l'on rencontrait le plus fréquemment à Donnafugata, après le Guépard. Le lendemain de leurs découvertes dans l'énigmatique petit salon, les deux amoureux tombèrent sur une autre cravache, non dans un appartement inconnu, mais dans le plus vénéré de tous ; celui du Duc-Saint ; celui où, vers la moitié du XVIIIe siècle, un illustre Salina se retira comme en un couvent privé, pour y faire pénitence et y organiser à sa façon son itinéraire vers le ciel. Les pièces exiguës, aux plafonds bas, au sol d'humble terre battue, aux murs passés à la chaux blanche, évoquaient le logis d'un pauvre paysan. La dernière chambre s'ouvrait sur un balcon d'où l'on dominait l'étendue jaune des terres fuyant vers d'autres terres, baignant dans une lumière triste. Sur l'un des murs, un énorme crucifix, plus grand que nature : la tête du Dieu martyr touchait le plafond, ses pieds sanglants effleuraient le sol, la plaie du côté semblait une bouche que la violence aurait immobilisée avant qu'elle eût pu prononcer les suprêmes paroles de salut. A côté du cadavre divin, un fouet à manche court pendait à un clou ; six courroies de cuir maintenant durci se terminaient par six boules de plomb grosses comme des noisettes. C'était la « discipline » du Duc-Saint. En cet endroit, Joseph Corbera, duc de Salina, se fustigeait face à son Dieu et à son fief. Peut-être pensait-il que les gouttes de son sang, pleuvant sur ses propriétés, les rachèteraient. Il devait croire, dans sa pieuse exaltation, que seul ce baptême expiatoire pouvait les rendre vraiment siennes, sang de son sang, chair de sa chair. Et pourtant, les mottes de terre avaient échappé aux Salina ; nombre de celles que l'on voyait de cette fenêtre appartenaient aujourd'hui à d'autres – et notamment à don Calogero.

A don Calogero, c'est-à-dire à Angélique, c'est-à-dire à son fils futur, au fils de Tancrède. L'évidence de ce rachat par la beauté, renouvelant le rachat par le sang qui s'était effectué ici autrefois, donna à Tancrède une sorte de vertige. Angélique, agenouillée, baisait les pieds transpercés du Christ. Tancrède lui montra la discipline :

– Tu vois, cet engin c'est toi, vous avez la même fin.

Comme Angélique, ne comprenant pas, levait la tête pour lui sourire, belle mais sans expression, il s'inclina vers elle et lui donna un baiser sauvage qui lui blessa la lèvre, lui meurtrit le palais et la fit gémir.

Ainsi, les journées des deux jeunes gens se passaient en vagabondages extatiques, en découvertes infernales que l'amour venait racheter, en apparitions de paradis perdus que ce même amour profanait. Une hâte dangereuse les poussait tous deux à interrompre ce jeu de hasard pour en empocher le gain sans plus tarder : elle se faisait chaque jour plus aiguë, plus urgente. A la fin, ils ne cherchaient plus à se leurrer sur le but de leurs promenades, mais s'en allaient en silence vers les pièces les plus cachées, celles qui étouffaient tous les cris. D'ailleurs, aucun cri ne se ferait entendre, il n'y aurait que des invocations et des plaintes basses... Et pour finir, ils demeuraient immobiles, innocents, se serrant l'un contre l'autre, ayant pitié l'un de l'autre.

Les pièces les plus dangereuses pour eux étaient celles de l'ancienne *foresteria* : elles étaient éloignées de tout, mais mieux entretenues, chacune avec un beau lit au matelas roulé qu'un coup de poing pouvait étendre... Un jour, la décision surgit, non dans l'esprit de Tancrède, qui n'avait rien à dire en ces matières, mais dans tout son sang : il fallait en finir. Ce matin-là, Angélique, en charmante coquine qu'elle était, lui avait dit : « Je suis ta novice », lui rappelant ainsi, avec la clarté d'une invite, la première rencontre de leurs désirs. Déjà, toute décoiffée, la femme se rendait et s'offrait ; déjà le mâle allait vaincre l'homme quand le mugissement du gros bourdon de l'église tomba à pic sur leurs corps écrasés, ajoutant son frémissement aux leurs. Leurs bouches scellées durent se séparer pour un sourire. Ils se reprirent. Le lendemain, Tancrède partait.

Ce furent les plus beaux jours de leurs vies, par la suite si inégales, si impures sur l'inévitable fond de la douleur. Ils n'en savaient rien encore et se tournaient avec espoir vers un avenir plein de promesses concrètes, ce même avenir qui s'avérerait pétri de fumée et de vent. Quand ils furent devenus vieux et inutilement sages, leurs pensées revinrent à ces journées passées avec une insistante nostalgie. C'était le temps du désir toujours vivant, parce que toujours vaincu, le temps où s'offraient des lits innombrables que toujours ils repoussaient, le temps de la frénésie sensuelle qui, matée, se sublimait durant quelques secondes en renoncements, c'est-à-dire en véritable amour. Tel fut le prélude de leur mariage qui, même sur le plan érotique, devait être un échec. Mais ce prélude put constituer un ensemble indépendant, exquis et bref comme ces ouvertures qui survivent à des opéras oubliés, et qui contiennent sous forme d'ébauche, pleins de vitalité mais voilés de pudeur, les airs qui se développaient maladroitement dans l'œuvre même et devaient faire faillite.

Quand Tancrède et Angélique quittaient le monde des vices éteints, des vertus oubliées et du désir éternel pour revenir dans le monde des vivants, on les accueillait avec un air de bonhomie ironique.

– Vous êtes vraiment fous, mes enfants, d'aller vous couvrir ainsi de poussière. Mais regarde un peu dans quel état tu es, Tancrède ! disait don Fabrice en souriant.

Et son neveu s'allait faire donner un coup de brosse. Cavriaghi, à califourchon sur sa chaise, fumait avec componction un virginie et regardait son ami se laver le visage et le cou, tout en pestant à la vue de l'eau qui tournait au noir de charbon.

– Je ne dis pas le contraire, Falconeri, mademoiselle Angélique est la plus belle *tosa*[1] que j'aie jamais vue. Mais cela ne te justifie pas : que veux-tu, il faut avoir de bons freins ! Aujourd'hui, vous avez été seuls pendant trois heures ; si vous êtes tellement amoureux, mariez-vous vite, mais ne faites pas rire les gens. J'aurais voulu que tu voies le nez de son père, quand, en sortant des bureaux, il a compris que vous étiez encore en train de naviguer dans cet océan de pièces ! Des freins, cher ami, des freins, vous autres Siciliens vous n'en avez guère !

1. *Tosa* : fille, en lombard.

Il pontifiait, heureux d'infliger sa propre sagesse à un camarade plus âgé, au cousin de la « sourde » Concetta. Tancrède, tout en s'essuyant les cheveux, enrageait : on l'accusait de ne pas avoir de freins, lui qui en avait d'assez forts pour arrêter un train en pleine course ! D'un autre côté, l'ami bersaglier n'avait pas tout à fait tort : il fallait aussi penser aux apparences. Mais après tout, si Cavriaghi devenait moraliste, c'était par jalousie, parce qu'il était désormais évident que sa cour à Concetta n'aboutirait jamais. Et puis cette Angélique, quel goût suave avait son sang, tout à l'heure, quand il lui avait mordu l'intérieur de la lèvre ! Et quelle souplesse moelleuse quand il la serrait dans ses bras ! Mais c'était vrai : tout ceci était insensé. « Demain, nous irons visiter l'église, sous l'escorte de tous les pères Pirrone et de toutes les demoiselles Dombreuil qu'on voudra ! »

Pendant ce temps, Angélique allait changer de robe dans la chambre des jeunes filles.

– *Mais Angélique, est-il Dieu possible de se mettre dans un état pareil ?* s'indignait Mlle Dombreuil, tandis que la belle, en corset et en jupon, se lavait le visage et le cou.

L'eau froide calmait sa bouillante excitation, et elle devait bien convenir en elle-même que la gouvernante avait raison : cela valait-il vraiment la peine, de se fatiguer à ce point, de se couvrir de poussière, de faire sourire les gens, pour quoi, au fait ? Pour le plaisir de se sentir sous ce regard ; pour se laisser caresser par ces doigts minces, pas grand-chose d'autre... Et sa lèvre qui lui faisait encore mal... « Maintenant, en voilà assez, demain nous resterons au salon avec tout le monde. » Mais le lendemain, le regard en question recommençait ses sortilèges, et les deux jeunes gens reprenaient leur délirant jeu de cache-cache.

Ces projets de vertu, indépendants mais convergents, avaient un résultat paradoxal : le soir, à dîner, aucun convive n'était plus serein que les amoureux, soutenus par leurs bonnes résolutions illusoires. Ils faisaient de l'ironie sur le compte des autres, sur la plus minime de leurs manifestations amoureuses. Concetta avait déçu Tancrède : à Naples, il avait nourri à son sujet quelques remords, et s'il avait entraîné Cavriaghi jusqu'à Donnafugata, c'était dans l'espoir de trouver un remplaçant auprès de sa cousine. La compassion était l'une des formes que revêtait chez lui la prévoyance. Subtilement, mais gentiment, avec son habileté habituelle, il avait, à son arrivée, paru plaindre Concetta de l'abandon où il la laissait ; en même temps, il poussait son ami en avant. Rien à faire : elle dévidait son bavardage de collégienne tout en regardant le sentimental petit Comte de ses yeux froids, au fond desquels on pouvait déceler une nuance de mépris. Cette fille était une sotte : on n'en ferait jamais rien de bon. Que voulait-elle, au bout du compte ? Cavriaghi était un beau garçon, une bonne pâte, il avait un beau nom, de belles fermes dans la Brianza, il représentait ce que l'on appelle, d'un terme réfrigérant, un « beau parti ». Bien sûr, Concetta voulait Tancrède, n'est-ce pas ? Lui aussi, autrefois, il l'avait voulue. Elle était moins belle et beaucoup moins riche qu'Angélique, mais elle avait des qualités que la paysanne de Donnafugata ne posséderait jamais. Enfin, que diable, la vie est une chose sérieuse ! Concetta aurait dû le comprendre. Et puis, pourquoi s'était-elle mise à traiter son cousin aussi mal ? Cette scène, par exemple, durant la visite à Santo Spirito, et tant d'autres semblables... Le Guépard, eh oui, le Guépard... Mais il y a des limites, même pour cet animal orgueilleux et méchant. « Des freins, chère cousine, des freins ; vous autres Siciliennes, vous n'en avez guère ! »

Angélique, au fond de son cœur, donnait raison à Concetta. Cavriaghi manquait de sel, pensait-elle tout en regardant son verre de vin ; épouser Cavriaghi après avoir aimé Tancrède, c'était se condamner à boire de l'eau après avoir goûté de cet excellent marsala. Concetta, donc, on la comprenait, à cause de son passé. Mais pourquoi les deux autres petites sottes, Caroline et Catherine, regardaient-elles Cavriaghi avec des yeux de merlan frit, frétillant et fondant dès qu'il s'approchait d'elles ? Incroyable ! N'ayant pas de scrupules familiaux, Angélique ne comprenait pas pourquoi l'une des jeunes filles n'essayait pas d'enlever le Comte à Concetta. « A cet âge, les garçons sont comme de petits chiens, il suffit de les siffler, ils viennent tout de suite. Ces filles-là sont stupides : à force de précautions, d'interdits et d'orgueil, on voit bien comment elles finiront. »

Après le repas, les hommes se retiraient pour fumer dans le salon ; en réalité, Tancrède et Cavriaghi, les seuls fumeurs, se retrouvaient en tête à tête, et leur conversation prenait une tournure toute particulière.

Le petit Comte finit par confesser à son ami l'échec de ses espérances amoureuses :

– Elle est trop belle, trop pure pour moi ; elle ne m'aime pas ; j'ai été téméraire d'espérer, je m'en irai d'ici avec un poignard dans le cœur. Je n'ai pas même osé lui faire une proposition précise. Je sens que, pour elle, je suis un ver de terre, et c'est trop juste qu'il en soit ainsi ; c'est parmi les vers de terre que je trouverai celle qui voudra bien de moi.

Ses dix-neuf ans l'aidaient à rire de son aventure.

Tancrède, du haut de sa félicité assurée, essaya de le consoler :

– Tu sais, je connais Concetta depuis sa naissance, c'est la plus adorable des filles, un miroir de toutes les vertus. Mais elle est un peu renfermée, elle a trop de retenue, je crains même qu'elle ne se surestime un peu ; et puis, elle est sicilienne jusqu'à la moelle des os ; elle n'est jamais sortie d'ici ; qui sait si elle aurait été heureuse à Milan, dans cette ville infecte où, pour manger un plat de macaronis, il faut s'organiser une semaine à l'avance ?

La sortie de Tancrède était une des premières manifestations de l'unité nationale ; elle fit sourire Cavriaghi ; peines et douleurs ne faisaient au fond que glisser sur lui.

– Je lui en aurais procuré des caisses, moi, de vos macaronis ! De toute façon, ce qui est fait est fait. J'espère seulement que ton oncle et ta tante, qui ont été si gentils pour moi, ne m'en voudront pas d'être venu me fourrer parmi vous, sans réfléchir.

Tancrède le rassura, et sans arrière-pensée ; Cavriaghi avait plu à tous, Concetta exceptée (et peut-être après tout avait-il plu à Concetta), par cette bruyante bonne humeur qui s'unissait en lui au sentimentalisme le plus doux.

Puis l'on parla d'autre chose, c'est-à-dire d'Angélique.

– Tu vois, Falconeri, tu as vraiment de la chance, toi. Quand je pense que tu as déniché un joyau comme Angélique dans cette porcherie... (excuse-moi, mon vieux !). Qu'elle est belle, mon Dieu, qu'elle est belle ! quel scélérat tu es de la promener pendant des heures dans les coins les plus retirés de cette maison grande comme notre cathédrale ! Et puis, elle est aussi intelligente et cultivée ; et bonne : son adorable bonté et son ingénuité se lisent dans ses yeux.

Cavriaghi continua à s'extasier sur la bonté d'Angélique, sous le regard amusé de Tancrède.

– Dans tout cela, le seul qui soit vraiment bon, Cavriaghi, c'est toi.

La phrase glissa sur l'optimisme ambrosien sans être remarquée. Puis :

– Écoute, dans quelques jours nous allons partir : ne te semble-t-il pas que ce serait le moment d'aller présenter mes hommages à la mère de la petite baronne ?

C'était la première fois que Tancrède entendait une voix lombarde accorder à sa belle un titre de noblesse. D'abord, il ne comprit pas, puis le Prince, en lui, se rebella :

– Qu'est-ce que tu me racontes, Cavriaghi ? c'est une belle et sympathique fille que j'aime, rien de plus.

Qu'Angélique ne fût « rien de plus » était inexact ; pourtant Tancrède parlait avec sincérité : ataviquement habitué à posséder de vastes propriétés, il lui semblait que Gibildolce, Settesoli et les sacs d'argent lui appartenaient depuis le temps de Charles d'Anjou, depuis toujours.

– Désolé, mais je crois que tu ne pourras voir la mère d'Angélique : elle part demain pour Sciacca où elle doit faire une cure thermale ; elle est très malade, la pauvre.

Il écrasa dans le cendrier ce qui restait de son virginie.

– Allons au salon, nous avons assez joué les ours.

C'est au cours d'une de ces journées de novembre que don Fabrice reçut une lettre du préfet de Girgenti, rédigée en des termes extrêmement courtois, et lui annonçant l'arrivée à Donnafugata du chevalier Aymon Chevalley de Monterzuolo, secrétaire de la préfecture, qui l'entretiendrait d'une affaire chère au gouvernement. Don Fabrice, surpris, expédia le lendemain son fils François-Paul au relais de poste pour recevoir le *missus dominicus* et l'inviter au palais. Les lois de l'hospitalité autant que la miséricorde commandaient de ne pas abandonner le corps du noble Piémontais aux mille petites bêtes féroces qui l'auraient torturé dans l'auberge-repaire du père Menico.

La malle-poste arriva à la tombée de la nuit, avec son garde armé sur le siège et son petit chargement de visages renfrognés. Chevalley de Monterzuolo en descendit, facilement reconnaissable à son aspect terrifié et à son sourire contraint. Il se trouvait en Sicile depuis un mois, et dans la partie la plus vaillamment indigène de l'île. On l'y avait expédié tout droit de sa petite propriété du Montferrat. De nature timide, bureaucrate par hérédité, il se sentait très mal à l'aise. On lui avait fourré dans la tête ces fameuses histoires de brigands, par lesquelles les Siciliens mettent à l'épreuve la résistance nerveuse des nouveaux arrivants ; depuis un mois, chacun des huissiers de la préfecture lui semblait un sicaire et le moindre coupe-papier sur sa table prenait des allures de poignard. Pour comble, la cuisine à l'huile avait bouleversé complètement son système digestif. Il se tenait maintenant immobile, dans le crépuscule, avec sa petite valise de toile grise, et lorgnait l'endroit aussi peu avenant que possible où on l'avait déposé. L'inscription *cours Victor-Emmanuel*, tracée en caractère bleu sur fond blanc, décorait bien devant lui le mur d'une maison en ruine, mais cela ne suffisait pas pour le convaincre qu'il se trouvait en somme dans une des provinces de son pays. Il n'osait s'adresser aux paysans qui se tenaient adossés aux maisons comme des cariatides, sûr qu'il n'en serait pas compris. Il craignait de recevoir un coup de couteau gratuit dans cette panse qui lui était chère, en dépit des souffrances qu'elle lui causait.

Quand François-Paul s'approcha de lui en se présentant, il écarquilla les yeux, se croyant perdu ; mais l'aspect calme et honnête de ce garçon blond le rassura un peu ; et quand il comprit qu'on venait de la maison Salina pour l'inviter à y loger, il fut agréablement surpris et soulagé.

Le parcours dans le noir, jusqu'au palais, fut égayé par de continuelles escarmouches entre la courtoisie piémontaise et la courtoisie sicilienne (les deux plus pointilleuses de toute l'Italie) à propos de la valise, que les chevaleresques adversaires portèrent finalement à deux, malgré sa légèreté. Quand il arriva au palais, les visages barbus des gardes, qui se tenaient en armes dans la première cour, troublèrent de nouveau l'âme de Chevalley ; l'accueil débonnairement distant du Prince, le faste évident des pièces qu'il traversait le précipitèrent dans des sensations opposées. Rejeton d'une de ces familles de la petite noblesse piémontaise qui vivent dans une digne pauvreté sur leurs terres, c'était la première fois que Chevalley était l'hôte d'une grande maison, et sa timidité en était redoublée. Les anecdotes sanglantes qu'on lui avait racontées à Girgenti, l'aspect arrogant du pays où il était arrivé, et les « coupe-jarrets » (comme il les appelait) campés dans la cour le faisaient frémir d'épouvante. Pendant qu'il descendait pour le dîner, il était torturé des craintes contradictoires de l'homme modeste qui se trouve dans un milieu supérieur au sien, et de l'innocent tombé dans un guet-apens.

Ce fut son premier bon repas depuis qu'il avait mis le pied sur le rivage sicilien. La grâce avenante des jeunes filles, l'austérité du père Pirrone et les grandes manières de don Fabrice le convainquirent que le palais de Donnafugata n'était pas l'antre du bandit Capraro et qu'il avait toute chance d'en ressortir vivant. Il se sentit surtout réconforté par la présence de Cavriaghi, lequel, ainsi qu'il l'apprit, habitait là depuis dix jours et n'en avait pas moins l'air de se porter à merveille. Le Comte était également l'ami du jeune Falconeri, et ce rapprochement entre un Sicilien et un Lombard sembla à Chevalley miraculeux. A la fin du repas, il s'approcha de don Fabrice et le pria de bien vouloir lui accorder un entretien privé ; il avait en effet l'intention de repartir dès le lendemain matin ; mais le Prince lui écrasa l'épaule d'un grand coup de patte et dit, avec son sourire le plus guépardien :

– Il n'en est pas question, mon cher chevalier, vous êtes chez moi et je vous retiendrai en otage tant que cela me plaira ; vous ne partirez pas demain, et pour en être plus sûr, je me priverai jusqu'à l'après-midi du plaisir de parler avec vous en tête à tête.

Cette phrase, qui aurait terrorisé l'excellent secrétaire trois heures auparavant, le réjouit au contraire. Angélique était absente ce soir-là. On joua donc au *whist* : Chevalley fit plusieurs parties avec don Fabrice, Tancrède et le père Pirrone ; il gagna deux *rubbers*, ce qui lui rapporta trois lires trente-cinq. Après quoi, il se retira dans sa chambre, apprécia la fraîcheur des draps et s'endormit du sommeil confiant du juste.

Le lendemain, Tancrède et Cavriaghi lui firent visiter le jardin, lui firent admirer la galerie de tableaux et la collection de tapisseries. Ils le conduisirent aussi dans le bourg qui, sous le soleil couleur de miel de ce mois de novembre, semblait moins sinistre que la veille ; on rencontra même quelques sourires. Chevalley de Monterzuolo commençait à se rassurer au sujet de la Sicile rustique. Tancrède, le remarquant, fut immédiatement assailli par cette singulière démangeaison qui chatouille les gens de l'île, toujours prêts à raconter aux étrangers des histoires effroyables et malheureusement toujours authentiques. On passait devant un amusant palais à la façade ornée de bossages maladroits.

– Ceci, cher Chevalley, est la demeure du baron Mutolo ; elle est actuellement vide, car la famille vit à Girgenti depuis que le fils du baron, il y a dix ans de cela, fut séquestré par les brigands.

Le Piémontais frémit :

– Les pauvres, qui sait la somme qu'ils ont dû payer pour le libérer !

– Non, ils n'ont rien payé ; ils se trouvaient déjà en

difficulté, ils étaient privés d'argent comptant, comme tout le monde chez nous. Mais on leur rendit quand même le garçon, en plusieurs versements, il est vrai.

– Comment donc ? que voulez-vous dire, Prince ?

– Je dis bien, en plusieurs versements : morceau par morceau. D'abord arriva l'index de la main droite. Au bout d'une semaine, le pied gauche ; et enfin, dans un beau panier, sous une couche de figues (on était au mois d'août), la tête. Il avait les yeux écarquillés et du sang caillé aux commissures des lèvres. Je ne l'ai pas vu, j'étais trop petit ; mais on m'a dit que le spectacle n'était pas beau. On avait laissé le panier sur cette marche que vous voyez là ; il avait été déposé par une vieille, couverte d'un châle noir, paraît-il. Personne ne la connaissait.

Les yeux de Chevalley se figèrent d'horreur ; il avait déjà entendu ce récit ; mais c'était bien autre chose de voir maintenant, sous ce beau soleil, la marche où l'on avait déposé cette offrande bizarre. Son âme de fonctionnaire le secourut :

– Quelle police lamentable avaient donc ces Bourbons ! Bientôt, nos carabiniers arriveront et tout cela cessera.

– Sans aucun doute, Chevalley, sans aucun doute.

Ensuite, ils passèrent devant le cercle civil qui, à l'ombre des platanes, exhibait sa collection quotidienne de chaises en fer et d'hommes en deuil. Saluts, sourires.

– Regardez-les bien, Chevalley, imprimez cette scène dans votre mémoire. Deux fois par an, un de ces messieurs est cloué raide mort sur sa chaise par un coup de fusil qui a éclaté dans la lumière incertaine du crépuscule, et personne ne sait jamais d'où il est parti.

Chevalley éprouva le besoin de s'appuyer au bras de Cavriaghi, pour sentir près de lui un peu de sang septentrional.

Peu après, en haut d'une petite rue descendant sous des festons multicolores de caleçons qui séchaient, on entrevit une église ingénument baroque.

– C'est Sainte-Nymphe. Le curé, il y a cinq ans de cela, y a été tué pendant qu'il disait la messe.

– Des coups de feu dans une église ! Quelle horreur !

– Vous n'y êtes pas du tout, Chevalley. Nous sommes trop bons catholiques pour commettre de semblables sacrilèges : on avait simplement mis un peu de poison dans le vin de messe, c'est plus discret, je dirai même plus liturgique. On n'a jamais su qui l'a fait ; le curé, une excellente personne, n'avait aucun ennemi.

Comme un homme qui se réveille au milieu de la nuit, voit un spectre assis au pied de son lit, sur ses chaussettes, et pour échapper à la terreur s'efforce de croire à une bonne farce d'amis plaisantins, Chevalley préféra penser qu'on se moquait de lui :

– Très drôle, Prince, très drôle ! vous devriez écrire des romans : vous racontez toutes ces anecdotes d'une façon merveilleuse.

Mais sa voix tremblait ; Tancrède se sentit plein de compassion et bien que leur chemin passât devant trois ou quatre endroits aussi évocateurs pour le moins, il s'abstint d'en faire la chronique et parla de Bellini, de Verdi, éternelles pommades curatives des plaies nationales.

A quatre heures de l'après-midi, le Prince fit dire à Chevalley qu'il l'attendait dans son bureau. C'était une petite pièce aux murs ornés de trophées de chasse empaillés et soigneusement conservés sous verre en raison de leur rareté : des perdrix grises à pattes rouges. L'un des murs était ennobli par une bibliothèque haute et étroite, bourrée d'anciens numéros de revues de mathématiques. Derrière le grand fauteuil destiné aux visiteurs, le mur était constellé de miniatures de famille : le père de don Fabrice, le prince Paul, peau sombre, lèvres sensuelles, tel un Sarrasin, dans son uniforme de cour noir, coupé en diagonale par le cordon de saint Janvier ; la princesse Caroline, déjà veuve, avec ses cheveux blonds relevés en forme de tour et ses sévères yeux bleus ; la sœur du Prince, Julia, princesse Falconeri, assise sur un banc au milieu d'un jardin, avec à sa droite, par terre, la tache amarante d'une petite ombrelle ouverte et à sa gauche la tache jaune d'un Tancrède de trois ans qui lui tendait des fleurs sauvages (cette miniature-là, don Fabrice l'avait fourrée en cachette dans sa poche, pendant que les huissiers inventoriaient le mobilier de la villa Falconeri). En dessous, Paul, son fils aîné, en culottes collantes de peau blanche, se préparait à monter sur un cheval arrogant, au cou arqué, aux yeux étincelants ; puis des oncles et tantes divers, difficiles à identifier, exhibant d'énormes bijoux ou montrant du doigt, dolents, le buste d'un cher défunt. Au centre de la constellation, en guise d'étoile polaire, se détachait une miniature de plus vastes proportions : c'était don Fabrice lui-même, âgé d'une vingtaine d'années ; sa jeune épouse avait appuyé la tête sur la vaste épaule du Prince en un geste de complet abandon amoureux ; elle était brune ; lui, tout rose dans l'uniforme bleu et argent des gardes du corps royaux, son visage encadré par le duvet juvénile de ses favoris très blonds, souriait avec complaisance.

A peine assis, Chevalley exposa la mission dont il était chargé :

– Après l'heureuse annexion, je veux dire après l'union bienvenue de la Sicile au royaume de Sardaigne, l'intention du gouvernement de Turin est de nommer quelques illustres Siciliens sénateurs du royaume. Les autorités provinciales ont été chargées de rédiger une liste de personnalités qu'elles proposeront à l'examen du gouvernement central, et, éventuellement, à la nomination royale. Comme il était normal, nous avons immédiatement pensé à vous, Prince : votre nom est illustre par son ancienneté, par le prestige personnel de celui qui le porte aujourd'hui, par ses mérites scientifiques, par l'attitude pleine de dignité et de libéralisme qui fut la sienne au cours des derniers événements.

Ce petit discours avait été préparé depuis longtemps ; il avait même fait l'objet de notes succinctes tracées au crayon sur un carnet qui maintenant reposait dans la poche postérieure du pantalon de Chevalley. Don Fabrice, cependant, ne semblait pas avoir entendu : ses paupières pesantes laissaient à peine entrevoir son regard. Immobile, sa patte aux poils blonds recouvrait entièrement une coupole de Saint-Pierre, en albâtre, qui se trouvait sur la table.

Habitué désormais à la sournoiserie des loquaces Siciliens chaque fois qu'on leur fait une proposition, Chevalley ne se laissa pas démonter.

– Avant d'envoyer la liste à Turin, mes supérieurs ont cru devoir vous informer vous-même, et vous demander si cette proposition vous agréait. L'objet de ma mission était d'obtenir votre assentiment, que le gouvernement souhaite beaucoup ; cette mission m'a d'ailleurs valu l'honneur et le plaisir de vous connaître ainsi que votre famille, de voir ce magnifique palais et cette pittoresque cité de Donnafugata.

Les louanges coulaient sur le Prince comme de l'eau sur des feuilles de nénuphar : c'est un des avantages dont jouissent les hommes orgueilleux quand ils sont habitués à leur orgueil.

« Ce type s'imagine qu'il est venu me faire un grand honneur, pensait-il, à moi qui suis ce que je suis, entre autres, pair du royaume de Sicile, ce qui doit bien valoir un sénateur. Il est vrai qu'il convient d'évaluer les dons en fonction de qui les offre. Un paysan qui me donne un morceau de fromage de brebis me fait un plus grand cadeau que le prince de Lascari quand il m'invite à sa table ; l'ennui c'est que le fromage de brebis me donne la nausée. Ainsi il ne me reste, pour payer le donateur, que la gratitude de mon cœur, qui ne se voit pas, et mon nez froncé de dégoût, qui par malheur se voit trop. »

Les idées de don Fabrice en fait de sénat étaient des plus vagues : malgré tous ses efforts, elles le ramenaient toujours au sénat romain ; au sénateur Papirius qui brisait une baguette sur la tête d'un Gaulois mal élevé ; au cheval Incitatus que Caligula avait fait sénateur, honneur que même Paul Salina aurait trouvé excessif. Une phrase familière du père Pirrone se présentait avec insistance à sa mémoire : *Senatores boni viri, senatus autem mala bestia.* Il y avait aussi le sénat de l'Empire à Paris, mais ce n'était qu'une assemblée de profiteurs dotés de grosses indemnités. Il y avait même (il y avait eu) le sénat de Palerme, mais ce n'était qu'un comité d'administrateurs civils, et quels administrateurs ! Bien petite chose pour un Salina. Il voulut s'informer.

– En somme, Chevalley, expliquez-moi un peu ce qu'est vraiment un sénat : la presse de la monarchie défunte ne laissait filtrer aucune information sur le système constitutionnel des autres États italiens, et un séjour d'une semaine à Turin, il y a deux ans, n'a pas été suffisant pour m'éclairer là-dessus. Qu'est-ce que c'est qu'un sénateur ? un simple titre honorifique ? une espèce de décoration ? ou bien faut-il remplir des fonctions législatives ? délibératives ?

Le Piémontais, représentant du seul État libéral d'Italie, se cabra :

– Mais, Prince, le sénat est la haute chambre du royaume ! c'est là que la fine fleur des hommes politiques italiens, choisis par la sagesse du souverain, examine, discute, approuve, ou repousse les lois que le gouvernement propose pour le progrès du pays ; il fait à la fois office d'éperon et de brides ! il incite à bien faire, il empêche de commettre des excès. Quand vous aurez accepté d'y entrer, vous y représenterez la Sicile, comme les députés élus ; vous ferez entendre la voix de cette terre magnifique qui maintenant voit s'ouvrir devant elle les horizons du monde moderne, qui a tant de plaies à soigner, tant de justes désirs à satisfaire.

Chevalley aurait peut-être continué longtemps sur le même ton, si Bendicò, derrière la porte, n'avait demandé à la « sagesse du souverain » son admission dans le bureau. Don Fabrice fit mine de se lever mais assez mollement pour donner au Piémontais le temps d'ouvrir lui-même. Bendicò flaira méticuleusement les pantalons de Chevalley, puis, convaincu qu'il avait affaire à un brave homme, se coucha sous la fenêtre et s'endormit.

– Écoutez-moi, Chevalley. S'il s'agissait d'une marque d'honneur, d'un simple titre que l'on fait graver sur sa carte de visite, sans plus, je serais heureux d'accepter ! Je trouve qu'en ce moment décisif pour le futur État italien, tout le monde a le devoir de donner son adhésion, afin d'éviter toute apparence de fêlure ; les États étrangers nous regardent avec une crainte et une espérance qui se révéleront injustifiées, mais qui n'en existent pas moins.

– Mais alors, Prince, pourquoi ne pas accepter ?

– Soyez patient, Chevalley, je vais vous expliquer cela. Nous autres Siciliens, une très longue suite de gouvernants qui n'appartenaient pas à notre religion, qui ne parlaient pas notre langue, nous a habitués à couper les cheveux en quatre. C'était la seule façon d'échapper aux exacteurs byzantins, aux émirs berbères, aux vice-rois espagnols. Maintenant, le pli est pris, nous sommes entraînés. J'ai dit « adhésion », non « participation ». Au cours de ces six derniers mois, depuis que votre Garibaldi a mis le pied à Marsala, on a trop agi sans nous consulter pour que l'on puisse demander à un membre de la vieille classe dirigeante de développer l'entreprise et de la mener à bonne fin. Si ce que l'on a fait est bon ou mauvais, je n'ai pas l'intention d'en discuter ; pour mon compte, je crois que beaucoup de nouveautés ont été malheureuses ; mais je vais vous dire immédiatement ce que vous comprendrez tout seul quand vous aurez passé un an parmi nous. En Sicile, peu importe que l'on agisse bien ou mal : le seul péché que nous ne pardonnions pas, nous autres Siciliens, c'est tout simplement l'*action.* Nous sommes vieux, Chevalley, terriblement vieux. Il y a au moins vingt-cinq siècles que nous portons sur nos épaules le poids de civilisations magnifiques, toutes venues de l'extérieur ; aucune n'a germé chez nous, nous n'avons donné le *la* à aucune. Nous sommes des Blancs autant que vous, Chevalley, autant que la reine d'Angleterre, et pourtant depuis deux mille cinq cents ans, nous sommes une colonie. Je ne le dis pas pour me plaindre : c'est notre faute. Mais nous n'en sommes pas moins las et vides.

Chevalley était troublé :

– De toute façon, ceci est bien fini ; la Sicile n'est plus désormais une terre conquise, mais une libre partie d'un État libre.

– L'intention est bonne, Chevalley, mais tardive. Du reste, je vous ai déjà dit que c'est pour une large part notre faute. Vous me parliez, il y a peu, d'une jeune Sicile à qui sont enfin offertes les merveilles du monde moderne : pour mon compte, je vois plutôt une centenaire, poussée dans une voiture d'infirme à travers l'exposition universelle de Londres, qui ne comprend rien, qui se soucie des aciéries de Sheffield ou des filatures de Manchester comme d'une guigne, et qui aspire seulement à retrouver son engourdissement, ses oreillers mouillés de bave et le pot de chambre sous son lit.

Sa voix ne montait pas encore, mais sa main se serrait autour de la coupole de Saint-Pierre ; plus tard, on découvrit que la croix minuscule surmontant l'édifice avait été brisée.

– Le sommeil, cher Chevalley, le sommeil, voilà ce que veulent les Siciliens, et ils haïront toujours celui qui voudra les réveiller, fût-ce pour leur apporter les plus beaux cadeaux. Soit dit entre nous, je doute fort que le nouveau régime ait beaucoup de cadeaux pour nous dans ses bagages. Toutes les manifestations siciliennes sont des manifestations oniriques, même les plus violentes : notre sensualité – c'est le désir de l'oubli ; les coups de feu et les coups de couteau – le désir de la mort ; notre paresse – le désir d'une immobilité voluptueuse : une autre forme du désir de mort, comme nos sorbets à la scorsonère et à la cannelle. Quand on nous voit méditatifs, on contemple le néant penché sur les énigmes du nirvâna. De là l'insolent pouvoir qu'ont chez nous certaines personnes : celles qui ouvrent un œil ; de là ce fameux retard d'un siècle que présentent en Sicile toutes les manifestations artistiques et intellectuelles. Les nouveautés ne nous intéressent que déjà mortes, incapables de créer un quelconque courant de vie. De là cet étrange phénomène : la formation, aujourd'hui, de mythes qui seraient vénérables s'ils étaient vraiment antiques, mais qui sont seulement de sinistres tentatives pour nous replonger dans un passé d'autant plus attirant pour nous qu'il est en réalité mort.

Le bon Chevalley n'avait pas tout compris ; cette dernière phrase surtout lui semblait obscure : il avait vu des charrettes multicolores tirées par des chevaux empanachés, il avait entendu parler de théâtres de marionnettes héroïques, mais il croyait qu'il s'agissait d'anciennes et authentiques traditions. Il s'écria :

– Mais ne croyez-vous pas que vous exagérez un peu, Prince ? J'ai moi-même connu à Turin des Siciliens émigrés, comme Crispi, par exemple ; ils m'ont semblé tout autre chose que des endormis.

Le Prince s'impatienta :

– Nous sommes assez nombreux pour qu'il y ait des exceptions ; j'ai d'ailleurs fait allusion à ceux qui ne dorment que d'un œil. Quant au jeune Crispi, vous pourrez juger plus tard, quand je n'y serai plus, s'il retombe ou non dans notre voluptueuse torpeur, sur ses vieux jours. Tout le monde, chez nous, en passe par là. D'ailleurs, je vois bien que je me suis mal fait comprendre : j'ai dit les Siciliens, je devrais ajouter la Sicile, l'atmosphère, le climat, le paysage siciliens. Ce sont ces forces-là qui ont forgé notre âme, au même titre et plus peut-être que les dominations étrangères et les stupres incongrus : ce paysage qui ignore le juste milieu entre la mollesse lascive et la sécheresse infernale ; qui n'est jamais mesquin, banal, prolixe, comme il convient au séjour d'êtres rationnels ; ce pays qui à quelques milles de distance étale l'horreur de Randazzo et la beauté de Taormine ; ce climat qui nous inflige six mois de fièvre à 40 degrés : comptez, Chevalley, comptez – mai, juin, juillet, août, septembre, octobre, six fois trente jours de soleil vertical sur nos têtes, cet été long et sombre comme un hiver russe, encore plus dur à supporter... Vous ne le savez pas encore, mais on peut dire que chez nous il neige du feu, comme sur les villes maudites de la Bible. Durant ces mois-là, un Sicilien qui travaillerait sérieusement dépenserait l'énergie nécessaire à trois personnes. Et puis l'eau, l'eau introuvable, ou qu'il faut transporter de si loin que chaque goutte se paye par une goutte de sueur. Et puis les pluies, toujours impétueuses, qui rendent fous les torrents desséchés, qui noient bêtes et gens là où, deux semaines plus tôt, les unes et les autres crevaient de soif. Cette violence du paysage, cette cruauté du climat, cette tension perpétuelle de tout ce que l'on voit, ces monuments du passé, magnifiques mais incompréhensibles, parce qu'ils sont construits par d'autres et se dressent autour de nous comme des fantômes grandioses et muets ; tous ces gouvernements débarquant en armes d'on ne sait où, immédiatement servis et détestés, toujours incompris, ne se manifestant que par des œuvres d'art énigmatiques pour nous et par des impôts qui vont grossir ailleurs des caisses étrangères ; tout cela, oui, tout cela a formé notre caractère, qui reste ainsi conditionné par les fatalités extérieures autant que par une terrifiante insularité.

L'enfer idéologique évoqué dans ce petit bureau démonta Chevalley plus encore que le choix de récits sanglants du matin. Il voulut placer un mot, mais don Fabrice était désormais trop excité pour écouter.

– Je ne dis pas que quelques Siciliens transportés hors de l'île ne puissent échapper à cette sorcellerie : mais il faut les faire partir jeunes, très jeunes ; à vingt ans, c'est déjà trop tard ; l'écorce est faite ; ils sont désormais convaincus que leur pays ressemble à tous les autres, mais qu'on le calomnie de façon scélérate ; que la normalité se rencontre chez eux, l'étrangeté ailleurs... Excusez-moi, Chevalley, je me suis laissé entraîner et j'ai dû vous ennuyer. Vous n'êtes pas venu ici pour entendre Ézéchiel se lamenter sur les malheurs d'Israël. Revenons au sujet de notre conversation : j'ai beaucoup de reconnaissance envers le gouvernement qui a pensé à moi pour le sénat, et je vous prie de lui exprimer ma sincère gratitude ; mais je ne peux accepter. Je suis un représentant de la vieille classe, inévitablement compromis avec le régime bourbonien, et lié à celui-ci par les liens de la décence, sinon de l'affection. J'appartiens à une génération malchanceuse, en équilibre instable entre les temps anciens et modernes, et qui se sent mal à l'aise ici et là. De plus, comme vous l'avez sûrement remarqué, je suis un homme sans illusions. Que ferait donc le sénat d'un législateur inexpert, à qui manque la faculté de se leurrer lui-même, faculté essentielle pour qui veut guider les autres ? Les gens de notre génération doivent se retirer dans leur coin, pour regarder les culbutes et les cabrioles des jeunes autour de ce catafalque pompeux. Vous avez besoin précisément de jeunes, de jeunes dégourdis, dont l'esprit soit ouvert au « pourquoi » et au « comment » des choses, habiles à masquer, je veux dire à tempérer, leur intérêt particulier derrière de vagues idéaux publics.

Il se tut, cessa de tripoter la coupole de Saint-Pierre. Et il continua :

– Puis-je me permettre de vous donner un conseil ? vous le transmettrez à vos supérieurs.

– Cela va sans dire, Prince, il sera certainement écouté avec une grande considération ; mais je veux encore espérer qu'au lieu d'un conseil, vous voudrez bien me donner un accord ?

– Je voudrais suggérer un nom pour le sénat : celui de Calogero Sedara. Il a plus de mérites que moi pour y siéger : sa maison, à ce que l'on m'a dit, est antique, ou finira par le devenir ; plus que de prestige, de ce que vous appelez prestige, il est doué de puissance. En l'absence de mérites scientifiques, il a des mérites pratiques tout à fait exceptionnels. Son attitude pendant la crise de mai fut non seulement irréprochable mais des plus efficaces ; quant aux illusions, je ne crois pas qu'il en ait plus que moi, mais il est assez malin pour s'en créer quand cela lui est nécessaire. Voilà l'homme qu'il vous faut. Mais vous devez agir vite ; à ce que j'ai entendu dire, il compte poser sa candidature à la chambre des députés.

On avait beaucoup parlé de Sedara à la préfecture, on connaissait ses activités de maire et de simple particulier. Le pauvre Chevalley sursauta. Il était honnête, son estime pour les chambres législatives était égale à la pureté de ses intentions. Pour toutes ces raisons il crut opportun de ne pas souffler mot, et il fit bien : dix ans plus tard, en effet, l'excellent don Calogero devait endosser le *laticlave*[1]. Au demeurant, bien qu'honnête, Chevalley n'était pas stupide : s'il manquait de cette promptitude d'esprit qu'on appelle intelligence en Sicile, il se rendait compte des choses avec une lente solidité. Et puis, il n'avait pas

1. *Laticlave* : bande de pourpre, et par extension robe des sénateurs romains.

cette imperméabilité aux malheurs d'autrui qui est le propre des Méridionaux. Il comprit l'amertume et le découragement de don Fabrice ; il revit en une seconde les spectacles de misère, d'abjection, de noire indifférence, dont il avait été témoin depuis un mois. Quelques heures plus tôt, il avait envié l'opulence, la distinction des Salina ; maintenant il pensait avec tendresse à sa petite vigne, à son Monterzuolo, près de Casale, laid, médiocre, mais serein et vivant. Et il eut pitié du Prince autant que des enfants aux pieds nus, des femmes accablées par la malaria, des victimes sans innocence dont les listes, chaque matin, arrivaient dans son bureau. Tous étaient égaux, à y bien réfléchir ; tous étaient compagnons de malheur, tous étaient exilés au fond du même puits.

Il voulut faire un dernier effort. Il se leva et l'émotion conféra à sa voix un accent pathétique :

– Prince, est-il vraiment possible que vous refusiez de rien faire pour tenter de remédier à l'état de pauvreté matérielle, d'aveugle misère morale, dans lequel se trouve votre peuple ? On arrive à vaincre un climat, le souvenir des mauvais gouvernements passés s'efface. Les Siciliens voudront améliorer leurs conditions de vie. Si les hommes honnêtes se récusent, la route restera libre pour les gens sans scrupules, les gens aux vues courtes, les Sedara, et tout retournera en l'ancien état, pendant une suite de siècles. Écoutez votre conscience, Prince, et non les orgueilleuses vérités que vous venez de me dire. Collaborez.

Don Fabrice lui sourit, le prit par la main, le fit asseoir à ses côtés sur le divan.

– Vous êtes un gentilhomme, Chevalley, j'estime que c'est une chance pour moi de vous avoir connu. Vous avez raison en tout ; vous vous êtes trompé seulement sur un point : quand vous avez dit que les Siciliens voudraient améliorer leurs conditions de vie. Je vais vous raconter une anecdote personnelle. Deux ou trois jours avant l'arrivée de Garibaldi à Palerme, on me présenta quelques officiers de marine anglais, en service sur les navires qui mouillaient en rade, dans l'attente des événements. Ils avaient appris, je ne sais comment, que je possédais une maison sur le rivage, avec un toit en terrasse d'où l'on peut voir le cercle des montagnes autour de la ville. Ils demandèrent à visiter la maison, à venir regarder cette campagne dans laquelle, disait-on, les garibaldiens progressaient, et dont ils ne s'étaient pas fait une idée très claire, sur leur navire. En fait, Garibaldi était déjà à Gibilrossa. Ils arrivèrent à la maison, je les accompagnai en haut. C'étaient des jeunes gens ingénus, malgré leurs favoris rougeâtres. Ils tombèrent en extase devant le panorama, devant l'impétuosité de la lumière. Ils avouèrent pourtant qu'ils avaient été pétrifiés de surprise devant l'aspect désolé, la vétusté, la saleté des rues qui menaient chez moi. Je leur expliquai que ceci dérivait de cela, comme j'ai essayé de le faire tout à l'heure. L'un d'eux me demanda ensuite ce que diable venaient faire en Sicile les volontaires italiens. « *They are coming to teach us good manners*, répondis-je. *But they won't succeed, because we are gods.* » Je crois qu'ils ne comprirent pas, mais ils rirent et s'en allèrent. C'est également la réponse que je voudrais vous faire, cher Chevalley. Les Siciliens ne voudront jamais s'améliorer, pour la simple raison qu'ils se croient parfaits : leur vanité est plus forte que leur misère ; toute intromission de personnes étrangères aux choses siciliennes, soit par leur origine, soit par leur pensée (par l'indépendance de leur esprit), bouleverse notre rêve de perfection accomplie, dérange notre complaisante attente du néant ; piétinés par une dizaine de peuples différents, les Siciliens croient qu'un passé impérial leur donne droit à de somptueuses funérailles. Pensez-vous, Chevalley, être le premier à espérer conduire la Sicile dans le courant de l'histoire universelle ? Qui sait combien d'imans musulmans, combien de chevaliers du roi Roger, combien de scribes des Souabes, combien de barons d'Anjou, combien de légistes du Roi catholique ont conçu la même admirable folie ? Et combien de vice-rois espagnols, combien de fonctionnaires réformateurs de Charles III ? Qui se rappelle encore leur nom ? La Sicile a choisi de dormir, malgré leurs invocations ; pourquoi donc les aurait-elle écoutés, si elle est riche, si elle est sage, si elle est civilisée, si elle est honnête, si elle est admirée et enviée de tous, si, en un mot, elle est parfaite ?

« On dit parfois chez nous, en hommage à ce qu'ont écrit Proudhon et un petit juif allemand dont j'ai oublié le nom, que le responsable de cet état de choses désolant, ici et ailleurs, c'est la féodalité, c'est-à-dire moi, en quelque sorte. Mais la féodalité a partout existé, ainsi que les invasions étrangères. Je ne crois pas que vos ancêtres, Chevalley, ou les *squires* anglais, ou les seigneurs français, aient gouverné mieux que les Salina. Les résultats n'en sont pas moins différents. A l'origine, il y a le sentiment de supériorité qui brille dans tout œil sicilien, sentiment que nous baptisons fierté, et qui n'est qu'aveuglement. Pour l'instant, et pour longtemps, il n'y a rien à faire. Je suis désolé, mais dans le domaine politique je ne lèverai pas le petit doigt. On me le mordrait. Voilà des paroles qu'on ne peut prononcer devant des Siciliens. Moi-même, je l'aurais mal pris, si vous m'aviez tenu de semblables propos. Il est tard, Chevalley : il faut aller nous habiller pour le dîner. Je dois, pendant quelques heures, jouer mon rôle d'homme civilisé.

Chevalley repartit le lendemain matin de bonne heure. Don Fabrice, qui allait à la chasse, l'accompagna jusqu'au relais de poste. Don Ciccio Tumeo était à leurs côtés, portant sur ses épaules le double poids de son fusil et du fusil du Prince, avec, au fond de lui-même, la bile de ses vertus outragées.

Donnafugata, entrevue à la livide clarté de l'aube, était déserte, désespérée. Devant chaque habitation, les déchets de misérables repas s'accumulaient contre les murs lépreux ; des chiens tremblants les retournaient avec une avidité toujours déçue. Quelques portes étaient déjà ouvertes, et la puanteur des dormeurs entassés débordait jusque dans la rue. A la lueur des lumignons, les mères scrutaient les paupières trachomateuses de leurs enfants : elles étaient presque toutes en deuil, plusieurs avaient été les femmes de ces pantins sur lesquels on trébuche aux détours des chemins. Des hommes, empoignant leur pioche, partaient à la recherche de qui leur donnerait du travail, si Dieu voulait. Silence atone. Cris stridents et exaspérés de voix hystériques. Du côté de Santo Spirito, l'aube d'étain bavait sur les nuages de plomb.

Chevalley pensait : « Cet état de choses ne durera pas ; notre administration nouvelle, active, moderne, changera tout cela. »

Le Prince se sentait découragé : « Tout cela ne devrait pas durer ; pourtant cela durera toujours ; le toujours humain, bien entendu, un siècle, deux siècles ; après quoi, ce sera différent, mais pire. Nous fûmes les Guépards, les Lions : ceux qui nous succéderont seront les Chacals, les Hyènes. Et tous tant que nous sommes, Guépards, Chacals, Brebis, nous continuerons à nous considérer comme le sel de la terre. »

Ils se remercièrent mutuellement, se saluèrent. Chevalley grimpa dans la voiture de poste, hissée sur quatre roues couleur de vomissure. Le cheval, tout plaies et famine, commença son long voyage.

Il faisait à peine jour ; la faible lueur qui perçait le manteau des nuages se brisait contre la saleté immémoriale des portières. Chevalley était seul : secoué, ballotté, il mouilla de salive la pointe de son doigt, nettoya un bout de vitre, grand comme un œil. Il regarda : devant lui, sous cette lumière de cendre, le paysage sautait, un paysage pour lequel il n'existait pas de rachat.

CHAPITRE CINQUIÈME

Arrivée du père Pirrone à S. Cono. Conversation avec des amis et le marchand d'herbes. Les ennuis de famille d'un jésuite. Les ennuis s'arrangent. Conversation avec « l'homme d'honneur ». Retour à Palerme.

FÉVRIER 1861.

Les origines du père Pirrone étaient rustiques. Il avait vu le jour à San Cono, un tout petit village. Maintenant, grâce aux autobus, c'est une des cages à poules satellites de Palerme ; mais il y a un siècle, San Cono appartenait à un système planétaire indépendant : quatre ou cinq heures-charrette le séparaient du soleil palermitain.

Le père du Jésuite avait été intendant de deux fiefs que l'abbaye de Saint-Éleuthère se flattait de posséder sur le territoire de San Cono. Métier qui, en ce temps, n'allait pas sans danger pour la santé de l'âme et du corps ; il contraignait à fréquenter des gens bizarres, à se trouver au courant des anecdotes les plus variées. Leur accumulation dans l'oreille d'un homme causait une maladie qui le faisait tomber brusquement raide mort au pied de quelque petit mur, avec tous ses secrets bien scellés dans le corps, à l'abri désormais de la curiosité des oisifs. Cependant, don Gaetano, le père du religieux, avait pu échapper à cette maladie professionnelle en usant d'une hygiène rigoureuse, basée sur la discrétion et l'emploi judicieux de remèdes préventifs. Il était mort paisiblement de pneumonie, par un dimanche ensoleillé de février tout bruissant de vents qui effeuillaient les fleurs d'amandiers. Il laissait sa veuve et trois enfants (deux filles et le prêtre) dans des conditions matérielles relativement bonnes. En homme sagace, il avait su épargner sur le traitement dérisoire que lui versait l'abbaye, et, quand il était parti pour l'au-delà, il possédait quelques amandiers au fond de la vallée, quelques plants de vigne sur les pentes et quelques arpents de pâturage pierreux un peu plus haut. C'étaient là des trésors de pauvre, bien sûr, mais suffisants pour donner à leur propriétaire un certain poids dans l'économie souffreteuse du village. Don Gaetano possédait également une petite maison rigoureusement cubique, bleue au-dehors, blanche en dedans, quatre pièces en bas, quatre pièces en haut, juste à l'entrée du pays, sur la route de Palerme.

Le père Pirrone avait quitté la maison à seize ans ; ses succès à l'école paroissiale et la bienveillance de l'abbé mitré de Saint-Éleuthère l'avaient dirigé vers le séminaire de l'archevêché. Il était revenu chez lui, à plusieurs années d'intervalle, pour bénir le mariage de ses sœurs et pour donner une absolution superflue (aux yeux du monde, s'entend) à don Gaetano mourant. En ces derniers jours de février 1861, il retournait à San Cono pour le quinzième anniversaire de ce décès et, comme quinze ans plus tôt, la journée était limpide, balayée par le vent.

Pendant cinq heures, le Père avait été ballotté, ses pieds pendants derrière la queue du cheval. Tout d'abord, il fut saisi de dégoût à la vue des peintures patriotiques toutes fraîches qui ornaient les panneaux de la charrette : elles atteignaient leur sommet dans la représentation rhétorique d'un Garibaldi couleur de flamme, bras dessus, bras dessous avec une sainte Rosalie couleur de mer. Puis il surmonta son malaise, et ces cinq heures de voyage lui semblèrent fort plaisantes. La vallée qui monte de Palerme à San Cono unit le paysage fastueux de la côte au paysage inexorable de l'intérieur. Elle est traversée par de subites bouffées de vent qui rendent son air salubre, et qui étaient alors célèbres parce qu'on les disait capables de dévier la trajectoire des balles les plus soigneusement préméditées.

Devant la difficulté de ce problème balistique, les tireurs préféraient aller s'entraîner ailleurs.

Le charretier, qui avait bien connu le défunt, s'étendit sur les nombreux souvenirs qu'on gardait de ses mérites ; les propos n'étaient pas tous adaptés à des oreilles filiales et ecclésiastiques, mais ils flattaient le père Pirrone qui en avait entendu d'autres.

A l'arrivée, il fut accueilli avec une joie larmoyante. Il embrassa et bénit sa mère qui montrait glorieusement les cheveux blancs et le visage rose des veuves dans les laines d'un deuil imprescriptible. Il salua ses sœurs et ses neveux, mais regarda l'un d'eux de travers : le petit Carmelo avait eu le mauvais goût d'arborer sur sa casquette, en signe de fête, la cocarde tricolore. A peine entré, le Révérend fut assailli, comme chaque fois qu'il revenait chez lui, par le doux déferlement des souvenirs d'enfance : rien n'avait changé, ni le carrelage rouge, ni l'humble mobilier ; la même lumière entrait par les fenêtres exiguës ; le chien Roméo, qui jappait à petits coups, dans un coin, était l'arrière-petit-fils très ressemblant d'un autre molosse, compagnon de jeux violents. De la cuisine arrivait l'arôme séculaire du ragoût qui mijotait – extrait de tomate, oignons, viande de mouton – pour les *anelletti* des jours de gala. Tout disait la sérénité obtenue, fruit des efforts du pauvre cher défunt.

Peu après, on se rendit à l'église pour écouter la messe d'anniversaire. San Cono, ce soir-là, se montrait sous ses meilleurs aspects et se dépensait en une orgueilleuse exhibition de crottins divers. De vives petites chèvres aux mamelles noires pendantes, des porcelets siciliens sombres et élancés comme de minuscules poulains se poursuivaient au milieu des passants, le long des ruelles en pente raide. Le père Pirrone était devenu une sorte de gloire locale ; des femmes, des enfants et même des jeunes gens se pressaient en foule autour de lui pour demander sa bénédiction ou pour évoquer avec lui les temps passés.

A la sacristie, il renoua avec le curé ; après la messe, il alla rendre visite à la pierre tombale, dans une des chapelles latérales. Les femmes baisèrent le marbre en pleurant, le fils pria à haute voix, en son latin mystérieux ; et quand on rentra à la maison, les *anelletti* étaient prêts. Ils plurent fort au père Pirrone, à qui les raffinements culinaires de la villa Salina n'avaient pas gâté le goût.

Dans la soirée, des amis vinrent lui rendre visite et se réunirent dans sa chambre. Une lampe de cuivre à trois branches pendait au plafond, répandant la douce lumière de ses mèches à huile ; dans un coin, le lit étalait ses matelas multicolores et son étouffante couverture piquée de rouge et de jaune. Un autre angle de la pièce était occupé par une haute et grande couffe, le *zimmile*, où s'entassait le blé couleur de miel que l'on portait chaque semaine au moulin pour les besoins de la famille. Aux murs, des gravures toutes tavelées : saint Antoine montrant le divin Enfant, sainte Lucie les yeux arrachés, saint François-Xavier haranguant une foule d'Indiens nus et empanachés. Dehors, dans le crépuscule étoilé, le vent jouait du pipeau ; il commémorait l'anniversaire à sa manière et il était bien le seul. Au centre de la pièce, sous la lampe, le grand brasero s'aplatissait contre le sol, enclos dans une ceinture de bois poli sur laquelle on posait les pieds. Tout autour, des chaises de corde pour les hôtes. Il y avait là le curé, les deux frères Schirò, propriétaires, et don Pietrino, vieux marchand de simples. Tous étaient sombres en arrivant et le restèrent jusqu'à la fin, car, tandis que les femmes s'affairaient en bas, ils parlèrent politique. Ils espéraient entendre des nouvelles rassurantes ; le père Pirrone, qui arrivait de Palerme et vivait chez les « messieurs », devait être au courant de bien des mystères. Leur curiosité fut apaisée, mais non leur désir de réconfort ; le Jésuite, un peu par tactique, un peu par sincérité, leur peignit un avenir fort noir. Le drapeau bourbonien flottait encore sur Gaète, mais le blocus était de fer et les poudrières de la place sautaient les unes après les autres. On n'avait plus rien à sauver là-bas, fors l'honneur, c'est-à-dire bien peu de chose. La Russie sympathisait, mais de loin ; Napoléon III était tout proche, mais on ne pouvait lui faire confiance. Quant aux insurgés de la Basilicate et de la Terre de Labour[1], le Jésuite en parla très peu, car au fond il en avait honte. Il était nécessaire, déclara-t-il, de voir dans sa réalité cet État italien en train de se former, athée et rapace, avec ces lois d'expropriation et de conscription qui allaient déborder du Piémont pour descendre jusqu'en Sicile, comme une épidémie de choléra. La conclusion manqua d'originalité : « Vous verrez, vous verrez, ils ne nous laisseront même pas les yeux pour pleurer. »

Ces mots se noyèrent dans le chœur traditionnel des lamentations paysannes. Les frères Schirò et le marchand d'herbes sentaient déjà les morsures du fisc. On avait demandé aux premiers des contributions extraordinaires et des centimes additionnels ; à l'autre, on avait réservé une surprise bouleversante : on l'avait appelé à la mairie pour l'avertir que, faute de payer vingt lires par an, on lui retirerait le droit de vendre ses simples.

– Mais moi, ce séné, cette stramoine, ces herbes saintes faites par le Seigneur, je m'en vais les ramasser de mes propres mains dans les montagnes, qu'il pleuve ou qu'il vente, les jours et les nuits prescrits ! Je les fais sécher au soleil, qui appartient à tout le monde, je les mets en poudre moi-même, avec le mortier de mon grand-père ! De quel droit vous en mêlez-vous, vous autres de la mairie ? Pourquoi devrais-je vous payer vingt lires ? Comme ça, pour vos beaux yeux ?

Sa bouche édentée mâchonnait les mots, mais ses yeux s'assombrissaient d'une authentique fureur.

– Ai-je raison, mon père ? Dis-le-moi.

Le Jésuite l'aimait bien ; il le revoyait, homme mûr, un peu courbé par ses recherches et ses cueillettes perpétuelles, quand lui-même n'était qu'un gamin qui lançait des pierres aux moineaux. Et puis, quand le vieillard vendait ses tisanes aux femmes de la maison, il leur recommandait

1. Régions de Lucanie et de Campanie. Dans le sud de l'Italie, les masses rurales, irritées par les taxes nouvelles, par le service militaire obligatoire et par certaines maladresses du gouvernement, favorisèrent ouvertement le brigandage et la réaction.

de réciter un certain nombre d'*Ave Maria* et de *Gloria Patri*, sans lesquels le remède serait inopérant. Prudent, le Père se gardait de chercher comment étaient faites ces mixtures et à quoi on les destinait.

– Vous avez raison, don Pietrino, cent fois raison ! Et comment ! Mais s'ils ne prennent pas votre argent, celui de tous les pauvres gens, où en trouveront-ils pour faire la guerre au pape et lui voler son bien ?

Le vent s'insinuait entre les lourds volets et la lumière vacillait ; la conversation se prolongeait. Le père Pirrone planait dans la future et inéluctable confiscation des biens ecclésiastiques ; il faudrait dire adieu à la domination si arrangeante de l'abbaye, adieu aux soupes des pauvres durant les hivers difficiles. Quand le jeune Schirò commit l'imprudence de dire qu'ainsi quelques paysans misérables pourraient peut-être avoir un bout de terre à eux, la voix du père Pirrone se durcit du mépris le plus délibéré :

– Vous verrez, don Antonino, vous verrez, le maire achètera tout, il paiera les premières mensualités, et puis adieu. C'est ainsi que cela se passe en Piémont.

Quand les invités partirent, ils étaient beaucoup plus soucieux encore qu'à leur arrivée, et pourvus de lamentations pour deux mois au moins. Le marchand de simples resta seul avec le Jésuite. Il ne se coucherait pas cette nuit-là : c'était la nouvelle lune, il devait ramasser du romarin sur les rochers de Pietrazzi. Il avait apporté sa lanterne et monterait directement là-bas en quittant la maison.

– Mais, mon père, toi qui vis parmi les nobles, explique-moi ce qu'ils disent de cette grande flambée. Que dit par exemple le prince Salina, noble, coléreux, orgueilleux comme il est ?

Le père Pirrone s'était posé bien des fois la question ; il ne lui avait pas été facile de répondre, d'autant qu'il avait négligé, ou pris pour des paradoxes, ce que don Fabrice lui avait exposé un matin dans l'observatoire, il y avait un an de cela. Maintenant il savait ; mais il ne parvenait pas à traduire de façon claire sa conviction, à l'usage de don Pietrino. Le vieux n'était pas un sot, loin de là, mais il se sentait plus à son aise parmi les propriétés anticatarrhales, carminatives et même aphrodisiaques de ses herbes que dans de semblables abstractions.

– Vous, savez, don Pietrino, les « messieurs », comme vous dites, ne sont pas faciles à comprendre. Ils vivent dans un univers particulier qui ne fut pas créé directement par Dieu mais par leur caste, pendant des siècles d'expériences, de joies et de chagrins bien à eux. Ils possèdent une mémoire collective extrêmement chatouilleuse ; en conséquence, ils se troublent et se réjouissent pour des détails qui paraîtraient insignifiants à des gens comme vous et moi. Pour eux, ces détails ont une importance vitale ; ils concernent le patrimoine de souvenirs, d'espérances, de craintes propres à leur classe. La divine Providence a voulu que je devienne une humble parcelle de l'ordre le plus glorieux d'une Église éternelle, promise à la victoire définitive. Vous êtes à l'autre extrémité de l'échelle, non la plus basse, mais la plus différente. Quand vous découvrez une vigoureuse touffe d'origan ou un nid bien fourni de cantharides (vous cherchez aussi des cantharides, don Pietrino, je le sais), vous êtes en communication directe avec la nature que le Seigneur a créée apte indifféremment au bien comme au mal, afin que l'homme puisse y exercer son libre arbitre. Quand quelque petite vieille maligne ou quelque fillette amoureuse vient vous consulter, vous descendez dans l'abîme des siècles jusqu'aux époques obscures qui ont précédé la lumière du Golgotha.

Le vieux le regardait avec stupéfaction : il voulait savoir si le prince de Salina était ou non satisfait du nouvel état de choses, et l'autre lui parlait de cantharides et des lumières du Golgotha. « A force de lire, il est devenu fou, le malheureux. »

– Les « messieurs », eux, vivent de choses déjà manipulées. Nous, les prêtres, nous devons les rassurer sur la vie éternelle, comme vous, les marchands d'herbes, devez leur procurer les émollients et excitants. Je ne veux pas dire par là qu'ils sont mauvais, bien au contraire. Ils sont différents ; peut-être ne nous paraissent-ils bizarres que parce qu'ils ont atteint une étape vers laquelle marchent tous ceux qui ne sont pas des saints : le mépris des biens terrestres acquis à force d'habitude... Peut-être est-ce pour cela qu'ils ne se préoccupent pas de certaines choses si importantes pour nous ; qui vit en montagne ne se soucie pas des moustiques de la plaine, et qui vit en Égypte néglige les parapluies. Mais le premier craint les avalanches et le second les crocodiles, toutes choses qui, pour notre part, ne nous préoccupent guère. Les nobles ont leurs propres craintes, que nous ignorons. J'ai vu don Fabrice, cet homme sérieux et sage, s'assombrir pour un col de chemise mal repassé ; et j'ai su de façon sûre que le prince de Lascari avait passé toute une nuit sans fermer l'œil parce qu'à un repas offert par la Lieutenance, on ne lui avait pas donné la place qui lui revenait. Ne vous semble-t-il pas que cette humanité, qui ne se trouble que pour des questions de linge ou de protocole, est parfaitement heureuse, donc supérieure ?

Don Pietrino n'y comprenait plus rien : les étrangetés se multipliaient ; voici que surgissaient maintenant les cols de chemise et les crocodiles. Un fond de bon sens rustique le soutenait encore :

– Mais s'il en est ainsi, mon père, ils iront tous en enfer !

– Et pourquoi donc ? Quelques-uns seront damnés, d'autres seront sauvés, selon ce qu'aura été leur vie dans leur monde compliqué. A vue de nez, Salina, par exemple, devrait s'en tirer ; il joue bien son jeu, il suit les règles, il ne triche pas. Dieu punit ceux qui contreviennent volontairement à ses lois, ceux qui prennent volontairement la mauvaise route ; mais qui suit sa propre voie est en règle, pourvu qu'il ne commette aucune inconvenance. Si vous, par exemple, don Pietrino, vendiez volontairement de la ciguë à la place de menthe, vous seriez frit ; mais si vous l'ignoriez, la mère Zana aurait la mort très noble de Socrate et vous iriez droit au ciel, en froc, avec de petites ailes, tout blanc.

La mort de Socrate était de trop pour le marchand d'herbes : il s'était déjà rendu et dormait. Le père Pirrone s'en aperçut avec plaisir : il allait pouvoir parler librement, sans crainte d'être mal compris ; et il voulait parler, fixer dans les volutes concrètes des phrases les idées qui s'agitaient obscurément en lui.

– Ils ont bien raison. Si vous saviez, par exemple, à combien de familles, qui sans cela seraient sur le pavé, ils donnent asile en leurs palais ! Et ils ne demandent nulle récompense, même pas qu'on s'abstienne des petits vols habituels. Ils n'agissent pas par ostentation, mais par une sorte d'atavisme mystérieux, qui leur interdit toute autre conduite. Bien que cela puisse échapper, ils sont moins égoïstes que beaucoup d'autres ; la splendeur de leur maison, la pompe de leurs fêtes ont quelque chose d'impersonnel, un peu comme la magnificence des églises et de la liturgie, quelque chose qu'ils font *ad majorem gentis gloriam*, qui les rachète, et largement. Pour chaque coupe de champagne qu'ils boivent, ils en offrent cinquante aux autres ; et quand ils maltraitent quelqu'un, comme cela se produit parfois, ce n'est pas tant leur personnalité qui pèche que leur classe qui s'affirme. *Fata crescunt.* Don Fabrice a protégé et élevé son neveu Falconeri, par exemple ; il a en quelque sorte sauvé un orphelin qui sans cela était perdu. Vous me direz, bien sûr, que l'enfant était un noble, lui aussi, et que le Prince n'aurait pas levé le doigt pour d'autres. Cela est vrai, mais pourquoi aiderait-il les « autres », si, au plus profond de son cœur, ils lui semblent autant d'exemplaires mal réussis, de statuettes informes qui ne valent même pas la peine que le potier les expose à l'épreuve du feu ?

« Vous, don Pietrino, si vous n'étiez en train de dormir, vous bondiriez pour me dire que les nobles ont tort de mépriser le reste de l'humanité, qu'également sujets à la double servitude de l'amour et de la mort, nous sommes tous égaux devant le Créateur, et je ne pourrais que vous donner raison. Cependant, j'ajouterais qu'il n'est pas juste de reprocher leur mépris aux seuls nobles, étant donné qu'il s'agit là d'un vice universel. Le professeur d'université méprise le petit maître d'école paroissiale, même s'il ne le montre pas ; et puisque vous dormez, je puis vous dire sans réticence que, nous autres ecclésiastiques, nous nous estimons supérieurs aux laïques ; et nous autres jésuites, supérieurs au reste du clergé. Vous, marchand de simples, vous méprisez les arracheurs de dents, qui vous le rendent bien ; quant aux médecins, ils se moquent à la fois des marchands de simples et des arracheurs de dents, mais sont traités d'ânes bâtés par les malades, qui prétendent continuer à vivre avec un cœur ou un foie en compote. Pour les magistrats, les avocats sont des fâcheux qui cherchent à paralyser le fonctionnement des lois, mais la littérature regorge de satires contre les juges, leur pompe vaine, leur ignorance, ou pis encore. Il n'y a que les croquants qui se méprisent eux-mêmes ; mais ils apprendront bien à rire des autres : alors le cycle sera clos et il faudra recommencer *da capo.*

« Avez-vous déjà pensé, don Pietrino, aux innombrables noms de métiers qui sont devenus des injures ? Du *faquin* italien au *reître* et au *pompier* français ? Les gens ne pensent pas au mérite des faquins et des pompiers ; ne regardant que leurs défauts accidentels, ils les traitent tous de vilains et de faiseurs. Puisque vous ne pouvez pas m'entendre, je peux vous dire que je connais très bien la signification courante de "jésuite".

« Et puis, les nobles ont la pudeur de leurs malheurs : j'en ai vu un, le pauvre, sourire, plein de verve, comme un enfant la veille de sa première communion ; il avait décidé de se tuer le lendemain. Vous, don Pietrino, je le sais, si vous êtes dans l'obligation de boire une de vos infusions de séné, l'écho de vos lamentations retentit à travers tout le village. L'ironie et la plaisanterie sont aristocratiques, non l'élégie et la plainte. Mieux, je vais vous donner une recette : si vous rencontrez un "monsieur" plaintif et lamentable, regardez son arbre généalogique ; vous y trouverez sans peine une branche sèche.

« Une classe difficile à supprimer, car au fond elle se renouvelle continuellement ; quand il le faut, elle sait bien mourir, c'est-à-dire jeter une graine au moment même de sa fin. Regardez la France : ils se sont fait massacrer avec élégance, et maintenant ils sont là tout comme avant, je dis bien comme avant, car ce ne sont pas les terres et les droits féodaux qui font le noble, mais sa différence de nature. On raconte qu'il y a présentement à Paris des comtes polonais que les insurrections et le despotisme ont contraints à l'exil et à la misère ; ils se sont faits cochers de fiacre, mais dévisagent leurs clients avec une telle hauteur que les pauvres montent en voiture, sans savoir pourquoi, avec l'air humble de chiens qui entrent dans une église.

« Et je vous dirai même, don Pietrino, que si cette classe devait disparaître, comme cela s'est déjà plus d'une fois produit, il s'en créerait immédiatement une autre douée des mêmes qualités et défauts. Elle ne serait peut-être pas fondée sur le sang, mais, que sais-je, sur l'ancienneté de sa présence en un lieu, ou sur une connaissance soi-disant meilleure d'un texte prétendu sacré.

A ce moment-là, il entendit sa mère gravir l'escalier de bois. Elle entra en riant :

– Et avec qui parles-tu, mon fils ? Ne vois-tu pas que ton ami s'est endormi ?

Le père Pirrone eut un peu honte, et ne répondit pas directement.

– Je l'accompagne dehors. Le pauvre, il va rester au froid toute la nuit.

Il tira un peu la mèche de la lanterne, l'alluma à la flamme du lampadaire, en se dressant sur la pointe des pieds et en tachant d'huile sa robe. Il remit la mèche en place et ferma soigneusement la lanterne. Don Pietrino faisait voile à travers l'océan des songes ; un fil de bave, descendant de sa lèvre, allait se perdre sur son col. Il fallut un bon moment pour le réveiller.

– Excuse-moi, mon père, mais tu disais des choses si bizarres, si embrouillées...

Ils se sourirent, descendirent, sortirent. La nuit submergeait la petite maison, le village, la vallée. On apercevait à peine les montagnes voisines, menaçantes comme à l'habitude. Le vent était tombé mais il faisait grand froid. Les étoiles brillaient passionnément, produisant des calories par milliers, sans parvenir à réchauffer ce pauvre vieillard.

– Pauvre don Pietrino. Voulez-vous que j'aille vous chercher un autre manteau ?

– Merci, j'ai l'habitude. Nous nous reverrons demain ; tu me diras alors comment don Fabrice a supporté la révolution.

– Je vais vous le dire en deux mots : il prétend qu'il n'y a pas eu de révolution et que tout continue comme devant.

– Espèce d'âne ! Et toi, tu ne crois pas que c'est une révolution qu'on me fasse payer les herbes du bon Dieu que je ramasse moi-même ? Ou bien as-tu perdu la tête toi aussi ?

La lumière de sa lanterne s'éloigna en cahotant et finit par disparaître dans les ténèbres épaisses comme du feutre.

Le père Pirrone pensait que le monde doit sembler une ahurissante énigme à ceux qui ne connaissent ni les mathématiques ni la théologie.

– Seigneur, Ton Omniscience seule pouvait excogiter tant de complications.

Le lendemain, une autre de ces complications lui tomba sur la tête. En descendant dire la messe à la paroisse, il trouva Sarina, sa sœur, en train de hacher des oignons dans la cuisine, les yeux noyés de trop de larmes pour que sa besogne en fût cause.

– Qu'y a-t-il, Sarina ? Tu as des ennuis ? Reprends courage ; le Seigneur afflige et console.

La voix affectueuse du prêtre dissipa la réserve de la pauvre femme ; elle se mit à pleurer bruyamment, le visage appuyé contre la table graisseuse. Entre ses sanglots, on entendait toujours les mêmes mots : « Angéline, Angéline... Si Vincent l'apprend, il les tuera tous deux. »

Les mains enfoncées dans sa large ceinture noire, les pouces en dehors, le père Pirrone, debout, la regardait. Ce n'était pas difficile à comprendre : Angéline était la fille nubile de Sarina ; Vincent, dont on craignait tant la fureur, était le père. La seule inconnue de l'équation était l'autre, le probable amant.

La veille, le Jésuite avait revu jeune fille celle qu'il avait laissée enfant pleurnicheuse, sept ans auparavant. Elle avait à présent près de dix-huit ans, elle était plutôt laide, avec la bouche saillante des paysannes de la région, et des yeux effrayés de chien sans maître. Il l'avait remarquée en arrivant, et dans son cœur il n'avait pu s'empêcher de faire des comparaisons peu charitables entre sa nièce pitoyable au diminutif plébéien, et cette Angélique somptueuse, au nom aristocratique, qui avait troublé récemment la paix de la maison Salina.

L'ennui était d'importance, et le Père s'y trouvait mêlé en plein. Il se souvint de ce que disait don Fabrice : qui rencontre un parent rencontre souvent une épine. Il se repentit bientôt de ce souvenir. Il retira sa main de sa ceinture, ôta son chapeau et tapota l'épaule de sa sœur, toute secouée de sanglots.

– Allons, Sarina, ne pleure pas comme ça. Je suis là, c'est une chance, et pleurer ne sert à rien. Où est Vincent ?

Vincent était déjà parti pour Rimato, où il devait trouver le garde des Schirò. On pouvait donc parler sans crainte. A travers les sanglots, les hoquets, les reniflements, le Père arracha à Sarina la sordide histoire : Angéline (ou mieux : Géline) s'était laissé séduire ; le « pépin » datait de l'été de la Saint-Martin ; la jeune fille retrouvait son amoureux dans le fenil de la Nunziata ; elle était maintenant enceinte de trois mois. Folle de terreur, elle s'était confessée à sa mère ; dans peu de temps, on commencerait à remarquer son ventre, et Vincent ferait un malheur.

– Il me tuera moi aussi, parce que je n'ai rien dit. C'est un homme d'honneur.

De fait, à son front bas, à ses *cacciolani* – ces boucles de cheveux qu'il avait laissées pousser sur ses tempes –, à sa démarche balancée, au perpétuel gonflement de la poche droite de son pantalon, on comprenait tout de suite que Vincent était un « homme d'honneur », un de ces violents imbéciles capables de toutes les tueries.

Sarina eut une nouvelle crise de larmes, plus forte que la première ; en elle se faisait jour le remords d'avoir démérité de son époux, ce miroir de chevalerie.

– Sarina, Sarina, encore ? Je t'en prie. Le jeune homme doit l'épouser, il l'épousera. J'irai chez lui, je lui parlerai, je parlerai à sa famille, tout s'arrangera. Vincent saura seulement que sa fille est fiancée, son précieux honneur restera intact. Mais il faut que je sache le nom du garçon. Si tu le sais, dis-le-moi.

Sarina releva la tête ; dans ses yeux apparaissait une nouvelle terreur, non plus la terreur animale des coups de couteau, mais une terreur plus précise, plus aiguë, que son frère ne parvenait pas à déchiffrer.

– Santino Pirrone, c'est Santino Pirrone, le fils de Turi. Il l'a fait pour se venger de moi, de notre mère et de la sainte mémoire de notre père. Je ne lui ai jamais parlé ; tout le monde en disait du bien, mais c'est un homme infâme, le digne fils de sa canaille de père, un sans-honneur. Je m'en suis souvenue après : pendant ces journées de novembre, je le voyais passer devant la maison, en compagnie de deux amis, avec un géranium rouge derrière l'oreille. Feu de l'enfer ! Feu de l'enfer !

Le Jésuite prit une chaise et s'assit à côté de la femme. Il faudrait de toute façon retarder la messe. L'affaire était grave. Turi, le père du séducteur, était son propre oncle, le frère et même le frère aîné du pauvre défunt. Vingt ans plus tôt, il avait été l'associé de Gaetano au moment où celui-ci déployait son activité la plus grande et la plus méritoire. Par la suite, une querelle avait séparé les deux frères, une de ces querelles de famille aux racines inextricables, que l'on ne peut apaiser parce que aucune des deux parties ne parle clairement, chacune en ayant long à cacher. Lorsque le cher disparu avait acquis les amandiers, Turi avait revendiqué la moitié de la plantation ; il avait, disait-il, fourni la moitié de l'argent, à moins que ce ne soit la moitié du travail ; mais l'acte d'achat portait le seul nom du défunt. Turi tempêta, parcourut les rues de San Cono, l'écume à la bouche : le prestige du cher disparu était en jeu ; des amis purent s'entremettre et l'on évita le pire. Les amandiers restèrent à Gaetano, mais un abîme infranchissable séparait désormais les deux branches de la famille Pirrone. Turi, par la suite, n'assista pas aux funérailles de son frère ; on ne l'appelait chez sa belle-sœur que « la canaille », rien de moins. Le Jésuite avait été tenu au courant de toute l'affaire par des lettres embrouillées, dictées au curé ; quant à la « canaillerie », il avait là-dessus son idée que la piété filiale lui interdisait d'exprimer. Les amandiers étaient maintenant la propriété de Sarina.

Tout était clair : l'amour, la passion n'entraient pas en jeu. Un « tour de cochon » vengeait un « tour de cochon ». Mais on pouvait arranger les choses ; le Jésuite remercia la Providence qui l'avait conduit à San Cono au bon moment.

– Écoute, Sarina, je vais te réparer ce malheur en moins de deux heures, mais il faut que tu m'aides. La moitié de Chibbaro (c'était la terre aux amandiers), tu la donneras en dot à Géline. Il n'y a pas moyen de faire autrement. Cette imbécile vous a ruinés.

Et il pensait que le Seigneur se sert quelquefois des petites chiennes en chaleur pour rendre Sa justice.

Sarina se rebiffa :

– La moitié de Chibbaro ! A cette mauvaise graine ? Jamais. Plutôt mourir.

– Bon. Alors, après la messe, j'irai parler à Vincent. Ne crains rien, j'essayerai de le calmer.

Il remit son chapeau sur sa tête et ses mains dans sa ceinture. Il attendait son heure, sûr de lui.

Une édition des fureurs de Vincent, même revue et expurgée par un jésuite, semblait toujours illisible à la malheureuse Sarina ; elle fondit en larmes pour la troisième fois. Peu à peu, cependant, ses sanglots s'apaisèrent Elle se leva :

– Que la volonté de Dieu soit faite ; arrange les choses toi-même. Ce n'est plus une vie. Pourtant, notre beau Chibbaro, qu'arrosa la sueur de notre père !

Les larmes allaient recommencer. Mais le père Pirrone était déjà loin.

Quand il eut célébré l'office divin et bu la tasse de café offerte par le curé, le Jésuite se dirigea sans plus attendre vers la maison de son oncle Turi. Il n'y était jamais entré, mais il savait que c'était une pauvre bicoque, tout en haut du pays, à côté de la forge de maître Ciccu. Il la trouva sans peine. Elle n'avait pas de fenêtres, et la porte était ouverte pour laisser entrer un peu de soleil ; il s'arrêta sur le seuil. Dans l'obscurité, on voyait entassés des bâts pour les mules, des besaces, des sacs : Turi vivotait en faisant le muletier, aidé à présent par son fils.

– *Doràzio*, cria le père Pirrone.

C'était une abréviation de *Deo gratias (agamus)* dont usaient les ecclésiastiques pour demander la permission d'entrer. Une voix de vieux répondit :

– Qui est-ce ?

Et un homme se leva pour s'approcher de la porte.

– Je suis votre neveu, le père Xavier Pirrone. Je voudrais vous parler, si vous le permettez.

Le vieux ne parut guère surpris. Depuis deux mois au moins, il attendait une visite du Jésuite ou de quelque autre délégué.

L'oncle Turi était un vieillard droit, vigoureux, cuit et recuit par le soleil et la grêle, la face ravinée par les sillons sinistres que le malheur trace sur les visages sans bonté.

– Entre, dit-il froidement.

Il laissa passer son neveu et ébaucha, de mauvais gré, le geste de lui baiser la main. Le père Pirrone s'assit sur une des grandes selles de bois. Le décor était terriblement pauvre ; deux poules grattaient le sol, dans un coin ; tout sentait la fumée, les vêtements mouillés, la misère.

– Oncle, il y a bien des années que nous ne nous sommes vus, mais ce n'est pas tout à fait ma faute ; je viens rarement au pays, vous le savez ; du reste, vous ne voyez jamais ma mère, votre belle-sœur, et nous en sommes désolés.

– Je ne remettrai jamais les pieds dans cette maison. Mon estomac se retourne rien que de passer devant. Turi Pirrone n'oublie pas les torts qu'on lui a faits, même après plus de vingt ans.

– Bien sûr, je vous comprends, bien sûr. Mais aujourd'hui, je viens, telle la colombe de l'arche de Noé, vous annoncer que le déluge est fini. Je suis content de me trouver chez vous, et j'ai été heureux, hier, en apprenant les fiançailles de votre fils avec ma nièce Angéline ; ce sont de bons enfants, dit-on, leur union mettra fin au dissentiment existant entre nos familles et qui, permettez-moi de vous le dire, m'a toujours beaucoup peiné.

Le visage de Turi exprima une surprise trop manifeste pour n'être pas feinte.

– Si ce n'était l'habit que vous portez, mon père, je dirais que vous mentez. Dieu sait les balivernes qu'ont pu vous raconter les femmes de votre maison. Santino, de toute sa vie, n'a pas adressé un seul mot à Angéline ; c'est un fils trop respectueux pour aller contre les désirs de son père.

Le Jésuite admira la sécheresse du vieux, l'assurance imperturbable de ses mensonges.

– Il faut croire, oncle, que l'on m'avait mal informé ; elles m'avaient, figurez-vous, raconté que vous vous étiez mis d'accord sur la dot, et que vous deviez venir les voir aujourd'hui même tous les deux, pour la « reconnaissance ». Que de sottises peuvent débiter ces femmes désœuvrées ! Pourtant, même s'ils sont inexacts, leurs discours prouvent leur bonne volonté. Il est inutile que je reste plus longtemps, oncle ; je vais rentrer tout de suite pour gronder ma sœur. Excusez-moi ; j'ai été bien content de vous trouver en bonne santé.

Sur le visage du vieux se lisait à présent un intérêt avide.

– Attendez, mon père. Faites-moi encore un peu rire avec les cancans de votre famille. De quelle dot parlaient donc ces bavardes ?

– Le sais-je, mon oncle ? Il me semble qu'il s'agissait de la moitié de Chibbaro. Géline, disait-on, est le trésor de la maison, et aucun sacrifice ne serait exagéré pour assurer la paix de la famille.

Don Turi ne riait plus. Il se leva.

– Santino ! hurla-t-il, aussi fort que s'il rappelait à l'ordre des mulets entêtés.

Comme personne ne venait, il cria avec plus de violence encore :

– Santino, sang de la Madone, que fais-tu ?

Au sursaut du père Pirrone, il se colla une main sur la bouche, en un geste inattendu de servilité.

Santino s'occupait des bêtes dans la petite cour voisine. Il entra craintivement, l'étrille à la main. C'était un beau garçon, élancé, sec comme son père, mais ses yeux étaient encore dépourvus d'âpreté. La veille, comme tout le monde, il avait vu passer le prêtre dans les rues du village ; il le reconnut aussitôt.

– Voici Santino. Et voici ton cousin, le père Xavier Pirrone. Remercie le ciel que le Révérend soit là, sinon je te coupais les oreilles. Qu'est-ce que c'est que cette amourette ? Comment ? Moi qui suis ton père, je n'en sais rien ? Les fils naissent pour les pères et non pour courir les jupons !

Le jeune homme était honteux, non sans doute d'avoir désobéi, mais bien d'avoir consenti naguère. Il ne savait que dire. Pour se tirer d'affaire, il posa l'étrille par terre et baisa la main du prêtre. Celui-ci montra les dents, le temps d'un sourire, et ébaucha une bénédiction :

– Dieu te bénisse, mon fils, bien que tu ne le mérites guère, je crois.

Le vieux continuait :

– Ton cousin que voici m'a tant prié et supplié que j'ai fini par donner mon consentement. Mais pourquoi ne m'avais-tu rien dit de tout cela ? Va te nettoyer ; nous irons tout de suite chez Géline.

Le père Pirrone songea qu'il fallait tout d'abord prévenir « l'homme d'honneur », qui n'était au courant de rien.

– Un moment, oncle, un moment. Les femmes de la maison voudront sûrement faire quelques préparatifs pour vous recevoir ; d'ailleurs, elles m'avaient dit qu'elles vous attendaient à la fin de l'après-midi. Venez à ce moment-là, et ce sera pour nous une fête de vous accueillir.

Là-dessus, il s'en alla, après avoir reçu les embrassades du père et du fils.

De retour à la petite maison carrée, le père Pirrone y trouva son beau-frère, et, pour rassurer sa sœur, ne put que lui faire un clin d'œil dans le dos du sauvage mari ; au reste, entre Siciliens, c'était un discours plus que suffisant. Le Père déclara à Vincent qu'il avait à lui parler, et tous deux se dirigèrent vers une tonnelle squelettique, derrière la maison. L'ourlet ondoyant de sa robe traçait autour des pas du Jésuite une frontière mobile, mais infranchissable ; les fesses grasses de « l'homme d'honneur » se balançaient, symbole de menace orgueilleuse. La conversation fut fort différente de ce que l'on avait pu prévoir. Lorsqu'il fut assuré de l'imminence du mariage, « l'homme d'honneur » montra à l'égard de la conduite passée de sa fille une indifférence marmoréenne. Mais, dès la première allusion à la dot inévitable, ses yeux se mirent à rouler, les veines de ses tempes se gonflèrent, sa démarche prit une allure frénétique, un flot de considérations obscènes lui vint sans vergogne à la bouche, s'achevant par les plus criminelles résolutions ; sa main, qui n'avait pas eu un geste de défense pour la vertu de sa fille, courut nerveusement palper la poche droite de son pantalon ; il entendait bien verser le sang d'autrui jusqu'à la dernière goutte pour défendre ses amandiers.

Le père Pirrone le laissa épuiser ses turpitudes de langage et se contenta de quelques rapides signes de croix quand elles confinaient au blasphème. Il ne prêta nulle attention au mouvement annonciateur de massacre. Mais il profita d'une pause pour glisser :

– Il est bien évident, Vincent, que je veux contribuer, moi aussi, à cet arrangement. Le papier qui m'assurait ma part de l'héritage, je te l'enverrai de Palerme, déchiré.

L'effet de ce baume fut immédiat. Vincent se tut, absorbé dans ses calculs, supputant la valeur de l'héritage anticipé. Dans l'air froid et ensoleillé passèrent les notes fausses d'une chanson : Géline s'était mise à chanter en balayant la chambre de son oncle.

Vers la fin de l'après-midi, l'oncle Turi et Santino vinrent faire leur visite, passablement propres, ma foi, et portant d'éblouissantes chemises. Les fiancés, assis sur des chaises voisines, éclataient de temps à autre en rires retentissants, sans un mot, leurs deux visages rapprochés. Ils étaient contents pour de bon, elle de s'établir et d'avoir ce beau mâle à sa disposition, lui d'avoir suivi les conseils paternels et de posséder désormais une servante et la moitié des amandiers. Le géranium rouge qu'il portait derrière l'oreille n'était plus pour personne un reflet infernal.

Deux jours plus tard, le père Pirrone repartit pour Palerme. Chemin faisant, il mit un peu d'ordre dans ses impressions, qui n'étaient pas toutes agréables. Cet amour brutal, mûri pendant l'été de la Saint-Martin, ce maigre verger d'amandiers récupéré par une cour préméditée lui montraient la face paysanne, misérable, d'autres événements auxquels il avait assisté. Les grands seigneurs étaient réservés, incompréhensibles, les paysans explicites et clairs ; mais le démon les enroulait les uns comme les autres autour de son petit doigt.

A la villa Salina, il trouva le Prince d'excellente humeur. Don Fabrice s'informa de son voyage et demanda si le Jésuite avait salué sa mère pour lui : elle avait été, six ans plus tôt, l'hôte de la villa, et sa sérénité de veuve avait plu aux maîtres de la maison. Le Jésuite, qui avait complètement oublié la commission, garda là-dessus le silence. Mais il déclara que sa mère et sa sœur l'avaient chargé de tous leurs respects pour Son Excellence : une fable était moins grave qu'un mensonge.

– Excellence, ajouta-t-il, puis-je me permettre de vous demander qu'on me prépare demain la voiture : je dois aller à l'archevêché, pour une dispense de mariage ; une de mes nièces est fiancée à son cousin.

– Avec plaisir, père Pirrone, ce sera comme vous voudrez, mais je dois moi-même aller à Palerme après-demain. Vous pourriez venir avec moi. Est-ce donc vraiment si pressé ?

CHAPITRE SIXIÈME

En route pour le bal. Le bal : entrée de Pallavicino et des Sedara. Mécontentement de don Fabrice. La salle de bal. Dans la bibliothèque. Don Fabrice danse avec Angélique. Le souper ; conversation avec Pallavicino. Le bal s'étiole. Retour à la maison.

NOVEMBRE 1862.

La princesse Maria-Stella monta en voiture et s'assit sur le satin bleu des coussins. Elle serra le plus possible autour d'elle les plis bruissants de sa robe. Concetta et Caroline montèrent à leur tour, s'assirent en face de leur mère ; un parfum ténu de violettes s'exhalait de leurs robes roses jumelles. Ensuite, une patte massive se posa sur le marchepied et fit vaciller la calèche sur ses hauts ressorts : don Fabrice s'installait à son tour. La voiture était pleine à craquer ; les vagues soyeuses et les armatures des crinolines montaient, se heurtaient, se confondaient, presque à hauteur des têtes ; en dessous, il y avait un inextricable fouillis de souliers : chaussons de soie des jeunes filles, escarpins mordorés de la Princesse, vastes chaussures vernies du Prince. Chacun soufflait de rencontrer les pieds d'autrui et ne savait où retrouver les siens.

On replia les deux degrés du marchepied ; le laquais reçut un ordre : « Au palais Ponteleone ! » et remonta sur son siège ; le palefrenier qui tenait les chevaux par la bride s'écarta, le cocher fit imperceptiblement claquer sa langue et la calèche s'envola.

On se rendait au bal.

Palerme, à ce moment-là, traversait une de ses périodes de mondanités ; les bals faisaient fureur. Après l'arrivée des Piémontais, après la vilaine affaire d'Aspromonte, le spectre des expropriations et des violences s'était évanoui et les quelque deux cents personnes qui composaient la « bonne société » ne se lassaient pas de se rencontrer, pour se féliciter d'avoir pu subsister.

Il y avait une telle succession de fêtes, au fond toutes identiques, que les Salina avaient décidé de passer trois semaines dans leur palais de la ville, pour éviter de faire presque chaque soir le long trajet de San Lorenzo.

Les robes des femmes arrivaient de Naples dans des caisses noires, qu'on aurait prises pour des cercueils ; il y avait un va-et-vient hystérique de modistes, de coiffeuses et de bottiers ; des serviteurs exaspérés portaient aux couturières des billets affolés. Le bal des Ponteleone serait le plus important de cette brève saison ; il l'était pour tout le monde, par la noblesse des hôtes et le faste de leur demeure ; il l'était pour les Salina, qui présenteraient ce soir-là à la « société » la belle fiancée de leur neveu. Dix heures et demie, c'est un peu tôt pour se présenter à un bal ; le prince de Salina doit arriver quand la fête a perdu de sa fébrilité. Mais il fallait être là pour l'arrivée des Sedara et le maire de Donnafugata était homme à prendre à la lettre l'heure indiquée sur le carton glacé de l'invitation – « ils ignorent encore cela, les pauvres ».

Leur faire envoyer l'invitation n'avait pas été chose facile : personne ne les connaissait, et la princesse Maria-Stella, dix jours plus tôt, avait dû rendre visite à Marguerite Ponteleone. Tout s'était bien passé, naturellement, mais cela n'en avait pas moins été une des nombreuses petites épines que les fiançailles de Tancrède avaient enfoncées dans les pattes délicates du Guépard.

Le bref trajet entre le palais Salina et le palais Ponteleone traversait un enchevêtrement de petites rues obscures, et l'on avançait au pas : rue Salina, rue Valverde, la descente des *Bambinai*, si joyeuse le jour, avec ses boutiques pleines de statuettes de cire, mais si lugubre la nuit. Les fers des chevaux résonnaient prudemment entre les maisons noires, qui dormaient ou faisaient semblant de dormir.

Les jeunes filles, ces êtres incompréhensibles pour qui un bal est une fête et non un fastidieux devoir mondain, bavardaient à mi-voix, toutes joyeuses. La princesse Maria-Stella s'assurait en tâtant son sac qu'elle n'avait pas oublié son flacon de sels. Don Fabrice savourait à l'avance l'effet que produirait la beauté d'Angélique sur des gens qui ne la connaissaient pas encore, et celui que produirait la chance de Tancrède sur des gens qui le connaissaient trop. Une ombre se projetait sur sa satisfaction. Comment serait le *frac* de don Calogero ? Supérieur, certes, à celui de Donnafugata ; Tancrède avait pris son futur beau-père en charge et l'avait traîné chez le meilleur tailleur de Palerme, assistant même aux essayages. Officiellement, il s'était montré satisfait des résultats, l'autre jour ; mais il avait dit en confidence : « Le *frac* de don Calogero est ce qu'il doit être ; le père d'Angélique manque de *chic*. » Du moins Tancrède s'était-il porté garant d'un rasage parfait et de chaussures convenables : c'était déjà quelque chose.

La voiture s'arrêta au bas de la rue des *Bambinai*, derrière l'abside de San Domenico. On entendait un tintement grêle. On vit paraître un prêtre portant un calice, avec le saint sacrement ; derrière, un enfant de chœur tenait un dais blanc brodé d'or ; devant, un autre enfant portait dans sa main gauche un gros cierge allumé, et agitait de sa main droite une clochette d'argent, ce qui semblait l'amuser fort. A l'intérieur d'une de ces maisons soigneusement fermées se trouvait donc un moribond : on lui apportait le saint viatique. Don Fabrice descendit, s'agenouilla sur le trottoir, les femmes firent le signe de la croix. Le tintement s'éloigna dans les ruelles qui dégringolent du côté de San Giacomo, et la calèche, avec ses occupants alourdis d'un avertissement salutaire, se remit en route vers son but, désormais tout proche.

On passa la porte d'entrée, on descendit sous la voûte ; la voiture disparut dans une cour immense, d'où provenaient les piétinements et les lumières des équipages déjà arrivés.

L'escalier était de pierre modeste mais de nobles proportions ; de chaque côté des marches, des fleurs naturelles répandaient leur parfum sans apprêt ; sur le palier qui séparait les deux volées, les livrées amarante de deux laquais immobiles sous leur perruque poudrée mettaient une note de couleur vive dans le décor gris perle. Des rires et des murmures pleins de fraîcheur tombaient de deux hautes fenêtres intérieures : derrière les barreaux, les plus jeunes fils et les petits-enfants des Ponteleone, exclus de la fête, se vengeaient en se moquant des invités. Les dames Salina aplatirent les plis de leurs robes brillantes ; don Fabrice, son gibus sous le bras, les dépassait de toute la tête, bien qu'il se tînt une marche plus bas. On rencontra les maîtres de maison à l'entrée du premier salon. Don Diego, chenu et ventru, aurait paru plébéien sans ses yeux arrogants. Donna Marguerite montrait un visage aquilin de vieux chanoine, entre l'éclat de son diadème et son triple collier d'émeraudes.

– Vous êtes venus de bonne heure. Tant mieux. Mais soyez tranquilles, *vos* invités ne sont pas encore arrivés.

Cette nouvelle épine causa quelque désagrément aux griffes sensibles du Guépard.

– Tancrède aussi est arrivé.

Dans l'angle opposé du salon, le cher neveu, noir et mince comme une couleuvre, tenait compagnie à trois ou quatre jeunes gens et les faisait rire aux larmes par des anecdotes assurément risquées ; mais ses yeux, inquiets comme d'habitude, fixaient la porte d'entrée. Les danses avaient déjà commencé ; les sons de l'orchestre installé dans la salle de bal parvenaient jusqu'aux Salina à travers trois, quatre, cinq salons.

– Nous attendons aussi le colonel Pallavicino, celui qui s'est si bien conduit à Aspromonte[1].

Cette phrase du prince Ponteleone semblait simple, mais ne l'était pas. En apparence, c'était une constatation privée de tout sens politique, un simple éloge du tact, de la délicatesse, de l'émotion, pour ne pas dire de la tendresse, avec lesquels une balle avait été envoyée dans le pied du Général, sans parler des coups de chapeau, agenouillements, baisemains, hommages au héros gisant sous un châtaignier de la montagne calabraise ; lequel héros souriait lui aussi, d'émotion, et non pas d'ironie, comme on s'y fût attendu (hélas, Garibaldi était dépourvu d'humour).

A un étage intermédiaire de sa pensée, Ponteleone introduisait dans sa phrase un sens en quelque sorte technique : il entendait louer le Colonel pour avoir pris soigneusement ses dispositions, placé opportunément ses bataillons, et mené à bien une entreprise où Landi, contre le même adversaire, avait échoué de façon incompréhensible, à Calatafimi[2].

Enfin, au fond de son cœur, Ponteleone donnait de la « bonne conduite » du Colonel une définition plus large : il avait réussi à arrêter, vaincre, blesser et capturer Garibaldi, sauvant le compromis si difficilement établi entre l'ancien et le nouveau régime.

Évoqué et en quelque sorte créé par ces paroles flatteuses, par ces réflexions plus flatteuses encore, le Colonel apparut au sommet de l'escalier. Il avançait dans un tintement de breloques, de chaînettes et d'éperons, vêtu de

1. En 1862, Garibaldi voulut enlever Rome au gouvernement pontifical et en faire la capitale de l'Italie nouvelle. Le gouvernement italien souhaitait parvenir aux mêmes fins par la diplomatie. Le Général revint en Sicile, leva une petite armée et passa avec elle en Calabre, afin de marcher sur Rome. Napoléon III, décidé à défendre la papauté, s'opposa vigoureusement à ce projet et le gouvernement italien, pour empêcher le conflit, fit procéder à l'arrestation de Garibaldi. Le 29 août 1862, les troupes régulières, commandées par Pallavicino, battirent les volontaires garibaldiens sur le haut plateau d'Aspromonte, en Calabre. Garibaldi fut blessé au pied et fait prisonnier.

2. Calatafimi : première bataille des garibaldiens sur le sol de Sicile, après le débarquement de Marsala. Cinq mille soldats bourboniens furent battus par les volontaires.

son uniforme molletonné à plastron croisé, son chapeau à panache sous le bras, son sabre recourbé appuyé sur le poignet gauche. C'était un homme du monde, aux manières pleines de rondeur, spécialiste, toute l'Europe le savait désormais, en baisemains denses de signification. Les femmes qui sentirent ce soir-là se poser sur leurs doigts ses moustaches odorantes eurent l'occasion d'évoquer en connaissance de cause la minute historique que l'imagerie populaire avait déjà exaltée.

Après avoir supporté sans faiblir la douche des louanges que lui versèrent les Ponteleone, après avoir serré les deux doigts que lui tendit don Fabrice, Pallavicino fut submergé par le flot vaporeux et parfumé des dames qui s'empressaient autour de lui.

Ses traits délibérément virils émergeaient au-dessus des blanches épaules et l'on pouvait entendre quelques-unes de ses paroles : « Je pleurais, comtesse, je pleurais comme un enfant. » Ou bien : « Il était beau et serein comme un archange. » Cette mâle sentimentalité ravissait les femmes – que les coups de feu des bersagliers avaient déjà rassurées.

Angélique et don Calogero tardaient ; les Salina allaient pénétrer dans les autres salons quand on vit Tancrède planter là son groupe et filer comme une flèche vers l'entrée : ceux que l'on attendait arrivaient. Au-dessus du tourbillon discipliné de sa crinoline rose, les épaules nacrées d'Angélique descendaient vers ses bras forts et doux, sa tête se dressait petite et dédaigneuse sur un cou jeune et lisse, orné de perles intentionnellement modestes. Quand sa main, assez grande mais de forme parfaite, sortit de son long gant glacé, on vit briller le saphir napolitain.

Don Calogero marchait dans son sillage, petit rat gardien d'une rose flamboyante ; ses vêtements étaient sans élégance, mais cette fois fort décents. Sa seule erreur fut d'arborer à sa boutonnière la croix de la couronne d'Italie, qu'on lui avait accordée récemment ; l'objet disparut d'ailleurs bien vite dans une des poches clandestines de Tancrède.

Angélique avait appris de son fiancé l'impassibilité, ce fondement de la distinction. (« Tu ne peux être expansive et bruyante qu'avec moi, ma chérie ; pour tous les autres, tu dois être la future princesse de Falconeri ; beaucoup lui sont inférieurs, il n'en est aucun qu'elle n'égale. ») En conséquence, son salut à la maîtresse de maison fut un mélange peu spontané mais très réussi de modestie virginale, de hauteur néo-aristocratique et de grâce juvénile.

Les Palermitains ne sont après tout que des Italiens, c'est-à-dire des hommes sensibles à la fascination de la beauté et au prestige de l'argent. D'un autre côté, Tancrède, bien que séduisant, était notoirement pauvre, et on ne le tenait pas pour un parti désirable (à tort, du reste ; on le découvrit trop tard) : il était apprécié des femmes mariées plus que des jeunes filles. Ces mérites et ces démérites réunis valurent à Angélique un accueil d'une chaleur imprévue. Quelques jeunes gens se désolèrent peut-être de n'avoir pas su dénicher pour leur propre compte une si belle amphore, toute pleine de pièces d'or ; mais Donnafugata était le fief de don Fabrice ; qu'il ait trouvé lui-même ce trésor et l'ait passé à son cher Tancrède, on ne pouvait pas plus s'en plaindre que s'il avait découvert une mine de soufre sur une de ses terres. C'était son bien ; il n'y avait rien à dire.

D'ailleurs, ces fugitives oppositions s'évanouirent devant le rayonnement des beaux yeux verts. Il y eut même une véritable bousculade parmi les jeunes gens qui voulaient être présentés à Angélique pour lui demander une danse : à chacun d'eux, sa bouche de fraise dédiait un sourire, elle montrait à chacun son carnet où toutes les polkas, les mazurkas et les valses étaient marquées d'une signature possessive : Falconeri. Du côté des jeunes filles, ce fut une avalanche de propositions : « Tutoyons-nous ! » Au bout d'une heure, Angélique se trouvait à l'aise au milieu de gens qui n'avaient pas la moindre idée de la sauvagerie de sa mère, ni de la ladrerie de son père.

Sa dignité ne se démentit pas une seconde : on ne la vit jamais errer seule, la tête dans les nuages ; ses bras ne s'écartèrent jamais de son corps ; sa voix ne s'éleva pas au-dessus du diapason, du reste assez haut, des autres femmes. Tancrède lui avait dit :

– Vois-tu, ma chérie, nous tenons (et toi aussi désormais), nous tenons à nos demeures et à notre mobilier plus qu'à tout ; rien ne nous offense davantage que de les voir négliger. Donc, regarde autour de toi, et loue ce que tu vois ; du reste, le palais Ponteleone le mérite bien. Mais tu n'es plus une petite provinciale qui s'étonne de tout ; tu devras donc nuancer tes louanges de quelques réserves ; admire, mais compare toujours avec ce que tu as vu de meilleur, et que tu choisiras illustre.

Les longues visites à travers le palais de Donnafugata avaient beaucoup appris à Angélique ; elle put ainsi admirer les tapisseries des Ponteleone, mais dire que celles du palais Pitti avaient de plus belles bordures ; louer une madone de Dolci, mais rappeler que celle du Grand-Duc avait une mélancolie plus expressive. Elle affirma même, en mangeant une tranche de tarte apportée par un galant, que la pâte était excellente, presque aussi bonne que celles de « Monsù Gaston », le cuisinier des Salina. Comme « Monsù Gaston » était le Raphaël des cuisines, et l'auteur des tapisseries du palais Pitti le « Monsù Gaston » de la haute lice, personne ne put lui opposer un démenti ; tous, au contraire, se montrèrent flattés de la comparaison. Elle commença dès ce soir-là à acquérir la renommée qui devait l'accompagner, non sans abus, durant toute sa longue existence : celle d'un amateur d'art, courtois mais inflexible.

Tandis qu'Angélique récoltait des lauriers, Maria-Stella caquetait sur un divan avec deux vieilles amies ; Concetta et Caroline glaçaient par leur timidité les jeunes gens les plus empressés ; et don Fabrice errait à travers les salons. Il baisait la main des femmes qu'il rencontrait, martyrisait l'épaule des hommes qui le saluaient, sentait lentement grandir sa mauvaise humeur. D'abord, la maison ne lui plaisait pas : les Ponteleone n'avaient pas renouvelé leur mobilier depuis soixante-dix ans, il datait de la reine Marie-Caroline. Lui qui croyait avoir des goûts modernes s'indignait : « Mais, grand Dieu, avec les rentes qu'a Diego, ça ne serait pas bien difficile de jeter tout ce bric-à-brac, tous ces miroirs ternis ! Qu'il se fasse donc faire un beau mobilier de palissandre et de peluche, qu'il vive un peu confortablement, et qu'il ne contraigne pas ses invités à errer dans des catacombes. Je finirai par le lui dire. » Bien entendu il n'en fit rien : ses opinions n'exprimaient que sa mauvaise humeur momentanée et sa tendance à la contradiction. Il les oubliait vite ; et lui-même ne changeait rien à San Lorenzo ni à Donnafugata. Cependant, ces réflexions augmentèrent encore son malaise.

Les femmes présentes au bal ne lui plaisaient pas davantage. Deux ou trois, parmi les plus âgées, avaient été ses maîtresses ; en les voyant chargées d'années et de brus, il avait peine à recréer l'image de ce qu'elles avaient été vingt ans plus tôt. Il s'irritait de penser qu'il avait gâché ses plus belles années à poursuivre (et à atteindre) de semblables horreurs. Les jeunes elles-mêmes ne lui disaient pas grand-chose, sauf deux ou trois : la fraîche duchesse de Palma, dont il admirait les yeux gris et la sévère suavité, et aussi Toutou Lascari, dont, s'il avait été moins âgé, il aurait su tirer de singuliers accords. Mais les autres... Heureusement qu'Angélique était sortie des ténèbres de Donnafugata pour montrer aux Palermitains ce qu'est une belle femme.

On ne pouvait donner tort au Prince : en ce temps-là, les fréquents mariages entre cousins, dictés par la paresse sexuelle et les calculs terriens, le manque de protéines dans l'alimentation, aggravé par l'abondance des amylacés, l'absence totale d'air frais et de mouvement, tout avait rempli les salons d'une foule de fillettes basses sur pattes, invraisemblablement olivâtres, insupportablement zézayantes. Elles passaient leur temps collées les unes aux autres, lançant en chœur leurs appels aux jeunes gens effrayés. Elles semblaient n'être là que pour servir de repoussoir à trois ou quatre belles créatures qui, comme la blonde Maria Palma, la magnifique Eleonora Giardinelli, passaient en glissant, cygnes sur un étang rempli de grenouilles.

Plus il les regardait, plus il se sentait irrité : habitué aux longues solitudes et aux pensées abstraites, il finit même par avoir une sorte d'hallucination. Tandis qu'il passait au centre d'une longue galerie, devant un pouf où s'était réunie une abondante colonie de ces créatures, il lui sembla qu'il était le gardien d'un jardin zoologique, en train de surveiller les ébats d'une centaine de jeunes guenons. Il s'attendait à les voir brusquement grimper sur les lampadaires et s'y balancer, suspendues par la queue, exhibant leur derrière, accablant les pacifiques visiteurs de coquilles de noix, de cris et de grincements de dents.

Bizarrement, ce fut une impression religieuse qui le tira de sa vision zoologique ; monotone, une invocation sacrée s'élevait au-dessus des petites guenons en crinoline : « Marie ! Marie ! » s'écriaient sans arrêt ces pauvres filles. « Marie ! quelle belle maison ! » « Marie ! quel bel homme, ce colonel Pallavicino ! » « Marie ! que j'ai mal aux pieds ! » « Marie ! que j'ai faim ! quand donc ouvrira-t-on le buffet ? » Le nom de la Madone, invoqué par ce chœur virginal, emplissait la galerie et changeait à nouveau les petits singes en femmes : selon toute probabilité, les ouistitis de la forêt brésilienne ne s'étaient pas encore convertis au catholicisme.

Vaguement écœuré, le Prince passa dans le salon voisin où campait la tribu des hommes, variée et hostile. Les plus jeunes dansant, tous ceux qui se trouvaient là étaient âgés et se comptaient pour ses amis. Il s'assit un moment à côté d'eux. Ici, l'on n'invoquait pas en vain le nom de la reine des cieux, mais les lieux communs et les platitudes rendaient l'atmosphère irrespirable. Don Fabrice passait pour un « extravagant » auprès de ces messieurs ; son goût pour les mathématiques était considéré comme une perversion peccamineuse ou presque, et, s'il n'avait été le prince de Salina, si on ne l'avait connu pour un excellent cavalier, un chasseur infatigable et un coureur de jupons d'une honnête moyenne, ses parallaxes et ses télescopes auraient bien pu le faire mettre au ban de la « société ». Au reste, on lui parlait peu, car l'azur froid de ses yeux, entrevu entre des paupières pesantes, désarçonnait ses interlocuteurs ; souvent on le laissait à l'écart, non, comme il le croyait, par respect, mais par crainte.

Il se leva. Sa mélancolie s'était transformée en une authentique et noire mauvaise humeur. Il avait eu tort de venir à ce bal : Stella, Angélique et ses filles se seraient

très bien arrangées sans lui ; il pourrait, en ce moment même, être installé tranquillement dans son petit bureau, à côté de la terrasse, rue Salina, écoutant le murmure de la fontaine, tout en cherchant à saisir les comètes par la queue. « Enfin, j'y suis... Il serait impoli de partir. Allons regarder les danseurs. »

Dans la salle de bal, ce n'étaient qu'ors : or lisse aux corniches, or travaillé aux chambranles, or damasquiné et clair, presque argenté, se détachant sur un fond plus sombre, aux panneaux des portes et jusque sur les volets intérieurs qui fermaient les fenêtres, les annulaient, conféraient à la pièce l'orgueilleuse allure d'un écrin repoussant tout rapport avec un extérieur indigne. Il ne s'agissait pas de ces dorures impudentes qu'étalent maintenant les décorateurs, mais d'un or usé, pâle comme les cheveux de certaines fillettes du Nord ; un or cachant soigneusement son prix, avec la pudeur, bien perdue aujourd'hui, d'une matière précieuse qui montre sa beauté et fait oublier sa valeur. Çà et là, sur les lambris, des nœuds de fleurs rococo d'une douce couleur passée semblaient une éphémère rougeur, un reflet venu des lustres.

Cette tonalité solaire, ces chatoiements d'ombres et de lueurs firent à leur tour souffrir don Fabrice, qui se tenait, noir et raide, sur le seuil. Devant ce décor éminemment patricien, des images campagnardes lui venaient à l'esprit : il retrouvait le chromatisme des chaumes qui s'étendent à l'infini autour de Donnafugata, extatiques, implorant la clémence d'un ciel sans pitié. Dans cette salle, comme dans les fiefs à la mi-août, la récolte avait été faite depuis longtemps, et engrangée ailleurs ; il ne restait, ici comme là-bas, que son souvenir, cette couleur de chaume brûlé et inutile. Les valses, dont les notes traversaient l'air chaud, lui semblaient la stylisation du passage incessant des vents en deuil jouant de la harpe sur la plaine assoiffée, hier, aujourd'hui, demain, toujours, toujours. La foule des danseurs, qui comptait pourtant tant de ses proches par la chair, sinon par le cœur, finit par lui paraître irréelle, taillée dans la matière des souvenirs périmés, plus impalpable encore que la trame des songes. Les divinités du plafond, assises sur des trônes dorés, se penchaient pour regarder la foule, inexorables et souriantes comme un ciel d'été. Sans doute se croyaient-elles éternelles : un jour de 1943, une bombe fabriquée à Pittsburgh, Penn., leur démontrerait le contraire.

– Magnifique, Prince, magnifique ! des choses comme ça, on n'en fait plus de nos jours ! au prix actuel de l'or !

Sedara était venu le rejoindre ; ses petits yeux malins parcouraient le décor, insensibles à sa grâce, attentifs à sa valeur monétaire.

Don Fabrice, brusquement, sentit qu'il haïssait le maire. C'était à cause de lui et de cent autres de son espèce, de leurs obscures intrigues, de leur avarice, de leur cupidité, que tous les palais baignaient désormais dans l'ombre de la mort. C'était à cause de lui, de ses compères, de leurs rancœurs, de leur sentiment d'infériorité, de leur incapacité à s'épanouir, que don Fabrice, devant les habits noirs des danseurs, pensait aux corneilles qui planent, guettant des proies décomposées, au-dessus des vallons solitaires. Il eut envie de répondre grossièrement, d'inviter l'autre à déguerpir. Mais il ne pouvait pas : c'était un hôte, le père de la chère Angélique. Peut-être, après tout, don Calogero était-il malheureux, lui aussi.

– Magnifique, don Calogero, magnifique. Mais ce qui l'est plus encore, ce sont nos deux enfants.

Tancrède et Angélique passaient devant eux, la main gantée du jeune homme posée légèrement sur la taille de la jeune fille, ils dansaient les yeux dans les yeux, les bras tendus, enlacés. Le noir du frac, le rose de la robe, rapprochés, formaient un étrange bijou. Ils offraient le spectacle le plus pathétique que l'on pût voir : celui de deux êtres très jeunes, amoureux, qui dansent ensemble, aveugles à leurs défauts réciproques, sourds aux avertissements du destin, persuadés que le chemin de leur vie sera lisse comme le plancher du salon. C'étaient de candides acteurs à qui le metteur en scène fait jouer les rôles de Roméo et

Juliette sans leur montrer la crypte et le poison prévus par le scénario. Ni l'un ni l'autre n'était vraiment bon, chacun était plein de calculs, gonflé de buts secrets ; et pourtant ils étaient tous les deux aimables, attendrissants. Leurs ambitions fort peu limpides mais ingénues étaient effacées par les mots doux et joyeux que Tancrède murmurait à l'oreille d'Angélique, par le parfum des cheveux de la jeune fille, par l'étreinte de leurs corps périssables.

Les fiancés s'éloignaient. D'autres couples passaient, moins beaux, aussi émouvants, plongés dans leur cécité passagère. Don Fabrice sentit mollir son cœur ; son dégoût céda la place à une grande compassion pour tous ces êtres éphémères qui tentaient de jouir du mince rayon de lumière accordé à leurs yeux, entre les ténèbres qui précèdent le berceau et celles qui suivent les derniers spasmes. Peut-on se montrer dur envers ceux que l'on sait voués à la mort ? Ce serait être vil comme ces poissonnières qui, soixante ans plus tôt, avaient outragé les condamnés, sur la place du Marché. Les petites guenons elles-mêmes, sur leur pouf, et ses vieux benêts d'amis lui paraissaient misérables, menacés ; ils lui serraient le cœur comme le bétail qui meugle, la nuit, dans les rues de la ville, en marche vers l'abattoir. Chacun d'eux entendrait un jour tinter à ses oreilles la clochette du cortège que lui-même avait rencontré trois heures plus tôt, derrière San Domenico. On n'a rien le droit de haïr, si ce n'est l'éternité.

Et puis tous ceux qui remplissaient le salon, tous ces laiderons, tous ces sots, ces deux sexes vantards, étaient le sang de son sang, lui-même enfin. Il ne se sentait à l'aise qu'avec eux. « Je suis peut-être plus intelligent qu'eux, plus cultivé certainement, mais nous sommes du même acabit, et je dois rester solidaire. »

Il s'aperçut que don Calogero parlait avec Giovanni Finale d'une hausse probable sur le *caciocavallo*[1] ; les yeux de Sedara s'humectaient et se remplissaient de man-

1. *Caciocavallo* : fromage en forme de gourde, très répandu dans tout le sud de l'Italie.

suétude, dans l'espoir de cet heureux événement. Don Fabrice pouvait s'échapper sans remords.

Son irritation lui avait jusque-là donné de l'énergie, mais avec l'accalmie arriva la fatigue : il était déjà deux heures du matin. Il chercha un endroit où s'asseoir tranquillement, loin des hommes, ses frères tant aimés, c'est entendu, mais toujours aussi ennuyeux. Il trouva rapidement ce qu'il lui fallait : la bibliothèque, petite, silencieuse, bien éclairée et vide. Il s'assit, puis se releva pour prendre de l'eau sur une petite table. « Il n'y a que l'eau qui soit vraiment bonne à boire », pensa-t-il, en bon Sicilien ; et il se garda d'essuyer les petites gouttes qui restaient sur ses lèvres. Il s'assit de nouveau ; la bibliothèque lui plaisait, il s'y sentit vite à son aise. Il pouvait facilement en prendre possession : elle était impersonnelle, comme toute pièce peu habitée. Ponteleone n'était pas homme à perdre son temps là-dedans. Don Fabrice se mit à contempler un tableau accroché en face de lui. C'était une bonne copie de la *Mort du Juste*, de Greuze. Le vieillard était en train d'expirer dans son lit, parmi les bouillonnements d'un linge immaculé, entouré de petits fils affligés et de petites filles qui levaient les bras au ciel. Elles étaient gracieuses, lascives, le désordre de leurs vêtements suggérait le libertinage plus que la douleur ; on comprenait tout de suite qu'elles étaient le véritable sujet du tableau. Don Fabrice fut d'abord surpris que Diego aimât avoir sous les yeux cette scène mélancolique ; puis il se rassura en pensant que son ami ne devait guère entrer dans cette pièce plus de deux fois par an.

Il se demanda ensuite si sa propre mort ressemblerait à celle-là. Oui, probablement, mais le linge ne serait pas impeccable (il savait bien, lui, que les draps des agonisants sont toujours sales : la bave, les déjections, les taches de potion...). Il fallait aussi espérer que Concetta, Caroline et les autres seraient plus décemment vêtues. Mais dans l'ensemble, ce serait le même tableau. Comme toujours, l'idée de sa propre mort le rassérénait autant que le troublait la mort des autres ; peut-être parce que, tout au fond de lui-même, il pensait que sa mort serait en premier lieu celle du monde entier ?

De là, sa pensée alla aux réparations qu'il faudrait faire au tombeau de famille, chez les capucins. Quel dommage qu'on n'ait plus le droit de suspendre les cadavres par le cou dans la crypte, comme autrefois : on pouvait les voir se momifier lentement. Il aurait eu grand air contre ce mur, large et long comme il était ; il aurait pu épouvanter les jeunes filles avec l'immobile sourire de son visage parcheminé et ses pantalons de piqué blanc. Mais non, c'est vrai, on le revêtirait de son costume de gala, peut-être de ce même frac qu'il portait aujourd'hui...

La porte s'ouvrit :

– Tonton, tu es beau comme un astre, ce soir. L'habit noir te va à la perfection. Mais qu'es-tu en train de regarder ? Tu courtises la mort ?

Angélique était au bras de Tancrède ; encore sous l'influence sensuelle de la danse, ils semblaient las. Angélique s'assit et demanda à Tancrède un mouchoir, afin de s'essuyer les tempes. Ce fut don Fabrice qui lui donna le sien. Les jeunes gens regardaient le tableau avec une indifférence absolue. Leur connaissance de la mort était purement intellectuelle ; c'était une des données de leur culture, sans plus, et non une expérience qui vous ronge la moelle des os. La mort existait sans aucun doute, mais pour les autres. C'est, pensa don Fabrice, l'ignorance intime de cette suprême consolation qui rend les jeunes gens si vulnérables à la douleur ; les vieillards, eux, savent que la sortie n'est jamais loin.

– Prince, déclara Angélique, on nous a dit que vous étiez ici ; nous sommes venus nous reposer, mais aussi vous demander quelque chose ; j'espère que vous ne me le refuserez pas.

Ses yeux riaient de malice, sa main se posait sur la manche de don Fabrice :

– Je voulais vous demander de danser avec moi la prochaine mazurka. Dites oui, ne soyez pas méchant, on sait que vous étiez un merveilleux danseur.

Le Prince fut ravi et se sentit tout ragaillardi : il s'agissait bien de la crypte des capucins ! Ses joues velues frémirent de contentement. La mazurka l'effrayait pourtant un peu : cette danse militaire, toute en battements de pieds et en pirouettes, n'était plus faite pour ses jointures. S'agenouiller devant Angélique serait un plaisir ; mais si ensuite il peinait pour se relever ?

– Merci ma fille, tu me rajeunis. Je serai heureux de t'obéir, mais pas pour la mazurka. Accorde-moi la première valse.

– Tu vois, Tancrède, comme l'oncle est gentil ! il ne fait pas de caprices comme toi. Savez-vous, Prince, qu'il ne voulait pas que je vous demande cela ? Il est jaloux.

Tancrède riait :

– Quand on a un oncle beau et élégant comme lui, il faut bien être jaloux. Mais enfin, pour cette fois, je ne m'opposerai pas.

Ils souriaient tous trois ; don Fabrice se demanda s'ils avaient comploté cette proposition pour lui faire plaisir ou pour se moquer de lui. Cela n'avait pas d'importance ; ils étaient délicieux, en tout cas.

En sortant, Angélique effleura du doigt la tapisserie d'un fauteuil :

– Qu'ils sont jolis ! quelle belle couleur ! mais ceux qui sont chez vous, Prince...

Le navire continuait à courir sur son erre. Tancrède intervint :

– Cela suffit, Angélique. Nous t'aimons bien tous les deux, même sans ta culture en matière de mobilier. Laisse les chaises et viens danser.

Tandis qu'ils allaient vers la salle de bal, don Fabrice vit que Sedara parlait encore avec Giovanni Finale. On entendait les mots *russella*, *primintio*, *marzolino* ; ils comparaient les mérites des graines et des semences. Le Prince prévit une imminente invitation à Margarossa, la propriété pour laquelle Finale était en train de se ruiner à force d'innovations agricoles.

Le couple d'Angélique et de don Fabrice eut un succès considérable. Les énormes pieds du cavalier se mouvaient avec une délicatesse surprenante, et pas une fois les petites chaussures de satin de sa dame ne coururent le danger d'être effleurées. La grande patte du Prince serrait vigoureusement la taille de la jeune fille, son menton s'appuyait sur l'onde nocturne des cheveux ; le parfum du *Bouquet à la Maréchale* et surtout l'arôme d'une peau jeune et lisse montaient du décolleté d'Angélique. Une phrase de Tumeo revint à l'esprit du Prince : « Ses draps doivent avoir l'odeur du paradis », phrase inconvenante, phrase grossière, mais exacte. Ce Tancrède...

Elle parlait. Sa vanité naturelle n'était pas moins satisfaite que sa tenace ambition.

– Je suis si heureuse, tonton. Tout le monde a été si gentil, si bon. Et puis Tancrède est un amour ; et vous aussi, vous êtes un amour. Tout ça, c'est à vous que je le dois, tonton ; Tancrède compris. Parce que si vous aviez voulu, on sait bien comment les choses auraient tourné.

– Je n'y suis pour rien, ma fille ; tu dois tout à toi-même, à toi seule.

Et c'était vrai ; aucun Tancrède n'aurait résisté à la beauté d'Angélique unie à son patrimoine. Il l'aurait épousée en dépit de tous les obstacles. Une épine soudaine s'enfonça dans le cœur de don Fabrice : il venait de revoir les yeux, hautains mais vaincus, de Concetta. Ce fut une brève douleur ; à chaque tour de valse, une année lui tombait des épaules. Il se retrouva tel qu'il était à vingt ans, dansant dans ce même salon avec Stella, ignorant encore ce que sont les désillusions, l'ennui, le reste... Pendant une seconde, cette nuit-là, la mort fut de nouveau, à ses yeux, « pour les autres ».

Il était tellement absorbé dans ses souvenirs, ceux-ci coïncidaient si parfaitement avec ses sensations présentes, qu'il ne s'aperçut pas que depuis un moment Angélique et lui dansaient seuls. Prévenus peut-être par Tancrède, les autres couples s'étaient arrêtés pour les regarder. Les deux Ponteleone assistaient au spectacle ; ils semblaient attendris ; âgés, ils comprenaient, sans doute. Bien qu'elle fût âgée aussi, Stella, sur le seuil, regardait d'un œil sombre. Quand l'orchestre s'arrêta, il s'en fallut de peu que les applaudissements n'éclatassent ; mais l'aspect léonin de don Fabrice empêchait que l'on se risquât à de telles inconvenances.

La valse finie, Angélique proposa à don Fabrice de dîner à la table qu'elle et Tancrède avaient choisie. Il n'eût pas demandé mieux, mais ses souvenirs de jeunesse vinrent lui rappeler à quel point un dîner en compagnie d'un vieil oncle lui semblait odieux, quand il aurait pu jouir de la présence de Stella. Les amoureux veulent être seuls, ou bien se perdre au milieu d'étrangers ; mais non rester avec des vieux, et qui pis est, des vieux de leur famille.

– Merci, Angélique, je n'ai pas faim. Je prendrai quelque chose debout. Va avec Tancrède ; ne vous occupez pas de moi.

Il attendit un peu que les jeunes gens se fussent éloignés, puis il pénétra à son tour dans la salle du buffet. Une table longue et étroite s'étendait au fond de la pièce illuminée par les douze fameux candélabres de vermeil que le grand-père de don Diego avait reçus de la cour d'Espagne, après une ambassade à Madrid. Dressées sur de hauts piédestals de métal étincelant, six figures d'athlètes et six figures de femmes soulevaient au-dessus de leur tête la tige d'argent doré, couronnée par la flamme de douze bougies. L'habileté de l'orfèvre avait spirituellement exprimé la sereine aisance des hommes, la gracieuse lassitude des femmes, sous le poids que chacun supportait.

« Qui sait combien d'hectares de terrain cela représente ! » aurait dit le pauvre Sedara. Don Fabrice se souvint qu'un jour, Diego lui avait montré les écrins de ces candélabres, véritables montagnes de maroquin vert, portant, gravé sur leur flanc, l'écu d'or tiercé des Ponteleone et les chiffres enlacés des donateurs.

Au-dessous des candélabres, au-dessous des pièces montées pyramidales qui dressaient leurs cinq étages vers les plafonds lointains (on ne pourrait jamais les finir, comme d'habitude), s'étendait la monotone opulence des *tables à thé*[1] des grands bals : corail des langoustes bouillies vivantes, cires et ivoires des *chauds-froids* de veau, acier des bars noyés dans des sauces épaisses, or des dindons rôtis au four, rose pâle des médaillons de foie gras sous leur cuirasse de gelée, ambre des bécasses désossées couchées sur des tumulus de pain grillé et décorées de leurs entrailles triturées ; rose aurore des galantines ; et mille autres délices colorées et cruelles. Aux deux extrémités de la table, deux monumentales soupières d'argent contenaient un limpide *consommé*, topaze brûlé. Les maîtres queux, dans les vastes cuisines, avaient dû suer sang et eau depuis la veille au soir pour préparer le souper.

« Sapristi ! que de choses... Donna Marguerite sait vivre. Mais il faudrait pour tout cela d'autres estomacs que le mien. »

Il dédaigna les boissons qui se trouvaient à droite, sur une table luisante de cristaux et d'argent, et se dirigea vers la table aux pâtisseries. Là, s'offraient d'immenses *babas* alezans comme des robes de cheval, de neigeux *monts-blancs* de crème, des beignets *Dauphin* que les amandes diapraient de blanc et les pistaches de vert, des collines de *profiteroles* au chocolat, brunes et grasses comme l'humus de la plaine catanaise dont elles provenaient, d'ailleurs, après mille métamorphoses, des *parfaits* roses, des *parfaits* beiges, des *parfaits* champagne, qui s'effritaient en craquant lorsque la cuillère les entamait, les arpèges en majeur des griottes confites, les timbres acidulés des jaunes ananas, et enfin, « triomphe de la gourmandise », d'impudiques *gâteaux des Vierges*, avec le vert opaque de leurs pistaches écrasées. Ce fut eux que choisit don Fabrice. Tandis qu'il les emportait sur une soucoupe, il avait l'air d'une caricature profane de sainte Agathe, exhibant ses seins coupés.

« Comment diable le Saint-Office, alors qu'il le pouvait,

1. Ces mots, et tous ceux que nous avons placés ici en italique, sont en français dans le texte.

ne pensa-t-il pas à interdire ces gâteaux ? Les "triomphes de la gourmandise" (la gourmandise, péché mortel !), les mamelles de sainte Agathe, vendues par les couvents, dévorées par les fêtards ! bah ! »

Dans la salle odorante de vanille, de vins et de poudre de riz, don Fabrice errait à la recherche d'une place. Tancrède le vit de sa table et tapota sur une chaise pour montrer qu'il y avait de la place près de lui. Angélique essayait de vérifier sur l'envers d'une assiette d'argent l'ordre de sa chevelure. Don Fabrice secoua la tête en souriant. Il continua à chercher. Il entendit, à une table, la voix satisfaite de Pallavicino : « La plus grande émotion de ma vie... » Il y avait une place vide près de lui. Mais quel type ennuyeux ! N'était-il pas préférable de jouir de la cordialité peut-être étudiée mais si rafraîchissante d'Angélique, de l'humour sec de Tancrède ? Non ; mieux valait s'ennuyer que d'ennuyer les autres.

Il s'excusa, s'assit à côté du Colonel qui se leva à son arrivée – ceci fit remonter le militaire dans l'estime du Guépard. Tout en dégustant le mélange raffiné de blanc-manger, de pistache et de cannelle contenu dans ses gâteaux, don Fabrice conversait avec Pallavicino qui, sous l'apparence sucrée qu'il réservait peut-être aux dames, n'était pas un imbécile, loin de là. C'était un « monsieur », lui aussi, et le scepticisme caché d'habitude derrière les flammes impétueuses et guerrières de son uniforme se révélait maintenant, dans ce milieu qui lui était familier, loin de l'inévitable rhétorique des casernes et des admiratrices.

– La gauche veut me mettre au pilori parce que j'ai ordonné à mes hommes, au mois d'août, de faire feu sur le Général. Mais dites-moi ce que je pouvais faire d'autre, Prince, avec les ordres écrits que je portais ? Et puis, je dois avouer que lorsque j'ai vu devant moi, à Aspromonte, ces centaines de gueux débraillés, les uns avec des gueules de fanatiques incurables, les autres avec des trognes de mutins professionnels, je me suis senti heureux de la coïncidence de ces ordres avec ma propre pensée. Si je n'avais pas commandé de tirer, ces gens-là nous auraient réduits en bouillie, mes soldats et moi. Le malheur n'aurait pas été grand, mais l'affaire aurait bien fini par provoquer l'intervention française, l'intervention autrichienne : une pagaille sans précédent, où aurait croulé ce royaume d'Italie né si miraculeusement – enfin, sans que l'on sache comment. Et puis, je vous le dis en confidence : cette brève fusillade, c'est à Garibaldi qu'elle a surtout profité ; elle l'a libéré de cette bande qui ne voulait plus le lâcher, de ces individus qui, comme Zambianchi, se servaient de lui à je ne sais quelles fins. Des fins peut-être nobles, bien qu'ineptes, mais probablement inspirées par les Tuileries et le palais Farnèse. Tous ces individus étaient très différents de ceux qui avaient débarqué avec le Général à Marsala et dont les meilleurs croyaient pouvoir faire l'Italie à coups de quarante-huitades. Garibaldi était conscient de tout cela. Au moment de mon fameux agenouillement, il m'a serré la main avec une chaleur que je ne crois pas fréquente envers un homme qui vous a fait expédier une balle dans le pied, cinq minutes plut tôt. Et savez-vous ce qu'il m'a dit, à voix basse, lui, la seule personne convenable qui se trouvât alors dans ces malheureuses montagnes ? « Merci, colonel[1]. » Merci de quoi, je vous le demande ? de l'avoir rendu boiteux pour le restant de ses jours ? non, évidemment ; mais de lui avoir fait toucher du doigt les filouteries, les lâchetés, peut-être pis encore, de ses louches partisans.

– Excusez-moi, mais ne croyez-vous pas, Colonel, que vous avez un peu exagéré les baisemains, les coups de chapeau, les compliments ?

– Sincèrement, non. Ces actes d'affection étaient spontanés. Il fallait le voir, ce pauvre grand homme, étendu à terre sous un châtaignier, souffrant dans son corps et dans son esprit plus encore. Il faisait tant, tant de peine ! Il montrait clairement ce qu'il avait toujours été : un enfant, avec une barbe et des rides, mais un enfant tout de même, étourdi, ingénu. J'avais dû faire le gendarme, mais il

1. Garibaldi pardonna si bien à Pallavicino qu'il le prit avec lui en 1866, comme général, lors de la guerre d'indépendance contre l'Autriche.

m'était difficile de résister à mon émotion. Pourquoi, d'ailleurs, aurais-je résisté ? Je ne baise la main qu'aux femmes : à ce moment-là, Prince, mon hommage s'adressait à la Sauvegarde du Royaume, une dame, elle aussi, à qui nous devons tous les égards, nous autres militaires.

Un laquais passait : don Fabrice lui demanda une tranche de *mont-blanc* et une coupe de champagne.

– Et vous, Colonel ? vous ne prenez rien ?

– Rien à manger, merci. Mais peut-être une coupe de champagne...

Puis il reprit son discours ; il ne pouvait, c'était visible, écarter le souvenir de ces quelques coups de fusils et de ce déploiement d'adresse : le type même d'aventure qui fascine le plus les hommes de son espèce.

– Ses soldats, tandis que mes bersagliers les désarmaient, vitupéraient et juraient : contre qui, je vous le demande ? contre lui, qui avait été le seul à payer de sa personne ! C'était une vraie honte. Mais après tout, il n'y a là rien d'étonnant : ils sentaient que cette personnalité enfantine mais grande leur échappait. Et elle seule pouvait couvrir les obscures menées de bon nombre d'entre eux.

« Même si mes marques de politesse avaient été superflues, j'aurais été heureux de les lui avoir prodiguées. Chez nous, en Italie, on n'exagère jamais en fait de sentimentalisme et de mamours ; ce sont les arguments politiques les plus efficaces dont nous puissions disposer.

Il but le vin qu'on lui avait apporté ; cela sembla accroître encore son amertume :

– Vous n'êtes pas allé sur le continent depuis la fondation du royaume ? Vous avez de la chance. Ce n'est pas un beau spectacle. Jamais nous n'avons été aussi désunis que depuis que nous sommes unifiés. Turin ne veut pas cesser d'être capitale ; Milan trouve notre administration inférieure à celle des Autrichiens ; Florence a peur qu'on lui enlève ses œuvres d'art ; Naples pleure parce qu'elle a perdu ses industries ; et ici, en Sicile, on est en train de couver quelque énorme, quelque irrationnelle catastrophe... Pour le moment, un peu grâce à votre humble serviteur, on ne parle plus de chemises rouges ; mais on en reparlera. Quand elles auront disparu, on en verra d'autres, de couleur différente, et puis de nouveau, on reverra les rouges. Comment tout cela va-t-il finir ? Il y a le « Soleil de l'avenir », comme on dit, le « Grand lumignon » ! Ça se peut, mais vous savez mieux que moi, Prince, que les étoiles fixes elles-mêmes ne sont pas si fixes que ça.

Il prophétisait, un peu ivre. Don Fabrice, devant ces perspectives inquiétantes, sentit son cœur se serrer.

Le bal continua longtemps encore, jusqu'à six heures du matin. Tout le monde était épuisé ; chacun aurait voulu être couché depuis au moins trois heures. Mais s'en aller trop vite, c'eût été proclamer que la fête n'était pas réussie, et offenser les maîtres de maison ; les pauvres s'étaient donné tant de peine.

Le teint des femmes était livide, les robes froissées, les haleines lourdes. « Marie ! que je suis fatiguée ! Marie ! que j'ai sommeil ! »

Au-dessus des cravates en désordre, les hommes montraient un visage jaune et rugueux ; leur bouche était pâteuse et amère. Ils visitaient de plus en plus souvent une petite pièce peu soignée, au niveau de la loge d'orchestre. Là, étaient disposés en bon ordre une vingtaine de vastes pots de chambre, presque tous pleins désormais ; quelques-uns même débordaient. Voyant que le bal allait finir, les serviteurs ensommeillés ne changeaient plus les bougies. La cire mourante répandait dans les salons une lumière louche, fumeuse, de mauvais augure. Dans le buffet, désert, il n'y avait plus que quelques restes démantelés, quelques verres où traînait un fond de vin que les laquais buvaient en hâte, l'œil aux aguets. La lueur de l'aube pénétrait par la fente des volets, plébéienne.

L'assemblée, peu à peu, se désagrégeait ; un groupe d'invités prenait congé, autour de donna Marguerite : « Magnifique ! un vrai rêve ! à l'antique ! »

Tancrède dut travailler un bon moment pour réveiller don Calogero qui, la tête renversée, s'était endormi à l'écart dans un fauteuil. Son pantalon remontait jusqu'à ses genoux, et on apercevait, au-dessus de ses chaussettes de soie, des caleçons vraiment rustiques. Le colonel Pallavicino avait les yeux cernés, lui aussi ; il déclarait cependant à qui voulait l'entendre qu'il ne repasserait pas chez lui, mais se rendrait directement du palais Ponteleone à la place d'armes ; ainsi le voulait la tradition de fer que respectaient les militaires chaque fois qu'on les invitait à un bal.

Quand la famille Salina fut installée dans sa voiture (la rosée rendait les coussins humides), don Fabrice déclara qu'il rentrerait à pied ; la fraîcheur lui ferait du bien, il avait un léger mal de tête. En vérité, il voulait puiser un peu de réconfort dans la contemplation des étoiles. On en voyait encore quelques-unes, juste au zénith. Comme toujours, leur vue le ranima. Elles étaient lointaines, toutes-puissantes, mais dociles à ses calculs ; tout le contraire des hommes, qui sont trop proches, faibles et si rétifs.

Il y avait déjà du mouvement dans les rues : quelques charrettes chargées de montagnes d'immondices, quatre fois plus hautes que le petit âne gris qui les tirait. Un long chariot découvert portait, entassés, les bœufs qu'on venait de tuer à l'abattoir. Ils étaient partagés en quatre et exhibaient leurs mécanismes les plus intimes avec l'impudeur de la mort. Par intervalles, des gouttes de sang rouge, épais, tombaient sur la chaussée.

Au fond d'une petite rue de traverse, on entrevit l'orient, au-dessus de la mer. Vénus brillait, enveloppée de son turban de vapeurs automnales. Toujours fidèle, elle attendait don Fabrice à chacune de ses sorties matinales : à Donnafugata avant la chasse, et maintenant après le bal.

Don Fabrice soupira. Quand se déciderait-elle à lui donner un rendez-vous moins éphémère, loin des épluchures et du sang, dans le domaine des certitudes éternelles ?

CHAPITRE SEPTIÈME

La mort du Prince.

JUILLET 1883.

Cette sensation, don Fabrice l'avait toujours connue. Depuis des dizaines d'années, il sentait s'écouler hors de lui-même, lentement, continuellement, le fluide vital, la faculté d'exister, la vie en somme, peut-être aussi la volonté de vivre. On eût dit les grains de sable serrés qui glissent, un à un, sans hâte et sans relâche, par l'étroit orifice d'un sablier. Dans certains moments d'activité intense, de grande attention, ce sentiment de continuel abandon disparaissait, pour se représenter, impassible, à la moindre occasion, au moindre silence, à la moindre tentative d'introspection. C'était comme un bourdonnement d'oreilles perpétuel, comme le battement d'une pendule, qui s'imposent lorsque tout se tait – et l'on sait qu'ils ont toujours été là, vigilants, même quand on ne les entendait pas.

Le reste du temps, il lui suffisait d'un peu d'attention pour entendre le froissement des grains de sable qui s'écoulaient, légers ; pour sentir les instants s'échapper de son esprit et le quitter à jamais. Au commencement, la sensation ne lui avait causé aucun malaise. Au contraire, cette imperceptible perte de vitalité était la preuve de sa vie, la condition pour ainsi dire du sentiment d'exister. Habitué à scruter des espaces extérieurs sans limites, comme à explorer de vastes abîmes intérieurs, il ne trouvait rien là de désagréable : il percevait un effritement menu, ininterrompu, de sa personnalité ; en même temps, un vague présage lui semblait annoncer que cette personnalité se recréait ailleurs, moins consciente mais plus large, grâce à Dieu. Les grains de sable ne se perdaient pas ; ils ne disparaissaient que pour aller s'accumuler en quelque endroit mystérieux et pour y cimenter une architecture plus durable. « Architecture », à vrai dire, n'était pas le mot exact : il évoquait quelque chose de lourd. D'ailleurs, « grains de sable » ne convenait pas davantage. Il s'agissait plutôt de particules de vapeur s'exhalant d'un étang étroit pour monter vers le ciel et y former de grands nuages, légers et libres.

Parfois, il était surpris que le réservoir humain pût contenir encore un peu de vie, après tant d'années de pertes. « Quand bien même il serait grand comme une pyramide, cela paraîtrait incroyable. » D'autres fois, le plus souvent, il s'enorgueillissait d'être à peu près seul à prendre conscience de cette fuite continue, tandis qu'autour de lui personne ne semblait éprouver pareille sensation. Il avait trouvé là motif à mépriser les autres : ainsi le vétéran méprise le conscrit qui se berce de l'illusion que les balles sifflant autour de lui sont de grosses mouches inoffensives. Ce sont des choses que l'on n'avoue pas, Dieu sait pourquoi ; aux autres de les deviner. Personne autour de lui n'avait été capable de le faire ; ni ses filles, qui rêvaient d'un outre-tombe identique à leur vie, où tout se retrouverait (magistrats, cuisiniers et couvents), ni Stella qui, dévorée par le diabète, ne s'en était pas moins accrochée misérablement à cette existence de douleurs. Tancrède seul, peut-être, avait compris, durant quelques secondes, quand il avait déclaré, avec sa frondeuse ironie : « Toi, tonton, tu courtises la mort. » Désormais, le Prince avait fini de faire sa cour ; la belle avait dit « oui », l'enlèvement était décidé, le compartiment retenu dans le train.

Car à présent, c'était une tout autre affaire. Assis dans un fauteuil, sur le balcon de l'hôtel Trinacria, ses longues jambes enveloppées d'une couverture, don Fabrice sentait sa vie s'enfuir en larges vagues pressées, retentissant en lui avec le terrible fracas de la cascade du Rhin. C'était un lundi de la fin juillet, à midi, et la mer de Palerme, compacte, huileuse, inerte, s'étendait devant lui, invraisemblablement immobile, aplatie comme un chien qui tente d'échapper au regard irrité de son maître. En vain Le soleil, impassible et perpendiculaire, était planté au-dessus d'elle, les jambes écartées, et la fouettait sans pitié. Le silence régnait, absolu. Sous la haute lumière, don Fabrice n'entendait que le son profond de la vie qui jaillissait hors de son corps.

Il était arrivé le matin même de Naples ; il s'était rendu là-bas pour consulter le docteur Semmola, accompagné de Concetta – elle avait maintenant quarante ans – et de son petit-fils Fabrice. Le voyage avait été lugubre, lent comme une cérémonie funèbre. Le tumulte du port au départ et à l'arrivée, l'odeur âcre de la cabine, le fracas incessant de la ville paranoïaque l'avaient exaspéré ; c'était une de ces irritations plaintives de malades qui, tout en les épuisant, irrite les bonnes gens auxquels il reste encore plus d'une année à vivre. Il prétendit donc revenir par terre ; cette décision fut combattue par le médecin ; il insista, et l'ombre de son prestige était encore si imposante qu'il l'emporta. Le résultat fut désastreux : il dut rester trente-six heures parqué dans une boîte brûlante, suffoqué par la fumée des tunnels qui se répétaient comme autant de songes fiévreux ; aveuglé par le soleil dans les passages découverts, explicites comme de brutales réalités ; humilié par les menus et bas services qu'il devait demander au petit garçon effrayé. On traversait des paysages maléfiques, des chaînes de montagnes maudites, des plaines engourdies dans la malaria. Ces panoramas de Calabre et de Basilicate lui paraissaient barbares : ce sont les mêmes pourtant que l'on rencontre en Sicile. La ligne de chemin de fer n'était pas encore achevée ; dans sa dernière partie, près de Reggio, elle faisait un long détour par Metaponte, à travers des étendues lunaires, qui semblaient porter par dérision ces noms athlétiques et voluptueux : Crotone, Sybaris... A Messine, après le sourire menteur du détroit, immédiatement démenti par l'aridité des collines péloritaines, il y avait un nouveau détour, long comme un cruel délai de procédure. On était descendu vers Catane, on avait grimpé jusqu'à Castrogiovanni : la locomotive, haletant le long de pentes fabuleuses, semblait prête à crever comme un cheval qu'on force. Enfin, après une plongée assourdissante, on était arrivé à Palerme. Sur le quai, comme toujours, les gens de la famille avec leur masque peint d'un sourire satisfait, saluant l'heureuse issue du voyage... Et ce fut le sourire consolant de ceux qui l'attendaient à la gare, ce fut leur air de feinte gaieté (une gaieté bien mal feinte) qui lui révélèrent le véritable sens du diagnostic que Semmola avait caché pour lui sous quelques phrases rassurantes. C'est alors, une fois descendu du train, tandis qu'il embrassait sa belle-fille, ensevelie dans ses voiles de veuve, ses fils, qui montraient leurs dents dans un sourire épanoui, Tancrède, qui le regardait avec anxiété, et Angélique, dont le corsage de soie se tendait sur des seins mûrs, c'est alors qu'il entendit le fracas de la cascade.

Il s'était probablement évanoui, car il ne se rappelait plus comment il était arrivé à la voiture. Il s'y trouva étendu, les jambes engourdies, en compagnie du seul Tancrède. On n'avait pas encore bougé ; il entendait des voix familières : « Ce n'est rien. » « Le voyage a été trop long. » « Avec cette chaleur, n'importe qui s'évanouirait. » « Cela le fatiguerait trop d'aller jusqu'à la villa. » Il était de nouveau parfaitement lucide, il notait tout : les propos sérieux de Concetta et François-Paul, l'élégance de Tancrède, son costume à petits carreaux marron et beige, son chapeau melon brun ; il remarqua que, pour une fois, le sourire de son neveu, au lieu d'être moqueur, se teintait d'affection mélancolique. Il se sentit envahi par une sensation aigre-douce : il était aimé, mais il était perdu. La voiture s'ébranla et tourna vers la droite.

– Mais où allons-nous donc, Tancrède ?

Sa propre voix le surprit. Il y entendait l'écho du grondement intérieur.

– A l'hôtel Trinacria, tonton ; tu es fatigué, la villa est

loin ; tu te reposeras une nuit et demain tu rentreras à la maison. L'idée ne te plaît pas ?

– Allons plutôt à la maison du bord de mer ; c'est encore plus près.

C'était impossible : la maison n'était pas installée, il le savait ; on y venait seulement goûter devant la mer ; il n'y avait pas même de lit.

– Tu seras mieux à l'hôtel, tu y auras toutes les commodités.

On le traitait comme un nouveau-né ; du reste, il en avait à peu près la vigueur.

Un médecin fut la première des « commodités » qu'il trouva à l'hôtel ; on l'avait appelé en hâte, sans doute pendant la syncope. Mais ce n'était pas le docteur Cataliotti, le médecin ordinaire du Prince, à la cravate blanche, au visage souriant derrière de riches lunettes d'or ; c'était un pauvre diable, médecin de ce malheureux quartier, témoin impuissant de maintes agonies misérables. Au-dessus de sa redingote décousue s'allongeait son visage triste et émacié, hérissé de poils blancs : le visage sans illusions d'un intellectuel famélique. Quand il tira de sa poche sa montre sans chaîne, on put voir les taches vert-de-gris transparaissant sous la fausse dorure. Il n'était, lui aussi, qu'une outre pitoyable, usée par les cahots des chemins muletiers, qui répandait sans le savoir ses dernières gouttes d'huile. Il tâta le pouls de don Fabrice, prescrivit des gouttes de camphre, montra ses dents cariées en un sourire qui se voulait rassurant et qui implorait plutôt la pitié ; puis il s'en fut à pas feutrés.

Les gouttes arrivèrent bientôt de la pharmacie voisine ; elles soulagèrent le Prince. Il se sentait un peu moins faible, mais la ruée du temps qui le fuyait ne perdait rien de sa fureur.

Il se regarda dans la glace de l'armoire et reconnut son costume plus qu'il ne se reconnut lui-même : très grand, amaigri, les joues creuses, avec une barbe de trois jours, il ressemblait à un de ces Anglais maniaques qui déambulaient dans les gravures des livres de Jules Verne, ceux qu'il donnait au petit Fabrice pour Noël. Un Guépard en bien mauvaise forme. Pourquoi Dieu nous refuse-t-il de mourir avec notre véritable visage ? C'est la mesure commune : on meurt sous un masque, même les jeunes gens ; même ce soldat à la figure barbouillée, même Paul, que l'on avait relevé sur le trottoir, la face contractée et meurtrie, tandis que des gens poursuivaient dans la poussière le cheval qui l'avait désarçonné. Et si en lui, qui était vieux, le fracas de la vie rompant les vannes était d'une telle puissance, quel devait être le tumulte de ces réservoirs encore pleins qui se vidaient d'un coup, laissant couler la vie hors de ces pauvres corps ? Il aurait voulu échapper autant que possible à cette règle absurde du camouflage forcé ; mais il sentait pourtant que c'était impossible, que soulever un rasoir lui serait aujourd'hui aussi pénible que de soulever, autrefois, son bureau.

– Il faut appeler un barbier, dit-il à François-Paul.

Mais immédiatement il pensa : « Non. C'est la règle du jeu, odieuse mais formelle. Ils me raseront après. » Et il ajouta à haute voix :

– Laisse, nous y penserons plus tard.

L'idée de l'abandon extrême du cadavre sur lequel se penche le barbier ne le troubla pas.

Le valet de chambre entra, portant une cuvette d'eau tiède et une éponge. Il enleva à don Fabrice sa jaquette et sa chemise, lui lava le visage et les mains, comme on lave un enfant, comme on lave un mort. La poussière charbonneuse, accumulée pendant une journée et demie de chemin de fer, donna à l'eau une teinte funèbre. On étouffait dans cette pièce basse ; la chaleur faisait fermenter les odeurs, exaltait les relents des peluches mal époussetées ; les ombres des cafards écrasés là par dizaines ressuscitaient dans l'odeur médicamenteuse ; la table de nuit laissait échapper des souvenirs tenaces et moroses d'urines, qui imprégnaient toute la chambre. Le Prince fit ouvrir les persiennes : l'hôtel était dans l'ombre, mais la mer métallique reflétait une lumière éblouissante. Cela valait tout de même mieux que cette puanteur de prison ; il demanda qu'on lui installe un fauteuil sur le balcon. Il se traîna dehors, appuyé au bras de quelqu'un, et, au bout d'un ou deux mètres, s'assit avec la sensation de réconfort que procure une halte reposante après quatre heures de chasse en montagne.

– Dis aux autres de me laisser tranquille ; je me sens mieux ; je vais dormir.

Il avait vraiment sommeil, mais il pensa que céder en ce moment à l'engourdissement serait aussi absurde que de manger un morceau de tarte avant un banquet impatiemment attendu. Il sourit : « J'ai toujours été un gourmand raisonnable. » Et il resta immobile, plongé dans le grand silence extérieur, dans l'épouvantable grondement intérieur.

Il put tourner la tête vers la gauche : au flanc du mont Pellegrino, on voyait la fente qui rompt la chaîne des montagnes, et plus loin, les deux collines au pied desquelles se trouvait sa maison. Inaccessible qu'elle était, elle lui paraissait bien lointaine. Il repensa à son observatoire, aux télescopes voués désormais à des années de poussière, au pauvre père Pirrone, qui lui aussi était poussière ; aux tableaux qui représentaient ses fiefs ; aux singes des tentures ; au grand lit de cuivre dans lequel était morte sa petite Stella ; à toutes ces choses qui maintenant lui semblaient bien modestes, alors même qu'elles étaient précieuses ; à ces entrelacs de métal, ces trames de fil, ces toiles coloriées de terres et de sucs ; à tout cela qui ne vivait que par lui et qui bientôt sombrerait, sans mériter nul châtiment, dans les limbes de l'abandon et de l'oubli. Son cœur se serra, il oublia sa propre agonie en pensant à la fin imminente de ces pauvres objets qui lui avaient été si chers. La rangée inerte des maisons, derrière lui, la digue des montagnes, les déserts flagellés par le soleil l'empêchaient de penser à Donnafugata avec un peu de précision. C'était une demeure apparue dans un rêve ; elle ne lui appartenait plus, semblait-il. Il n'avait plus rien en sa possession, que ce corps épuisé, ces dalles d'ardoise sous ses pieds, ce précipice où des eaux ténébreuses s'enfonçaient vers le néant. Il était seul, naufragé à la dérive, sur un radeau poussé par des courants indomptables.

Il y avait ses enfants, certes. Ses enfants. Le seul qui lui ressemblât, Jean, s'en était allé. Tous les deux ans, il envoyait des souvenirs de Londres, où il ne s'occupait plus de charbon mais faisait le commerce des diamants. Après la mort de Stella était arrivé à son adresse un billet, suivi d'un paquet qui contenait un bracelet. Ce garçon-là, oui. Lui aussi avait « courtisé la mort ». En renonçant à tout, il avait installé dans son existence cette petite quantité de mort dont on peut disposer en continuant à vivre. Mais les autres... Il y avait aussi ses petits-fils : Fabrice, le plus jeune des Salina, si beau, si vivant, si aimable...

Si odieux. Avec sa double dose de sang Malvica dans les veines, avec ses instincts de jouisseur, ses tendances à l'élégance bourgeoise. Il était inutile d'essayer de croire le contraire : le dernier Salina, c'était lui, le géant émacié qui agonisait à présent sur un balcon d'hôtel. Avoir des titres de noblesse, c'est posséder des traditions, c'est-à-dire des souvenirs uniques ; et il était le dernier à détenir de ces souvenirs rares, qu'on ne pouvait trouver dans aucune autre famille. Dans la mémoire du petit Fabrice, il n'y aurait que des images banales, qu'il partagerait avec ses camarades de lycée : images de goûters économiques, de petites niches méchantes aux professeurs, de chevaux achetés en considération de leur prix plutôt que de leur qualité ; son nom ne signifierait plus pour lui qu'une pompe vaine et la menace de voir les autres l'éclipser. Puis se déroulerait la chasse au mariage d'argent : ce serait devenu une routine, non plus cette aventure audacieuse, cette rapine qu'avait été le mariage de Tancrède. Les tapisseries de Donnafugata, les amandiers de Ragattisi, et peut-être, qui sait, la fontaine d'Amphitrite, auraient une fin grotesque : ces objets vénérables et fragiles se transformeraient en terrines de foie gras vite digérées, en petites femmes de *ba-ta-clan* plus éphémères que les fards qui couvrent leurs visages. Le jeune garçon ne conserverait de don Fabrice que le souvenir d'un grand-père âgé et coléreux, qui avait « claqué » par un après-midi de juillet, juste à point pour l'empêcher d'aller aux bains de mer à Livourne. Le Prince avait pensé que les Salina seraient

Salina pour toujours. Il avait eu tort. Le dernier, c'était lui. Garibaldi, ce Vulcain barbu, avait finalement triomphé.

De la chambre voisine, ouverte sur le même balcon, parvint la voix de Concetta :

– On ne pouvait pas faire autrement, il fallait le faire venir, je ne me serais jamais consolée si on ne l'avait appelé.

Il comprit tout de suite : il s'agissait du prêtre ; un court instant, il eut l'idée de refuser, de mentir, de crier qu'il allait très bien, qu'il n'avait besoin de rien. Puis il comprit le ridicule de ses intentions : il était prince de Salina, et c'est en prince de Salina qu'il devait mourir, avec le curé et tout ce qui s'ensuit. Concetta avait raison. Et puis, pourquoi se soustrairait-il à ce que désiraient des milliers d'autres mourants ? Et il se tut, guettant le son de la clochette qui accompagne le viatique. Il l'entendit bientôt : la paroisse de la Pitié se trouvait presque en face de l'hôtel. Le son argentin et joyeux montait l'escalier, faisait irruption dans le couloir. Il devint plus aigu lorsque la porte s'ouvrit : portant sous le ciboire le sacrement protégé par un étui de cuir, le père Balsamo, curé de la paroisse, entra, précédé par le directeur de l'hôtel, un petit Suisse irrité d'avoir un moribond chez lui. Tancrède et le jeune Fabrice soulevèrent le fauteuil, le reportèrent dans la chambre ; les autres étaient agenouillés. Plus du geste que de la voix, le Prince dit :

– Sortez, sortez.

Il voulait se confesser. On fait les choses ou on ne les fait pas. Tous sortirent, mais quand il dut parler, il s'aperçut qu'il n'avait pas grand-chose à dire : il se souvenait bien de quelques péchés précis, mais ils lui semblaient si mesquins que ce n'était vraiment pas la peine de déranger un digne ecclésiastique pour cela, par cette journée de canicule. Non qu'il se sentît innocent : mais c'était sa vie tout entière qui lui semblait coupable, plutôt que tel ou tel fait pris à part ; et ceci, il n'avait plus le temps de le dire. Ses yeux révélèrent sans doute un trouble que le prêtre prit pour de la contrition : et en un sens ce n'était pas autre chose. Il reçut l'absolution. Son menton s'appuyait sans doute contre sa poitrine, car le prêtre fut obligé de s'agenouiller pour glisser l'hostie entre ses lèvres. Puis les syllabes qui immémorialement aplanissent la route furent prononcées, et le prêtre se retira.

On ne reporta pas le fauteuil sur le balcon. Le petit Fabrice et Tancrède s'assirent à côté du Prince, chacun lui tenant une main. Le jeune garçon le regardait fixement, avec la curiosité naturelle de qui assiste pour la première fois à une agonie, sans plus. Celui qui mourait n'était pas un homme, c'était un grand-père, ce qui est bien différent. Tancrède lui serrait fortement la main et parlait, parlait sans arrêt, d'une voix allègre : il exposait des projets auxquels il l'associait, il commentait les événements politiques ; il était député, on lui avait promis la légation de Lisbonne ; il connaissait une foule d'anecdotes secrètes et savoureuses. Sa voix nasale, son vocabulaire spirituel dessinaient une frise futile sur le fracas toujours plus fort des eaux qui continuaient de s'écouler. Le Prince lui était reconnaissant de ses bavardages : il lui serrait la main avec un grand effort et sans grand résultat. Il lui était reconnaissant, mais il ne l'écoutait pas. Il faisait le bilan de sa vie, il voulait glaner dans l'immense tas de cendres de la passivité les fétus d'or des minutes heureuses : deux semaines avant son mariage, et six semaines après ; une demi-heure à la naissance de Paul, quand il avait senti l'orgueil d'avoir donné un petit rameau à l'arbre de la maison Salina (l'orgueil était abusif, il le savait maintenant, mais son heureuse fierté avait été réelle) ; quelques conversations avec Jean, avant qu'il disparût (pour être exact, ce n'étaient que des monologues, pendant lesquels il avait cru découvrir dans ce garçon une âme semblable à la sienne) ; de nombreuses heures passées dans l'observatoire, tout absorbées dans l'abstraction des calculs, dans la recherche de l'insaisissable. Mais ces heures pouvaient-elles vraiment être comptées à l'actif d'une vie ? N'étaient-elles pas plutôt une largesse anticipée sur les béatitudes de la mort ? Qu'importe, elles avaient existé.

Dans la rue, entre l'hôtel et la mer, un orgue de Barbarie s'arrêta, et se mit à jouer dans l'avide espérance d'émouvoir quelques étrangers, absents en cette saison. Il moulinait : *Toi qui pris ton vol vers Dieu.* Ce qui restait de don Fabrice pensa à tout le fiel que ces musiques mécaniques versaient, en ce moment même, sur tant d'autres agonies italiennes. Tancrède, avec son habituelle intuition, courut vers le balcon, jeta une pièce de monnaie, fit signe que cela suffisait. Le silence à l'extérieur se referma. Le vacarme à l'intérieur grandit encore.

Tancrède. Certes, l'actif du bilan, pour une bonne part, c'était Tancrède, sa compréhension d'autant plus précieuse qu'elle était ironique, la jouissance esthétique que procuraient ses habiles louvoiements parmi les difficultés de la vie, son affection, moqueuse comme doit l'être toute véritable affection. Après venaient les chiens : Fufi, la grosse mops de son enfance ; Tom, le barbet impétueux, son confident et son ami ; Svelto, au regard généreux ; Bendicò, si délicieusement balourd ; et les pattes caressantes de Pop, le *pointer* qui en ce moment le cherchait sous les buissons et les fauteuils de la villa, qui ne le retrouverait jamais plus. Quelques chevaux aussi, mais plus distants déjà, plus étrangers. Il y avait eu aussi ses retours à Donnafugata ; l'expression de la tradition et de la pérennité dans la pierre, dans les eaux, où le temps semblait congelé ; les claquements allègres des fusils, pendant certaines chasses ; l'affectueux massacre des lièvres et des perdrix ; quelques pintes de bon sang avec Tumeo ; quelques minutes de recueillement au couvent, dans l'odeur de moisi et de confitures. Y avait-il autre chose ? oui, il y avait autre chose ; mais c'étaient déjà des pépites mélangées de terre : sa jubilation quand il répondait de façon tranchante à des sots ; la joie de découvrir dans la beauté et le caractère de Concetta les traits d'une vraie Salina ; quelques moments de fougue amoureuse ; la surprise causée par la lettre d'Arago qui le félicitait, spontanément, pour l'exactitude de difficiles calculs concernant la comète de Huxley. Et, pourquoi pas, son exaltation à l'instant où on lui avait remis publiquement la médaille, à la Sorbonne ; le plaisir délicat que lui donnaient certaines soies de cravates, très fines ; l'odeur de quelques cuirs macérés ; l'aspect riant, l'aspect voluptueux de quelques femmes rencontrées dans la rue ; celle qu'il avait vue, hier encore, dans la gare de Catane, mêlée à la foule, avec son costume de voyage marron et ses gants de daim. Elle semblait, du dehors, chercher le visage défait de don Fabrice, perdu à l'intérieur du compartiment malpropre. Quel bruit dans cette foule... « Sandwichs », « *Il Corriere dell'Isola !* » Et puis le lent halètement du train épuisé, à bout de souffle... Et cet atroce soleil à l'arrivée, ces visages menteurs, le jaillissement des cataractes...

Dans l'ombre qui montait, il essaya de compter le temps qu'il avait réellement vécu ; son esprit s'embrouillait dans les calculs les plus simples : trois mois, vingt jours, un total de six mois, six fois huit quatre-vingt-quatre... quarante-huit mille... $\sqrt{840\,000}$. Il se reprit : « J'ai soixante-treize ans, en gros, le total de ce que j'aurai vécu, vraiment vécu, est de deux ou trois ans, au maximum. » Et les douleurs, l'ennui, combien avaient-ils duré ? Inutile de se fatiguer à faire le compte : tout le reste, soixante-dix ans.

Il sentit que ses mains ne serraient plus celles de ses deux compagnons. Tancrède se leva en hâte et sortit. Ce n'était plus un fleuve qui jaillissait de don Fabrice, mais un océan orageux, hérissé d'écume et de vagues effrénées...

Il dut avoir une seconde syncope, car il s'aperçut brusquement qu'on l'avait étendu sur le lit. Quelqu'un lui tâtait le pouls ; l'éclat impitoyable de la mer, entrant par la fenêtre, l'aveuglait. On entendait un sifflement dans la chambre : c'était son râle, mais lui ne le savait pas. Il y avait autour de lui une petite foule, un groupe de personnes étrangères qui le regardaient fixement avec une expression d'angoisse. Peu à peu, il les reconnut : Concetta, François-Paul, Caroline, Tancrède, le petit Fabrice. Celui qui lui tenait le poignet, c'était le docteur Cataliotti : il crut sourire pour lui souhaiter la bienvenue, mais personne ne s'en aperçut. Tous, sauf Concetta, pleuraient, Tancrède aussi, qui répétait : « Tonton, mon cher tonton ! »

Soudain, une jeune dame fendit le petit groupe : svelte, elle portait un costume de voyage marron, avec une ample *tournure*, et un chapeau de paille orné d'une voilette à pois qui ne réussissait pas à cacher la grâce malicieuse de son visage. Elle insinuait une main gantée de daim entre les coudes de ces gens qui pleuraient ; elle s'excusait, s'approchait. C'était la créature désirée depuis toujours qui venait le prendre. Comme c'était étrange qu'elle se donnât à lui, jeune comme elle était. Le départ du train devait être tout proche. Arrivée en face de lui, elle souleva sa voilette, et ainsi, pudique mais offerte, elle apparut plus belle encore qu'au temps où il l'entrevoyait dans les espaces stellaires.

Le fracas de la mer se calma d'un seul coup.

CHAPITRE HUITIÈME

Visite de Monseigneur le Vicaire général. Le tableau et les reliques. La chambre de Concetta. Visite d'Angélique et du sénateur Tassoni. Le cardinal : fin des reliques. Fin de cette histoire.

MAI 1910.

Quand on allait rendre visite aux vieilles demoiselles Salina, on trouvait presque toujours un ou deux chapeaux de prêtre sur les chaises de l'antichambre. Il y avait trois demoiselles Salina ; de secrètes luttes pour l'hégémonie domestique les avaient opposées et chacune d'entre elles, caractère fort à sa manière, voulait avoir son confesseur particulier. En cette année 1910, les confessions pouvaient encore se faire à domicile, et les scrupules des pénitentes exigeaient qu'on les répétât souvent. Au peloton des confesseurs, il fallait ajouter le chapelain qui venait tous les matins célébrer la messe dans la chapelle privée, le jésuite qui assumait la direction spirituelle de toute la maison, les prêtres et les moines qui venaient quêter pour telle ou telle paroisse, pour telle ou telle pieuse association. Le va-et-vient de religieux ne cessait guère : l'antichambre de la villa Salina ressemblait souvent à l'un de ces magasins romains, proches de la place de la Minerve, qui exposent toutes les coiffures ecclésiastiques possibles et imaginables, depuis les flamboyants couvre-chefs des cardinaux jusqu'aux barrettes couleur de tison, réservées aux curés de campagne.

En cet après-midi de mai 1910, la réunion de chapeaux était vraiment sans précédent. Un vaste chapeau de fin castor, d'une délicieuse couleur fuchsia, trônant à l'écart sur une chaise, accompagné d'un gant droit en soie tricotée, de la même délicate couleur, annonçait la présence du vicaire général de l'archidiocèse de Palerme ; celle de son secrétaire était marquée par une luisante peluche noire à longs poils, dont un mince cordon violet bordait la calotte ; les deux pères jésuites se signalaient humblement par deux chapeaux de feutre ténébreux, symbole de réserve et de modestie ; quant au couvre-chef du chapelain, il gisait sur une chaise isolée, dans un coin, comme il convient au chapeau d'un homme que l'on soumet à enquête.

La réunion du jour, en effet, n'était pas une petite affaire. Conformément aux directives pontificales, le cardinal archevêque avait commencé l'inspection des oratoires privés de son diocèse, pour vérifier le mérite des personnes qui y faisaient dire des messes, pour s'assurer que le mobilier et le culte étaient bien conformes aux canons de l'Église, enfin pour contrôler l'authenticité des reliques qu'on y vénérait. La chapelle des demoiselles Salina était la plus célèbre de la ville et l'une des premières que Son Éminence se proposait de visiter. Monseigneur le Vicaire s'était précisément rendu à la villa pour prendre des dispositions en vue de cet événement, fixé au lendemain matin. Des rumeurs fâcheuses, distillées par Dieu sait qui, avaient transpiré jusqu'à la curie épiscopale. Elles concernaient cette fameuse chapelle, mais non certes les propriétaires et leur droit d'accomplir chez elles leurs devoirs religieux, sujet qui ne souffrait pas de critiques. On ne mettait pas non plus en doute la régularité et la continuité du culte ; on ne trouvait rien à reprendre là-dessus, si ce n'est peut-être l'extrême répugnance, d'ailleurs compréhensible, dont faisaient preuve les demoiselles Salina quand il était question de laisser participer aux rites sacrés des personnes étrangères à l'intimité du cercle familial.

Mais on avait attiré l'attention du cardinal sur une image vénérée dans la villa et sur les reliques, sur les dizaines de reliques exposées dans la chapelle. Les bruits les plus inquiétants couraient sur leur nature, on désirait avoir des preuves de leur authenticité. Le chapelain, qui était cependant un homme de haute culture, et dont l'avenir promettait mieux encore, fut semoncé énergiquement pour n'avoir pas ouvert les yeux aux vieilles demoiselles ; bref, on lui « lava la tonsure » très sérieusement, s'il est permis de s'exprimer ainsi.

La réunion se tenait dans le salon central de la villa, celui des singes et des perroquets. Sur un divan, vieux d'une trentaine d'années, siégeait Mlle Concetta, avec Monseigneur le Vicaire à sa droite. De part et d'autre, deux fauteuils avaient accueilli Mlle Caroline et l'un des jésuites, le père Corti. Divan et fauteuils étaient recouverts d'un drap bleu vif à raies rouges qui jurait désagréablement avec les teintes évanescentes de la précieuse tenture. Mlle Catherine, qui avait les jambes paralysées, se tenait dans une chaise à roulettes ; ce qui restait de prêtres se contentait de chaises couvertes d'une soie assortie à la tenture, laquelle leur semblait à tous beaucoup moins précieuse que le tissu des fauteuils, qu'on enviait aux demoiselles Salina.

Les trois sœurs approchaient ou dépassaient de peu les soixante-dix ans ; Concetta n'était pas l'aînée, mais la lutte pour l'hégémonie à laquelle il a déjà été fait allusion s'était close depuis longtemps par la défaite de ses adversaires ; personne n'aurait osé lui contester les fonctions de maîtresse de maison.

On découvrait chez elle les restes d'une beauté passée : grasse et imposante dans ses raides vêtements de moire noire, elle portait ses cheveux très blancs relevés sur la tête de façon à découvrir un front encore pur ; cette coiffure, des yeux dédaigneux et une ride légèrement rancunière au-dessus du nez lui conféraient un aspect autoritaire, presque impérial. Son neveu, ayant entrevu le portrait d'une tsarine illustre dans un livre, l'appelait en privé « la grande Catherine », surnom fort inconvenant que la chaste vie de Concetta et l'absolue ignorance de son neveu en matière d'histoire russe rendaient au bout du compte innocent.

La conversation durait depuis une heure ; on avait pris le café, il se faisait tard. Monseigneur le Vicaire résuma ses propos :

– Son Éminence désire paternellement que le culte célébré en privé soit conforme aux rites les plus purs de notre sainte mère l'Église, et c'est la raison pour laquelle Elle s'intéresse tout d'abord à votre chapelle, car Elle sait que celle-ci resplendit comme un phare sur le laïcat palermitain ; Elle désire que la valeur irréprochable des objets vénérés chez vous soit une cause d'édification toujours plus grande pour vous et pour toutes les âmes pieuses.

Concetta se taisait. Caroline, l'aînée des sœurs, explosa :

– Alors, il faudrait que nous nous présentions devant les gens en accusées ? L'idée d'inspecter notre chapelle, excusez-moi, Monseigneur, n'aurait même pas dû venir à l'esprit de Son Éminence.

Monseigneur sourit, amusé.

– Mademoiselle, vous ne pouvez imaginer combien votre émotion est aimable à mes yeux : elle est l'expression d'une foi ingénue, absolue, agréable à l'Église, et, certainement, à Notre-Seigneur Jésus-Christ. C'est pour faire fleurir davantage encore cette foi, pour la purifier, que le Saint-Père a recommandé ces révisions, qui d'ailleurs s'accomplissent depuis quelques mois dans tout le monde catholique.

La référence au Saint-Père n'était pas, à vrai dire, des plus opportunes. Caroline, en effet, était de ces catholiques qui croient posséder la vérité religieuse plus profondément que le pape. Quelques innovations, bien modérées, de Pie X, l'abolition de quelques fêtes religieuses secondaires, par exemple, l'avaient déjà exaspérée.

– Ce pape ferait mieux de s'occuper de ce qui le regarde.

Le soupçon lui venant qu'elle était allée un peu loin, elle se signa et marmonna un *Gloria Patri*.

Concetta intervint :

– Ne te laisse pas entraîner à dire ce que tu ne penses pas, Caroline. Quelle impression Monseigneur emporterait-il de nous ?

Monseigneur, à vrai dire, souriait plus que jamais : il se contentait de penser qu'il se trouvait devant une vieille enfant grandie dans des idées étroites et des pratiques religieuses peu éclairées. Et, avec bénignité, il pardonnait.

– Monseigneur pense qu'il se trouve devant trois saintes femmes, dit-il.

Le père Corti, le jésuite, voulut détendre un peu l'atmosphère :

– Monseigneur, je suis parmi ceux qui peuvent le mieux confirmer vos paroles : le père Pirrone, dont la mémoire est vénérée par tous ceux qui l'ont connu, me racontait souvent, quand j'étais novice, dans quelle sainte atmosphère avaient été élevées les demoiselles de la maison. Du reste, le nom de Salina est une référence suffisante.

Monseigneur voulait en arriver à des résultats plus concrets :

– Mademoiselle Concetta, maintenant que tout est bien clair, je voudrais visiter la chapelle, si vous le permettez, afin de pouvoir préparer Son Éminence aux merveilles de foi qu'Elle verra demain.

Du temps du prince Fabrice, il n'y avait pas de chapelle à la villa ; toute la famille se rendait à l'église les jours de fête, et le père Pirrone lui-même, pour célébrer sa messe, devait chaque matin faire un bon bout de chemin. Après la mort du Prince, cependant, quand – à la suite de divers problèmes de succession, fastidieux à raconter – la villa devint l'exclusive propriété des trois sœurs, elles eurent tout de suite l'idée d'y installer un oratoire pour elles seules. On choisit un salon un peu à l'écart, dont les colonnes en faux granit, encastrées dans les murs, éveillaient vaguement le souvenir d'une basilique romaine ; on gratta, au centre du plafond, une fresque scandaleusement mythologique, et l'on installa un autel. Tout était prêt.

Quand Monseigneur entra, la chapelle était éclairée par le soleil couchant. On vit en pleine lumière, sur l'autel, le tableau vénéré par les demoiselles Salina. Peint dans le style de Cremona, il représentait une frêle jeune fille, assez plaisante, les yeux levés vers le ciel, son abondante chevelure brune répandue en un gracieux désordre sur ses épaules demi-nues ; elle serrait dans sa main droite une lettre froissée, on lisait sur son visage une expression d'attente émue, mêlée à une joie qui brillait dans ses yeux candides. Au fond du tableau verdoyait le doux paysage lombard. Il n'y avait ni enfant Jésus, ni couronnes, ni serpents, ni étoiles, ni aucun des symboles qui accompagnent d'ordinaire Marie. Le peintre avait peut-être pensé que son aspect virginal suffirait à la faire reconnaître. Monseigneur s'approcha, gravit la première marche de l'autel, et, sans se signer, resta un bon moment à contempler le tableau, avec une admiration souriante de critique d'art. Derrière lui, les trois sœurs faisaient des signes de croix et murmuraient des *Ave Maria*.

Le prélat redescendit, se retourna et dit :

– Belle peinture. Merveilleusement expressive.

– C'est une image miraculeuse, Monseigneur, miraculeuse, expliqua la pauvre infirme en se penchant hors de son engin de tortures ambulant. Que de miracles elle a faits !

Caroline enchaîna :

– Elle représente la Madone à la lettre. La Vierge est sur le point de remettre la sainte missive et invoque la protection de son divin Fils pour le peuple de Messine ; protection qui s'est glorieusement manifestée par des miracles sans nombre lors du tremblement de terre d'il y a deux ans.

– Belle peinture, mademoiselle, quel qu'en soit le sujet. C'est un objet d'art qu'il faut garder précieusement.

Monseigneur le Vicaire se tourna vers les reliques : il y en avait soixante-quatorze, recouvrant entièrement les deux murs, à droite et à gauche de l'autel. Chacune d'elles était enfermée sous un cadre ; un carré de carton indiquait la nature de la relique, et un numéro se rapportait au document l'authentifiant. Les documents eux-mêmes, souvent volumineux et alourdis de sceaux, emplissaient une caisse recouverte de damas, dans un angle de la chapelle.

Il y avait toute sorte de cadres : cadres d'argent sculpté ou d'argent lisse, cadres de cuivre et de corail, cadres d'écaille ; il y en avait en filigrane, en bois précieux, en buis, en velours rouge, en velours bleu ; de grands, de minuscules, d'octogonaux, de carrés, de ronds, d'ovales ; certains valaient une fortune, d'autres avaient été achetés au bazar. Pour ces âmes dévotes, exaltées par leur pieuse tâche, et persuadées qu'elles étaient les gardiennes de trésors surnaturels, ils étaient tous également beaux, également sacrés.

Caroline avait été la véritable instigatrice de cette collection : elle avait déniché donna Rosa, une vieille toute grasse, à moitié nonne, qui avait maintes relations fructueuses dans les églises, les couvents, les associations religieuses de Palerme et des environs. Tous les deux ou trois mois, donna Rosa apportait chez les Salina une relique de saint, enveloppée de papier de soie. Elle avait pu, disait-elle, l'arracher à une paroisse en difficultés financières ou à une noble famille en décadence. Aucun nom n'était jamais prononcé, par une discrétion compréhensible, mieux, digne de tous les éloges. D'ailleurs, les preuves d'authenticité, que donna Rosa apportait régulièrement et remettait en mains propres, semblaient claires comme le jour, écrites qu'elles étaient en latin ou en caractères mystérieux, grecs et syriaques, paraît-il. Concetta, administratrice et trésorière, payait. Après quoi, il fallait trouver les cadres, monter l'ensemble. Et de nouveau, Concetta, impassible, payait. Pendant près de deux ans, leur manie collectionneuse en arriva à troubler le sommeil de Caroline et de Catherine : au matin, elles se racontaient des rêves de découvertes miraculeuses, et elles en espéraient la réalisation, qui se produisit quelquefois, après qu'elles eurent confié leurs visions à donna Rosa. De quoi rêvait Concetta, personne ne le savait. Puis donna Rosa mourut, et l'afflux des reliques cessa presque entièrement ; d'ailleurs, on était arrivé à une certaine satiété.

Monseigneur regarda rapidement quelques-unes des reliques, qu'on avait mises en évidence :

– De vraies merveilles, de vraies merveilles... Que ces cadres sont beaux !

Puis il félicita ses hôtes de leur riche Trésor (parlant à la façon de Dante[1]). Il promit de revenir le lendemain avec Son Éminence. « Oui, à neuf heures précises. » Enfin, il fit une génuflexion et le signe de la croix devant une modeste madone de Pompéi accrochée à un mur latéral, et sortit de l'oratoire. Les chaises de l'antichambre se trouvèrent bientôt veuves de leurs chapeaux, et les prêtres montèrent dans les trois voitures de l'archevêché qui attendaient au milieu de la cour avec leurs chevaux noirs. Monseigneur tint à prendre dans sa propre voiture le père Titta, le chapelain, qui fut très honoré de cette distinction. Monseigneur gardait le silence. On côtoyait l'opulente villa Falconeri, ornée de son bougainvillier fleuri qui s'étalait par-dessus le mur d'un jardin magnifiquement entretenu.

– Ainsi, père Titta, vous avez eu l'audace de célébrer le saint sacrifice, pendant des années, devant le portrait de cette fille ? Cette fille qui a reçu un billet de rendez-vous et attend son amoureux ? N'allez pas me dire que vous la preniez pour une image sainte !

– Monseigneur, je suis coupable, je le sais. Mais il n'est pas facile d'affronter les demoiselles Salina, mademoiselle Caroline... Vous ne pouvez savoir ces choses-là.

– Mon fils, tu as touché la plaie du doigt. Et cela sera pris en considération.

Caroline, pour calmer sa colère, s'en était allée écrire à Claire, celle des sœurs qui vivait à Naples, mariée ; Catherine, fatiguée par cette longue conversation, avait été reconduite à son lit ; quant à Concetta, elle rentra dans sa

1. « Belli arredi ». *Divine Comédie*, Enfer, chant 24, vers 138.

chambre solitaire. C'était une de ces pièces dont on peut dire qu'elles ont deux visages (il y en a tant dans ce cas qu'il serait plus juste de dire qu'elles sont toutes ainsi) : elles se montrent masquées au visiteur ignare, l'autre visage n'apparaissant dans sa nudité qu'aux initiés, et d'abord au propriétaire qui saisit leur essence misérable. Cette chambre, ensoleillée, donnait sur le profond jardin ; un grand lit se dressait dans un coin, surmonté de quatre oreillers (Concetta souffrait du cœur et devait dormir presque assise). Aucun tapis, mais un beau dallage blanc, avec des entrelacs jaunes ; un médaillier précieux, avec des dizaines de tiroirs incrustés de pierre dure et d'écaille ; un bureau, une table centrale. Tout ce mobilier dans un style *maggiolino*[1] de facture régionale, plein de verve ; des figures de chasseurs, de chiens, de gibier s'affairaient, couleur d'ambre, sur le fond de palissandre. L'ensemble paraissait démodé à Concetta ; elle le trouvait même de mauvais goût : vendu aux enchères après sa mort, il fait aujourd'hui l'orgueil d'un riche mandataire, lorsque sa « dame » offre un cocktail à ses amies jalouses. Sur les murs, des portraits, des aquarelles, des images saintes. Le tout très propre, bien rangé. Deux choses seulement paraissaient insolites : dans l'angle opposé au lit, s'élevaient majestueusement quatre énormes caisses de bois, peintes en vert, chacune munie d'un gros cadenas ; par terre, devant elles, un petit tas de fourrure en mauvais état. Un visiteur non prévenu aurait ébauché un sourire, tant la chambre reflétait la paisible bonté et les soins d'une vieille fille.

Pour Concetta et pour qui connaissait son histoire, cette chambre était un enfer de souvenirs momifiés. Les quatre caisses vertes contenaient des douzaines de chemises de nuit et de jour, des camisoles, des housses, des draps divisés soigneusement en « bons » et « usagés » : c'était le trousseau de Concetta, confectionné en vain il y avait de cela cinquante ans. Elle n'ouvrait jamais les serrures,

1. *Maggiolino* : du nom d'un sculpteur sur bois lombard, Maggiolini. Il s'agit de marqueterie brunie au feu.

craignant de voir surgir quelques démons incongrus ; et sous l'omniprésente humidité palermitaine, le linge jaunissait, rouissait, inutile pour tous et pour toujours. Les portraits étaient ceux de morts qu'elle n'aimait plus, les photographies, celles d'amis qui, de leur vivant, lui avaient infligé des blessures et que pour cela même elle n'oubliait pas dans la mort ; les aquarelles montraient des demeures et lieux champêtres qui n'appartenaient plus aux Salina, vendus, ou plutôt bazardés dans les pires conditions, par des héritiers dissipateurs. Si l'on avait examiné soigneusement le petit tas de fourrure mangé des vers, on y aurait remarqué deux oreilles, un museau de bois noir, deux mornes yeux de verre jaune. C'était Bendicò, mort depuis quarante-cinq ans, embaumé depuis quarante-cinq ans, véritable nid de toiles d'araignée et de mites, objet de haine pour les domestiques qui d'année en année demandaient qu'on le jetât aux ordures ; mais Concetta s'y opposait toujours : elle tenait à conserver la seule relique qui n'éveillât en elle aucune sensation pénible.

Mais ce jour-là (à un certain âge, chaque jour apporte ponctuellement sa peine), toutes les inquiétudes concernaient le présent. Beaucoup moins fervente que Caroline, beaucoup plus sensible que Catherine, Concetta avait compris ce que signifiait la visite de Monseigneur le Vicaire, et en prévoyait les conséquences : l'ordre d'enlever toutes, ou presque toutes, les reliques, le remplacement du tableau d'autel, l'éventuelle nécessité de reconsacrer la chapelle. Elle n'avait pas trop cru à l'authenticité de ces reliques et elle les avait payées avec l'attention distraite d'un père qui règle des factures de jouets : cela ne l'intéresse guère mais les enfants resteront sages quelque temps. La disparition des reliques lui était donc indifférente ; ce qui l'irritait, ce qui constituait le souci de cette journée, c'était la position piteuse de la maison Salina devant les autorités ecclésiastiques et bientôt devant la ville entière. La réserve de l'Église était certes ce que l'on pouvait trouver de plus sérieux en fait de discrétion dans la société sicilienne, mais cela ne voulait pas dire grand-chose : dans deux mois, dans un mois peut-être, la nouvelle se répandrait, comme tout se répand dans cette île qui, au lieu du trident grec, aurait dû choisir pour emblème la syracusaine oreille de Denys, répercutant le plus léger soupir à cinquante mètres à la ronde. De plus, Concetta tenait à l'estime de l'Église. Le prestige des Salina s'était lentement évanoui, leur patrimoine, divisé et redivisé, équivalait dans la meilleure des hypothèses à celui de nombreuses familles d'un rang inférieur ; il paraissait infime auprès du revenu de certains opulents industriels. A l'intérieur de l'Église, dans leurs rapports avec l'Église, les Salina avaient conservé leur rang. Il fallait voir comment Son Éminence recevait les trois sœurs quand elles lui rendaient visite, à la Noël. Mais maintenant ?

La femme de chambre entra.

– Excellence, la Princesse arrive. Sa voiture est dans la cour.

Concetta se leva, arrangea ses cheveux, jeta un châle de dentelle sur ses épaules, retrouva son regard impérial. Quand elle pénétra dans l'antichambre, Angélique montait les derniers degrés de l'escalier extérieur ; elle souffrait de varices : ses jambes, qui avaient toujours été un peu trop courtes, la soutenaient difficilement ; elle avançait au bras de son laquais dont le manteau noir balayait les marches.

– Chère Concetta !

– Mon Angélique ! Il y a si longtemps que nous ne nous sommes vues !

Depuis la dernière visite, il ne s'était écoulé que cinq jours, pour être précis, mais l'intimité des deux cousines (intimité de voisinage et de sentiment, comme celle qui lierait, quelques années plus tard, Italiens et Autrichiens dans leurs tranchées respectives), l'intimité était telle que ces cinq jours avaient dû leur sembler longs.

On pouvait voir encore chez Angélique, qui n'avait pas loin de soixante-dix ans, des traces évidentes de sa beauté passée ; la maladie, qui devait la transformer trois ans plus tard en une pitoyable larve, suivait déjà son cours, mais se tenait tapie dans les profondeurs de son sang. Ses yeux verts étaient restés ceux d'autrefois, à peine ternis par les ans, et les rides de son cou se cachaient sous les épais rubans noirs de la capote qu'elle portait, veuve depuis trois ans, avec une coquetterie peut-être nostalgique.

– Que veux-tu, disait-elle à Concetta tandis qu'elles se dirigeaient enlacées vers le salon, que veux-tu, avec ces fêtes imminentes du cinquantenaire des Mille, je n'ai pas un moment de répit. Il y a quelques jours, figure-toi, on m'a invitée à faire partie du comité d'honneur, en hommage à la mémoire de notre cher Tancrède, bien sûr, mais quel tracas pour moi ! Penser au logement des vétérans qui viennent de tous les coins d'Italie, disposer les invités dans les tribunes sans offenser personne, s'assurer l'adhésion de tous les maires des communes siciliennes... A propos, chère : le maire de Salina, un clérical, a refusé de prendre part au défilé ; j'ai pensé tout de suite à ton neveu Fabrice : il était venu me rendre visite et toc ! je l'ai empoigné. Il n'a pas pu dire non, et à la fin du mois nous le verrons défiler en redingote, rue de la Liberté, devant une belle banderole avec un énorme *Salina*, en lettres grandes comme ça. N'est-ce pas un joli coup ? Un Salina rendra hommage à Garibaldi ! Ce sera la fusion de la vieille et de la nouvelle Sicile. J'ai pensé à toi aussi, ma chère : voici ton invitation pour la tribune d'honneur, juste à droite de la tribune royale.

Et elle tira de son petit sac parisien une carte rouge Garibaldi, comme ce ruban de soie que Tancrède avait porté quelque temps sur son col.

– Caroline et Catherine ne seront pas contentes, dit-elle ensuite assez gratuitement, mais je ne pouvais disposer que d'une seule place ; du reste, tu y as droit bien plus qu'elles, tu étais la cousine préférée de notre cher Tancrède.

Elle parlait beaucoup et elle parlait bien ; quarante ans de vie en commun avec Tancrède, une cohabitation orageuse et intermittente mais au bout du compte durable, avaient effacé les dernières traces de l'accent et des manières de Donnafugata ; par un véritable mimétisme, Angélique en était arrivée à croiser et à tordre gracieusement ses mains, en un geste propre à Tancrède. Elle lisait beaucoup, et sur sa table les livres les plus récents d'Anatole France et de Paul Bourget alternaient avec ceux de D'Annunzio et de Mathilde Serao ; dans les salons de Palerme, elle passait pour une spécialiste de l'architecture française : elle discourait souvent des châteaux de la Loire avec une exaltation imprécise, opposant, peut-être sans réflexion, la sérénité de la Renaissance française à l'agitation baroque du palais de Donnafugata, contre lequel elle nourrissait une aversion inexplicable aux yeux de qui ignorait son enfance soumise et solitaire.

– Mais quelle étourdie je fais, ma chère. J'oubliais de te dire que le sénateur Tassoni sera ici dans un moment ; il est mon hôte à la villa Falconeri et il veut faire ta connaissance : c'était un grand ami de ce pauvre Tancrède, et son compagnon d'armes aussi ; il paraît qu'il a entendu parler de toi par notre cher disparu...

Elle tira de son petit sac un mouchoir bordé d'un liséré noir et essuya une larme qui perlait à ses yeux demeurés beaux.

Concetta avait intercalé ici et là un mot dans le bourdonnement continu d'Angélique. Au nom de Tassoni, cependant, elle se tut. Elle revoyait la scène, lointaine, nette comme ces paysages que l'on regarde à travers des lunettes d'approche retournées : autour de la table blanche, tant de gens qui à présent étaient morts ; Tancrède à côté d'elle, mort lui aussi ; et elle, pouvait-elle se vanter d'être vivante ? Puis le récit brutal, le rire hystérique d'Angélique, et ses propres larmes, tout aussi hystériques. Ce dîner avait été le tournant de sa vie ; la route qu'elle avait prise alors l'avait conduite à ce désert qui n'était même plus habité par un amour évanoui, ni par une rancœur éteinte.

– J'ai su les difficultés que vous avez avec la curie. Qu'ils sont donc ennuyeux ! Mais pourquoi ne m'as-tu pas prévenue plus tôt ? J'aurais pu faire quelque chose : le cardinal a des égards pour moi. Je crains qu'il ne soit trop tard, mais je travaillerai dans les coulisses. Du reste, ce ne sera rien.

Le sénateur Tassoni arriva peu après ; c'était un petit vieillard élégant et vif ; sa richesse, qui était grande et augmentait sans cesse, avait été conquise au milieu des rivalités et des luttes ; loin de se laisser épuiser par les difficultés, il y avait gagné une énergie débordante, qui résistait à l'âge et lui valait une vieillesse pleine de feu. Un séjour de quelques mois à peine dans l'armée méridionale de Garibaldi lui avait donné une allure militaire qui ne devait jamais s'effacer. Son pouvoir de séduction, fait à la fois de cet aspect guerrier et de sa courtoisie naturelle, lui avait procuré dans le passé de bien doux succès, et lui permettait désormais, avec son activité infatigable, de terroriser les conseils d'administration bancaires et cotonniers. La moitié de l'Italie et une bonne part des pays balkaniques cousaient leurs boutons avec des fils tordus par la société *Tassoni et Cie.*

Assis près de Concetta sur un tabouret bas qui aurait convenu à un page, et qu'il avait choisi pour cela, il disait :

– Mademoiselle, un rêve de ma lointaine jeunesse se réalise aujourd'hui. Combien de fois, au cours des nuits glacées où nous bivouaquions soit sur le Volturno soit autour du glacis de Gaète assiégée, combien de fois notre inoubliable Tancrède m'a-t-il parlé de vous ! Il me semblait que je vous connaissais, que j'avais fréquenté cette maison où il passa sa jeunesse indomptable. Je suis heureux de pouvoir, bien qu'avec tant de retard, déposer mon hommage aux pieds de celle qui fut le réconfort d'un des plus purs héros de notre délivrance.

Concetta avait peu l'habitude de converser avec des personnes qu'elle ne connaissait pas depuis l'enfance ; de plus elle n'aimait pas beaucoup la lecture ; elle n'avait donc jamais pu s'immuniser contre la rhétorique, et en subissait la fascination jusqu'à perdre toute résistance. Les paroles du sénateur la bouleversèrent ; elle oublia l'anecdote guerrière presque semi-centenaire, elle cessa de voir en Tassoni l'homme qui viole les couvents, qui berne les pauvres religieuses épouvantées ; c'était un ami, un vieil et sincère ami de Tancrède, qui parlait de celui-ci avec affection, qui lui apportait, à elle qui n'était qu'une ombre, le message du mort à travers ces marécages du temps que les disparus parviennent si rarement à franchir.

– Et que vous disait de moi mon cher cousin ? demanda-t-elle à demi-voix, avec une timidité qui faisait revivre la fille de dix-huit ans dans cet amas de soie noire et de cheveux blancs.

– Ah, bien des choses ! Il parlait de vous presque autant que de donna Angélique. Elle, c'était l'amour ; vous, vous étiez l'image de cette suave adolescence qui passe si vite, chez nous autres, soldats.

Une étreinte glacée se referma autour du vieux cœur de Concetta ; déjà Tassoni se retournait vers Angélique.

– Vous rappelez-vous, Princesse, ce qu'il nous disait, voici dix ans, à Vienne ?

Il se tourna de nouveau vers Concetta pour expliquer :

– J'étais allé là-bas avec la délégation italienne, pour le traité de commerce ; Tancrède, avec son grand cœur d'ami, de camarade, avec son affabilité de gentilhomme, me logea à l'ambassade. Il était peut-être ému de revoir un compagnon d'armes dans cette ville hostile ; en tout cas, comme il nous parla alors de son passé ! Dans une loge de l'Opéra, pendant les entractes de *Don Juan*, il nous confessa avec son ironie incomparable un péché, un péché impardonnable, disait-il, qu'il avait commis envers vous, oui, envers vous, mademoiselle.

Il s'interrompit quelques instants pour que l'on pût se préparer à la surprise.

– Figurez-vous qu'il nous raconta comment, certain soir, durant un repas à Donnafugata, il s'était permis d'inventer une fable, une fable guerrière sur les combats de Palerme ; vous y aviez cru et vous vous étiez sentie offensée ; le récit de ce petit fait imaginaire était un peu trop audacieux pour le goût du temps... C'était il y a cinquante ans. Vous l'aviez réprimandé. « Elle était si charmante, disait-il, tandis qu'elle me fixait de ses yeux furieux, tandis que ses lèvres se gonflaient gracieusement de colère, comme celles d'un petit chiot rageur ; elle était si charmante que, si je ne m'étais pas retenu, je l'aurais embrassée sur-le-champ devant vingt personnes, devant mon terrible oncle Salina ! » Vous avez sans doute oublié tout cela, mais Tancrède s'en souvenait bien, tant la délicatesse de son cœur était grande. Il se le rappelait aussi peut-être parce qu'il avait commis ce méfait le jour même de sa rencontre avec donna Angélique.

Et Tassoni, abaissant sa main droite dans un geste d'hommage dont la tradition goldonienne ne se perpétue que parmi les sénateurs du royaume, salua la Princesse.

La conversation continua quelque temps, mais on ne peut pas dire que Concetta y prît très activement part. Cette révélation imprévue pénétra lentement dans son esprit, et n'y causa d'abord qu'une douleur limitée. Mais quand ses hôtes l'eurent quittée et qu'elle se retrouva seule, elle commença à voir plus clair, par conséquent à souffrir davantage. Les spectres du passé étaient exorcisés depuis des années. Certes ils se dissimulaient sous tout ce qui l'entourait et c'étaient eux qui rendaient la nourriture amère, la compagnie odieuse. Mais leur vrai visage ne s'était plus montré depuis longtemps : et voici qu'il apparaissait brusquement, auréolé du comique funèbre des malheurs irréparables. Il serait absurde de prétendre que Concetta aimait encore Tancrède ; l'éternité amoureuse dure quelques années, et non cinquante. Mais, comme une personne guérie depuis cinquante ans de la variole porte encore sur son visage les cicatrices de la maladie, tout en oubliant les tourments qu'elle lui causa, Concetta portait dans son âme oppressée par sa vie présente les cicatrices de sa désillusion, désormais historique puisqu'on en célébrait officiellement le cinquantenaire. Jusqu'à ce jour, quand elle repensait (rarement) à ce qui s'était passé à Donnafugata, en cet été lointain, quelque chose la soutenait : elle avait subi un martyre, on lui avait fait du tort ; puis il y avait son animosité envers ce père qui l'avait négligée, et un sentiment déchirant à l'égard de l'autre mort. Mais maintenant, ces sentiments seconds qui avaient constitué l'armature de toutes ses pensées durant ces dernières années se défaisaient à leur tour. Il n'y avait pas eu d'ennemis, mais un unique adversaire : elle-même. Son avenir avait été détruit par sa propre imprudence, par cette rage impétueuse qui caractérisait tous les Salina ; et, en ce moment où ses souvenirs ressuscitaient après des années, elle voyait lui échapper la dernière consolation des affligés, le dernier philtre qui trompe leur douleur : elle ne pouvait plus attribuer aux autres son malheur.

Si tout s'était déroulé comme le racontait Tassoni, les longues heures qu'elle avait passées devant le portrait de son père, dans la délectation savoureuse de la haine ; son zèle à cacher la moindre photographie de Tancrède, pour ne pas le haïr lui aussi ; tout cela n'avait été qu'une suite d'erreurs tragiques, pis encore, d'injustices cruelles. Et elle fut désespérée au souvenir de l'accent chaleureux, de l'accent suppliant de Tancrède demandant à son oncle la permission d'entrer dans le couvent. C'étaient des mots d'amour pour elle, pour elle qui n'avait pas compris ; par son orgueil, elle avait mis ces pauvres mots en fuite, et ils s'étaient retirés tout penauds, comme des petits chiens battus. Du fond intemporel de son être, une noire douleur monta et la submergea : la vérité se révélait.

Mais était-ce la vérité, après tout ? Nulle part la vérité n'a la vie aussi brève qu'en Sicile ; le fait s'est à peine produit que déjà son noyau originel disparaît, camouflé, embelli, défiguré, opprimé, anéanti par l'imagination et les intérêts. La pudeur, la peur, la générosité, l'animosité, l'opportunisme, la charité, toutes les passions bonnes et mauvaises se précipitent sur le fait pour le lacérer ; en un clin d'œil, il a cessé d'exister. Et la malheureuse Concetta voulait trouver la vérité de sentiments inexprimés, seulement entrevus, un demi-siècle plus tôt ? Il n'y avait pas de vérité : précaire, elle avait cédé la place à l'irréfutable douleur.

Pendant ce temps-là, Angélique et le sénateur faisaient le court chemin menant à la villa Falconeri. Tassoni était préoccupé. Il avait eu une brève liaison avec Angélique, trente ans plus tôt, et il y avait entre eux cette irremplaçable intimité que donnent quelques heures passées entre les mêmes draps. Il finit par avouer :

– Angélique, je crains d'avoir blessé en quelque manière votre cousine ; avez-vous remarqué comme elle était silencieuse à la fin de notre visite ? J'en serais désolé ; c'est une femme si sympathique !

– Certes, vous l'avez blessée, Victor, répondit Angélique, exaspérée par une double mais fantomatique jalousie. Concetta était follement éprise de Tancrède ; mais lui, était indifférent.

Une nouvelle pelletée de terre venait de recouvrir le tombeau de la vérité.

Le cardinal de Palerme était un saint homme, vraiment ; il reste encore aujourd'hui de nombreux souvenirs de sa charité et de sa foi. Mais de son vivant, on le jugeait tout autrement : il n'était pas sicilien, il n'était même pas méridional ou romain. Avec l'activité d'un Septentrional, il s'était efforcé, bien des années plus tôt, de faire lever la pâte inerte et pesante de la spiritualité sicilienne en général, et celle du clergé en particulier. Aidé par deux ou trois secrétaires de son pays, il s'était flatté à son arrivée de rendre impossibles certains abus, de débarrasser le terrain des obstacles les plus marquants. Bien vite, il s'était aperçu que son action était à peu près aussi efficace qu'un coup de fusil dans un ballot d'ouate : le petit trou produit sur le moment est bientôt comblé par des milliers de fibres complices et tout se retrouve dans le même état qu'avant, mis à part le coût de la poudre, le ridicule de l'effort inutile et la détérioration du matériel. Le cardinal partageait alors la réputation de tous ceux qui, au cours de ces mêmes années, voulurent réformer le caractère sicilien : c'était « un toqué » (le mot, vu les circonstances, n'était pas si faux). Il dut bientôt se contenter d'accomplir des œuvres passives de miséricorde, qui ne faisaient d'ailleurs que diminuer encore sa popularité, pour peu que le bénéficiaire eût seulement à se rendre au palais épiscopal.

Le prélat déjà âgé qui se rendit, en ce matin du 14 mai, à la villa Salina était un homme bon mais dépourvu d'illusions ; il avait fini par adopter envers ses diocésains une attitude de compassion méprisante, parfois injuste d'ailleurs. Il affectait des manières brusques et tranchantes qui l'entraînaient toujours davantage dans les marécages de l'impopularité.

Les trois sœurs Salina étaient, comme on le sait, profondément offensées par l'inspection qui menaçait leur chapelle. Le côté féminin et enfantin de leur caractère goûtait cependant à l'avance des satisfactions secondaires, mais indéniables : elles allaient recevoir chez elles un prince de l'Église et lui montrer le faste de la maison Salina, qu'en toute bonne foi elles croyaient intact ; surtout elles pourraient contempler et admirer pendant une demi-heure une sorte de somptueux volatile rouge s'affairant au milieu d'elles, dans l'éclat varié et harmonieux de ses pourpres, dans les moirures de ses pesantes soieries. Les pauvres femmes devaient être déçues jusque dans cette dernière et modeste espérance. Quand, au bas de l'escalier extérieur, elles virent Son Éminence sortir de sa voiture, elles durent constater qu'Elle s'était mise en petite tenue. Le haut rang n'était indiqué que par les minuscules boutons de pourpre de la soutane. Malgré cette bonté offensée qu'on lisait sur son visage, le cardinal n'en imposait pas plus que l'archiprêtre de Donnafugata. Il fut courtois mais froid, et sut, avec un tact savant, mêler son respect pour la maison Salina et pour les vertus individuelles de ces demoiselles à son mépris pour leur sottise et leur dévotion toute formelle. Il ne fit pas écho aux exclamations de Monseigneur le Vicaire, qui, en traversant les salons, s'extasiait devant la beauté du mobilier ; il refusa d'accepter le moindre verre de rafraîchissement :

– Merci, mademoiselle, un peu d'eau seulement ; c'est aujourd'hui la vigile de mon saint patron.

Il ne s'assit même pas mais alla droit à la chapelle, s'agenouilla une seconde devant la madone de Pompéi, inspecta les reliques d'un coup d'œil. Pourtant, un peu plus tard, il bénit, avec une mansuétude toute pastorale, les maîtresses de maison et leurs serviteurs agenouillés dans l'entrée. Il déclara à Concetta, qui portait sur son visage les signes d'une nuit d'insomnie :

– Mademoiselle, on ne pourra pas célébrer la messe dans votre chapelle pendant trois ou quatre jours ; mais j'aurai soin de prévoir au plus tôt une nouvelle consécration. A mon avis, l'image de la madone de Pompéi peut occuper dignement la place du tableau d'autel. Ledit tableau, du reste, pourra très heureusement aller grossir la collection d'œuvres d'art que j'ai admirée en entrant. Quant aux reliques, je laisse ici don Pacchiotti, mon secrétaire, qui est très compétent en ces matières ; il examinera les documents et vous communiquera les résultats de sa recherche. J'approuve à l'avance tout ce qu'il décidera.

Il permit avec bénignité à tous les assistants de baiser son anneau et monta pesamment dans sa voiture, avec sa petite suite.

Ils n'étaient pas encore arrivés au tournant des Falconeri que Caroline s'écriait, les mâchoires contractées, les yeux étincelants : « Pour moi, ce pape est turc ! » tandis qu'il fallait faire respirer de l'éther sulfurique à Catherine. Concetta s'entretenait calmement avec don Pacchiotti qui avait accepté une tasse de café et un baba.

Ensuite, le prêtre demanda la clé de la caisse aux documents, s'excusa, et se retira dans la chapelle, non sans avoir extrait du sac qu'il avait apporté un léger marteau, une petite scie, un tournevis, une loupe et deux crayons. Il avait été élève à l'école de paléographie du Vatican ; de surcroît, il était piémontais. Son travail fut long et soigné ; les serviteurs qui passaient devant la porte de la chapelle entendaient de petits coups de marteau, de menus grincements de vis et des soupirs. Au bout de trois heures don Pacchiotti reparut, la soutane couverte de poussière, les mains noires, mais tout content, avec une belle sérénité sur son visage à lunettes. Il s'excusa d'apporter un grand panier d'osier :

– Je me suis permis de prendre ce panier pour y jeter les objets que je mettais au rebut : puis-je le poser ici ?

Il mit dans un coin l'engin, qui débordait de papiers

déchirés, de cartons, de boîtes, de cartilages, de fragments d'os.

– Je suis heureux de pouvoir vous annoncer que j'ai trouvé cinq reliques parfaitement authentiques et dignes de dévotion. Les autres sont là, fit-il en montrant le panier.

– Voudriez-vous me dire, mesdemoiselles, à quel endroit je pourrais me donner un coup de brosse et me laver les mains ?

Il revint cinq minutes après, s'essuyant avec une grande serviette brodée, en rouge, d'un guépard dansant :

– J'oubliais de vous dire que les cadres sont rangés sur la table de la chapelle ; quelques-uns sont vraiment très beaux.

Il prit congé :

– Mesdemoiselles, acceptez mes respects.

Catherine refusa de lui baiser la main.

– Que devons-nous faire de ce qui reste dans le panier ?

– Tout ce que vous voudrez, mesdemoiselles, le garder, le jeter aux ordures, cela n'a aucune valeur.

Et comme Concetta voulait donner l'ordre qu'on mît une voiture à sa disposition :

– Ne prenez pas cette peine, mademoiselle, je ferai collation chez les oratoriens qui habitent à deux pas d'ici. Je n'ai pas besoin de voiture.

Il replaça ses instruments dans son sac et s'en alla d'un pied léger.

Concetta se retira dans sa chambre. Elle n'éprouvait absolument aucune sensation. Il lui semblait vivre dans un monde connu mais étranger, un monde qui avait dépensé toute son énergie et qui n'existait plus désormais que de façon purement formelle. Le portrait de son père n'était plus que quelques centimètres carrés de toile ; les caisses vertes, quelques mètres cubes de bois. Peu après, on lui apporta une lettre. L'enveloppe portait un sceau noir, orné d'une grosse couronne en relief.

« Très chère Concetta, je viens d'apprendre la visite de

Son Éminence, et je suis heureuse que l'on ait pu sauver quelques reliques. J'espère obtenir de Monseigneur le Vicaire qu'il vienne célébrer la première messe dans la chapelle reconsacrée. Le sénateur Tassoni part demain et se rappelle à ton bon souvenir. Je viendrai bientôt te voir ; en attendant, je t'embrasse affectueusement, ainsi que Catherine et Caroline. Ton Angélique. »

Concetta ne ressentait toujours rien. En elle, le vide était complet. Mais un malaise, comme un halo, émanait encore du petit tas de fourrure. C'était là la souffrance apportée par cette journée : le pauvre Bendicò lui-même évoquait à présent d'amers souvenirs. Elle sonna.

– Annette, ce chien est mité, poussiéreux. Emportez-le, jetez-le.

Tandis que l'on traînait la carcasse au-dehors, les yeux de verre la fixèrent avec cet humble reproche des objets que l'on repousse, que l'on veut anéantir. Quelques minutes plus tard, ce qui restait de Bendicò fut jeté dans un coin de la cour visité chaque jour par la voirie. Pendant qu'il volait de la fenêtre vers le sol, sa forme se recomposa un instant : on put voir danser dans l'air un quadrupède aux longues moustaches, à la dextre antérieure levée, dans un geste de malédiction. Puis la paix retomba sur un petit tas de poussière livide.

Table

Préface par Vincenzo Consolo I

Chapitre premier : mai 1860 9

Chapitre deuxième : août 1860 49

Chapitre troisième : octobre 1860 . . . 85

Chapitre quatrième : novembre 1860 . 125

Chapitre cinquième : février 1861 . . . 173

Chapitre sixième : novembre 1862 . . 193

Chapitre septième : juillet 1883 217

Chapitre huitième : mai 1910 231

COMPOSITION : I.G.S. CHARENTE-PHOTOGRAVURE À L'ISLE-D'ESPAGNAC
IMPRESSION : BUSSIÈRE CAMEDAN IMPRIMERIES À SAINT-AMAND (9-98)
DÉPÔT LÉGAL : MAI 1996. N° 29160-2 (984188/4)